À la conquête du succès

Les 17 principes du succès
de W. Clement Stone

Données de catalogage avant publication (Canada)

Cypert, Samuel A.

À la conquête du succès

(Collection Réussite personnelle)
Traduction de : Believe and achieve.

ISBN 2-89225-259-8

1. Succès. 2. Stone, W. Clement, 1902- . I. Titre. II. Collection.

BJ1611.2.C9714 1994   158'.1   C94-940839-5

Cet ouvrage a été publié en langue anglaise sous le titre original :
BELIEVE AND ACHIEVE, W. CLEMENT STONE'S 17 PRINCIPLES OF
SUCCESS
Published by arrangement with the author
Published by Avon Books
A division of The Hearst Corporation
1350 Avenue of the Americas
New York, New York 10019 Tél.: 1-800-238-0658
Copyright © 1991 by W. Clement Stone PMA Communications, Inc.
1440 Paddock Drive, Northbrook, Illinois 60062

©, Les éditions Un monde différent ltée, 1994
Pour l'édition en langue française

Dépôts légaux : 3ᵉ trimestre 1994
Bibliothèque nationale du Québec
Bibliothèque nationale du Canada
Bibliothèque nationale de France

Conception graphique de la couverture :
SERGE HUDON

Version française :
VERTERO

Photocomposition et mise en pages :
COMPOSITION MONIKA, QUÉBEC

ISBN 2-89225-259-8

(Édition originale : ISBN 0-571-09898-3, Avon Books Printing, New
York)

Samuel A. Cypert

À LA CONQUÊTE DU SUCCÈS

Les 17 principes du succès de W. Clement Stone

Les éditions Un monde différent ltée
3925, Grande-Allée
Saint-Hubert (Québec), Canada
J4T 2V8

COLLECTION RÉUSSITE
Personnelle

CHEZ LE MÊME ÉDITEUR:

Dans la même collection:

L'attitude fait toute la différence, Dutch Boling
Aidez les gens à devenir meilleurs, Alan Loy McGinnis
Osez rêver!, Florence Littauer
Les échelons de la réussite, Ralph Ransom
Lettres d'un homme d'affaires à son fils, G. Kingsley Ward
Lettres d'un homme d'affaires à sa fille, G. Kingsley Ward
Plan d'action pour votre vie, Mamie McCullough
Le succès de A à Z (tome A-H) et (tome I-Z), André Bienvenue
Vaincre les obstacles de la vie, Gerry E. Robert
Maîtrisez vos comportements sans les faire subir aux autres,
    Robert A. Schuller
Le capitalisme avec compassion, Rich DeVos

En vente chez votre libraire ou à la maison d'édition
Prix sujets à changement sans préavis

Si vous désirez recevoir le catalogue de nos parutions,
il vous suffit de nous écrire à l'adresse suivante:
Les éditions Un monde différent ltée
3925, Grande-Allée
Saint-Hubert (Québec), Canada J4T 2V8
ou de composer le (514) 656-2660

«*Les 17 principes du succès mis en lumière dans* À la conquête du succès *relèvent de l'essentiel qui a fait ses preuves et qui peut nous encourager tous à l'effort supplémentaire nécessaire pour réaliser notre grandeur*».

Mary Kay Ash, fondatrice, Mary Kay Cosmetics, Inc.

«À la conquête du succès devrait être une lecture obligatoire pour tous les P.D.G. et tous ceux qui aspirent à le devenir. Vous vouer à l'application de ces 17 principes directeurs vous placera certainement sur la voie rapide, que ce soit en affaires, en politique, ou dans toute autre profession».

J. Peter Grace, P.D.G, W.R. Grace & Co.

«*Lire* À la conquête du succès, c'est comme prendre une aspirine pour l'esprit. Vous ne pouvez vous empêcher de vous sentir mieux face à vous-même et au monde qui vous entoure. C'est l'un des grands livres de notre génération et il devrait être une lecture obligatoire pour tous ceux qui recherchent le succès sur le plan personnel et sur le plan professionnel».

Al Parinello, créateur, producteur et coanimateur de *Your Own Success*

«*Lecture inestimable pas seulement une fois, mais maintes et maintes fois. Ce fil d'Ariane est obligatoire pour quiconque veut progresser dans sa vie personnelle ou professionnelle*».

Sénateur Strom Thurmond

À Merrilee,
ma conseillère, ma confidente, ma dactylo,
ma femme, et ma meilleure amie

Table des matières

Préface

Ce n'est pas sans quelques vives inquiétudes que je me suis embarqué dans cette aventure. Après tout, j'ai accepté de remanier les principes du succès ciselés dans le granit tant d'années auparavant par W. Clement Stone et Napoleon Hill, des hommes que j'ai admirés bien avant de commencer ce projet.

Je n'ai jamais rencontré Napoleon Hill; je venais juste de terminer mes études quand il est mort en 1970, à l'âge de 88 ans. Néanmoins, son livre *Réfléchissez et devenez riche** m'a permis de mener à bien mes études. Les principes du succès sur lesquels il a écrit m'ont incité à croire que je pouvais réellement vivre sans dormir et vendre suffisamment d'assurances pour payer mes études et mes dépenses journalières. J'ai toujours d'ailleurs mon exemplaire tout usé et écorné.

Bien sûr, monsieur Stone est une légende dans le monde des assurances, un conférencier exceptionnel et une personnalité de Chicago haute en couleur. J'ai lu ses livres, assisté à ses conférences et admiré ses talents dans le domaine de la motivation bien avant que nous ne nous rencontrions.

La plupart de ses associés l'appellent « Monsieur », plus par respect et affection, je crois, que par déférence. Son attitude suscite ce genre de réaction et relève d'une époque en quelque sorte plus galante, plus noble.

---

*   Produit aux éditions Un monde différent sous format de cassette audio.

13

Je savais qu'il comptait plusieurs amis puissants, mais je ne m'attendais pas à ce déferlement de franche admiration de la part des gens haut placés que j'ai rencontrés au cours de mes recherches pour ce livre. À plusieurs reprises, comme je m'apprêtais à quitter une salle de conférence ou à mettre fin à une conversation téléphonique avec un leader du monde des affaires, la personne me demandait des nouvelles de monsieur Stone, faisait un commentaire sur ses réalisations, et nous souhaitait du succès avec ce livre.

Sa générosité est telle qu'il a donné beaucoup de sa fortune personnelle ; la Fondation W. Clement et Jessie V. Stone assurent la gestion de ses activités humanitaires très étendues. Il siège dans d'innombrables conseils d'administration d'organismes civiques, éducatifs et humanitaires ; il prête son nom et accorde son appui à des causes méritantes à travers le monde.

En public et en privé, il est un homme bon, plein de considération et de compassion, plus intéressé à aider les autres à apprendre à s'aider eux-mêmes qu'à quoi que ce soit d'autre au monde. Je lui serai toujours reconnaissant de me laisser vous communiquer sa philosophie du succès.

Je sais que vous aussi vous la trouverez fascinante et qu'elle vous aidera autant qu'elle m'a aidé.

Samuel A. Cypert

Introduction

«On raconte une histoire extraordinaire à propos de Vince Lombardi et de son acharnement à vouloir communiquer les choses élémentaires essentielles. Une fois, après un match particulièrement mauvais des Packers, Vince Lombardi monta dans l'autobus, tint le ballon bien haut dans sa main et dit: «Messieurs, ceci est un ballon de football». De l'arrière de l'autobus, Max McGee éleva la voix et dit: «Monsieur l'entraîneur, vous allez devoir ralentir; vous allez trop vite pour nous».

Patrick Ryan éprouve de toute évidence beaucoup de plaisir à raconter cette histoire tandis qu'il établit une comparaison entre Vince Lombardi et W. Clement Stone. «Il (W. Clement Stone) est un fondamentaliste strict dans les principes des affaires comme dans les principes de la vie. Un de ses grands succès — et c'est aussi une de mes convictions à laquelle j'ai toujours tenté de rester fidèle — c'est de se rappeler la valeur des choses essentielles. Un retour périodique à l'essentiel est toujours important mais il est encore plus indispensable, quand les choses ne vont pas trop bien, de retourner à l'essentiel et de vous souvenir d'où vous venez. Il s'est fait le grand défenseur de cette assertion et ce principe a été la pierre angulaire de son succès — ce qui a permis à son succès de durer pendant de si nombreuses décennies».

Pat Ryan sait lui-même ce qu'est le succès. Fils d'un concessionnaire d'automobiles Ford, Pat Ryan fut à l'avant-garde de la vente à crédit d'assurance-vie et d'assurance automobile par l'entremise des concessionnaires de voitures. Depuis qu'il a fusionné son Ryan Insurance Group valant 560 000 000 $ à la Combined International Corp. de W. Clement Stone en 1982, il a bâti un conglomérat d'assurances de 5 400 000 000 $ qui se développe et il a augmenté la valeur de ses avoirs personnels dans l'entreprise pour atteindre environ 240 000 000 $.

Comme président-directeur général d'Aon, le nouveau nom adopté par la Combined au début de 1987, Pat Ryan a lancé l'entreprise sur la voie d'un développement rapide grâce à la diminution des coûts, la diversification et les acquisitions astucieuses.

Monsieur Stone continue d'agir en tant que président du conseil d'administration de la Combined, mais Pat Ryan dirige l'entreprise. Il est « formidable » comme collègue, dit Pat Ryan de W. Clement Stone, le décrivant comme « très positif, totalement prévisible (ce qui est bien) et très conséquent. C'est un homme d'une étonnante perspicacité, c'est pourquoi vous pouvez l'écouter et donc apprendre beaucoup à son contact, sans pour autant qu'il ne soit importun. Il permet aux gens d'*agir*, il ne les empêche pas de prendre leurs responsabilités ».

Le retour à l'essentiel, que W. Clement Stone préconise comme type d'approche pour réussir, est peut-être le premier guide vraiment pratique jamais écrit sur la réussite. Il tire son origine d'une rencontre fortuite entre ses deux adeptes principaux: W. Clement Stone et Napoleon Hill. Lors d'une réunion du Club Kiwanis Chicago North Shore en 1952, le responsable du programme fit en sorte que les deux hommes se retrouvent côte à côte à la table d'honneur.

Napoleon Hill, âgé de 69 ans à l'époque, était semi-retraité, jouissant des fruits d'une vie passée à écrire et à donner des conférences; W. Clement Stone, à 50 ans, était à la tête de Combined, un empire qu'il avait construit dans le domaine de l'assurance avec un investissement de 100 $ et avec son dévouement à la philosophie de l'attitude mentale positive (A.M.P.).

Les deux personnalités dynamiques se découvrirent des atomes crochus et, avant la fin du déjeuner, ils s'étaient entendus pour collaborer à une série de livres et de cours de développement personnel. Tous deux étaient des hommes d'action qui n'hésitaient pas à s'engager, connaissant parfaitement bien les sacrifices personnels qu'une telle entreprise exigerait.

Le travail de toute une vie, pour Napoleon Hill, avait été le développement d'une série de principes qui pourraient être utilisés par n'importe qui dans n'importe quel domaine afin de réaliser ses buts, une idée dont il accorde le crédit à l'industriel du tournant du siècle, Andrew Carnegie.

En 1908, alors qu'il était un journaliste âgé de 25 ans, Napoleon Hill fut assigné à la tâche d'écrire un profil du magnat de l'acier pour une revue. Durant l'entrevue, Andrew Carnegie, alors au début de ses 70 ans, se lamenta : « Il est dommage que chaque génération doive trouver la voie du succès par tâtonnements quand les principes sont tellement clairs ».

Il mit le jeune Hill au défi de développer une philosophie pratique à la portée de tout le monde et au moment où Andrew Carnegie finissait de donner des détails sur ses croyances, Napoleon Hill était déjà conquis. Il mit exactement 29 secondes à accepter le défi.

Napoleon Hill tint pour acquis qu'Andrew Carnegie offrait de soutenir le projet et fut étonné quand l'industriel lui demanda s'il consentait à consacrer 20 ans de sa vie — tout en assurant sa propre subsistance — à accomplir le travail.

« Ce n'est pas que je ne sois pas disposé à fournir l'argent », dit Andrew Carnegie, « c'est mon désir de savoir si vous portez en vous cette capacité naturelle d'en faire toujours un peu plus, c'est-à-dire, de rendre le service avant d'être payé. Les gens qui ont du succès », continua Andrew Carnegie, « sont ceux qui rendent plus de services qu'on ne leur en demande ».

L'Écossais futé tint parole. Il permit d'établir certains contacts et fournit beaucoup de matériel, mais n'apporta aucun soutien financier au projet, à l'exception d'argent de poche et de frais de voyage. Napoleon Hill tint également parole. Il passa presque 20 ans exactement à interroger les leaders en affaires et en politique de son temps, cataloguant et raffinant les principes qu'ils lui révélaient.

Henry Ford, Thomas Edison, Alexander Graham Bell, James J. Hill, Luther Burbank, William Howard Taft, Harvey Firestone, F. W. Woolworth, et William Wrigley, Jr., furent quelques-uns des noms célèbres qui partagèrent librement leurs secrets du succès durant les années-marathon de recherches de Napoleon Hill. Sa philosophie personnelle du succès fut le premier traité qui fit autorité sur le sujet, et ses livres: *Les lois du succès (3 tomes)** et *Réfléchissez et devenez riche*, furent lus par des millions de personnes dans le monde.

Au moment où Napoleon Hill et W. Clement Stone se sont rencontrés lors du déjeuner, W. Clement Stone avait lu les livres de Napoleon Hill et avait trouvé en lui une âme sœur dont la philosophie était analogue à la sienne. Aux principes originaux de Napoleon Hill, W. Clement Stone ajouta une attitude mentale positive (A.M.P.) qui devint la doctrine fondamentale et la force motrice de la philosophie.

Au cours des 10 années pendant lesquelles ils ont travaillé ensemble, les deux hommes ont publié plusieurs livres et parcouru la planète en tous sens propageant l'histoire du succès par l'A.M.P. Durant les années 50, des milliers de personnes s'assemblèrent dans des hôtels de Chicago pour les entendre parler. Des clubs «A.M.P. science et succès», basés sur leurs principes, naquirent un peu partout dans le pays. Des lettres inondèrent leurs bureaux, racontant l'histoire de vies transformées et de succès réalisés en suivant les principes qu'ils enseignaient.

Mais il manquait quelque chose. Napoleon Hill et W. Clement Stone trouvaient que les auditoires réagissaient

---

* Publiés aux éditions Un monde différent.

avec enthousiasme à leurs discours et à leurs exposés, mais avec le temps, ces mêmes gens se décourageaient et les pensées négatives revenaient. Pour attiser le feu et garder ardentes les flammes de l'enthousiasme, messieurs Stone et Hill fondèrent *Success Unlimited*, le prédécesseur de la revue contemporaine peu commune: *Success*.

Leur livre, *Le succès par la pensée constructive*, a été traduit en plusieurs langues et il est largement reconnu comme un classique dans le domaine de la littérature de motivation. Il constitue le fondement sur lequel plusieurs auteurs après eux ont bâti leurs modèles de succès. En fait, à peu près tous les livres contemporains de motivation portent les germes de la philosophie de Napoleon Hill et de W. Clement Stone.

Toutefois, le monde a considérablement changé au cours des 27 années qui ont suivi la publication de *Le succès par la pensée constructive* de W. Clement Stone et Napoleon Hill; et *Passeport pour la réussite* de W. Clement Stone a célébré son 25e anniversaire cette année. Durant le quart de siècle qui s'est écoulé depuis sa première parution, le premier homme a marché sur la Lune et les ordinateurs personnels ainsi que les magnétoscopes ont envahi les maisons. Les industries traditionnelles se sont écroulées, l'industrie américaine de l'automobile a perdu du terrain devant les importations, et la contre-culture du message d'amour et de paix des hippies s'est assagie pour donner naissance à la génération du culte du « moi ».

C'est pourquoi il semble approprié à ce moment-ci de réexaminer cette philosophie pour déterminer la validité de cette approche de l'A.M.P. de W. Clement Stone à la lumière des attitudes, des perceptions et des modèles en vogue aujourd'hui.

Nous avons commencé le projet par un sondage. Ce n'est certes pas une idée tellement originale, mais nous avons pensé qu'elle deviendrait intéressante et serait valable pour nos lecteurs. Nous ne pouvons démontrer de façon irréfutable (à moins d'une marge d'erreur acceptable de plus ou moins 5 %) comment la formule originale de

W. Clement Stone a survécu. Il n'est pas certain non plus que nous puissions prouver que notre recherche est valable d'un point de vue scientifique ou statistique. Cela n'a cependant pas été un sondage à l'aveuglette. Nous nous sommes identifiés dans l'espoir que les dirigeants qui répondaient au questionnaire accepteraient d'être interrogés pour ce livre. Plusieurs l'ont fait.

Alors que certains des noms ont été choisis au hasard, certains le furent précisément *à cause* de ceux qui les portent. Adieu donc à la méthode de sélection au hasard par l'énième nom. L'échantillonnage plutôt minime de notre sondage détruirait probablement notre crédibilité auprès des statisticiens, mais la vérité pure et simple, c'est que nous étions plus intéressés par la qualité que par la quantité. Nous l'avons obtenue.

Voici quelques-uns des obstacles que nous avons dû surmonter durant la tenue de notre sondage:

- D'abord, nous avons découvert que les présidents-directeurs généraux des 500 entreprises du magazine Fortune ont déjà été questionnés ad nauseam pour des sondages. Plusieurs ont développé des politiques formelles en matière de participation aux sondages (ils n'y participent pas). Bien sûr, il en est toujours que la directive ne rejoint pas. Il est advenu un cas où deux dirigeants d'une même entreprise ont répondu; l'un déclina l'entrevue en citant la politique de l'entreprise, l'autre accepta.

Certains consacrèrent plus de temps à nous écrire pour nous expliquer leur politique et sa raison d'être qu'il ne leur en aurait fallu pour répondre au questionnaire. Les lettres de refus de participer étaient souvent signées par les présidents-directeurs généraux eux-mêmes, nous souhaitant de réussir notre projet; l'un d'entre eux alla même jusqu'à nous dire qu'il regrettait d'avoir pris cette décision, mais qu'il pensait que nous pourrions comprendre son raisonnement. Nous avons essayé.

- Puis, même si cela ne nous a guère surpris, nous avons appris qu'il y a beaucoup de personnes très occupées parmi ces gens-là. De nombreux gagneurs voulaient participer et ne le pouvaient pas; nous fixions alors un moment qui convenait aux deux partis pour une rencontre seulement. Il n'était pas rare malgré cela que le rendez-vous soit annulé à la dernière minute. Toutefois, il nous fut souvent possible de reporter la rencontre. Tout bien considéré, nous trouvions cette attente bénéfique au bout du compte car elle nous apportait toujours de bons résultats.

- Le vieux Romain avait raison. Quand Pline l'Ancien notait au premier siècle après Jésus-Christ que la seule certitude dans la vie est le changement, il aurait pu être en train de parler de notre projet. Les rendez-vous avec deux présidents-directeurs généraux furent reportés parce qu'ils subissaient une opération à l'hôpital au moment où nous devions les rencontrer, un président de conseil d'administration annula tout simplement lorsque son entreprise fut victime d'une prise de contrôle hostile, et une entreprise publique devint privée pendant que nous effectuions notre recherche.

L'introduction à notre sondage présentait la liste des 17 principes du succès:

1. Une attitude mentale positive
2. Un objectif précis
3. En faire toujours un peu plus
4. La pensée juste
5. L'autodiscipline
6. Le cerveau collectif
7. La foi mise en pratique
8. Une personnalité agréable
9. L'initiative personnelle
10. L'enthousiasme
11. L'attention contrôlée
12. Le travail en équipe
13. Tirer des leçons de la défaite

14. La vision créatrice

15. Planifier l'emploi de son temps et de son argent

16. Garder une bonne santé physique et mentale

17. La force cosmique de l'habitude

Les dirigeants qui ont répondu disaient qu'ils comprenaient assez bien ces 17 principes. Une exception importante toutefois, le dernier: *la force cosmique de l'habitude*. La confusion qu'il a suscitée chez eux nous a incités à porter une attention particulière à la rédaction de cette partie du livre, à la fois en expliquant le principe et en trouvant des exemples pour illustrer comment il fonctionne.

Un certain nombre de P.D.G. ont dit qu'ils n'étaient pas bien certains de saisir le principe du *cerveau collectif* et en quoi il se différenciait du principe du *travail en équipe*. Nous nous sommes également assurés de traiter de cette distinction dans le texte.

La majorité des répondants ont dit qu'ils considéraient une *attitude mentale positive* comme le plus important de tous les principes. Ceci, bien sûr, est en accord avec la croyance de W. Clement Stone et c'est d'ailleurs pour cette raison que, de concert avec Napoleon Hill, ils l'ont placé en tête de liste. W. Clement Stone et Napoleon Hill ont décidé de poursuivre avec un *objectif précis* en second lieu car ils croyaient qu'il se plaçait directement derrière l'A.M.P. par ordre d'importance. Toutefois, au moins la moitié des directeurs généraux ont indiqué dans le sondage que le travail en équipe devrait être placé deuxième.

Parmi les questions du sondage, on trouve: Quel est le dirigeant en affaires que vous admirez le plus? Le nom de Lee Iacocca est revenu sur la majorité des réponses. Deux autres noms sont apparus assez souvent et à peu près également sur les formulaires soit ceux de Thomas Watson junior d'IBM et de Roger Smith de General Motors

Même si la plupart des participants de notre sondage ont atteint les postes au sommet d'entreprises qui affichent des ventes annuelles de centaines de millions et de milliards de dollars, ils ne se reposent pas sur leurs lauriers. La plupart d'entre eux ont affirmé qu'ils mettent tous les jours en pratique les principes du succès.

Un des avantages secondaires dont nous avons bénéficié en écrivant ce livre a été d'apprendre combien les hauts dirigeants des grandes entreprises sont en réalité bons, généreux, prévenants et pleins de considération. Ils ont partagé avec nous leurs expériences et leurs façons de voir dans ce que nous avons cru être un désir réel d'aider les autres. Beaucoup de ces personnes sont identifiées dans ce livre; les autres, pour des raisons personnelles, ont préféré demeurer anonymes.

Somme toute, la rédaction de cet ouvrage a été une expérience divertissante, parfois amusante et toujours révélatrice. Bien sûr, la vraie épreuve qu'un livre doit passer consiste à savoir ce que les *lecteurs* en pensent, et non les *écrivains*. «Un bon livre», disait l'ecclésiastique hollandais Talbot Wilson Chambers, «dans le langage des libraires, est un livre vendable; dans celui du curieux, un livre rare; dans celui de la raison (pour les gens sensés), un livre utile et éducatif».

Nous espérons que ce livre est vendable et à la fois qu'il se vendra beaucoup, mais si nous avions le choix, nous nous contenterions du fait qu'il soit à la hauteur du dernier critère de monsieur Chambers. Nous espérons que vous trouverez le livre utile et éducatif.

Une grande partie de la contribution de W. Clement Stone à ce livre vient de la transcription de l'enregistrement sonore de ses pensées sur les 17 principes. Ces bandes sonores ont été enregistrées durant une série de rencontres mensuelles intitulées «sessions Essence», que ce dernier a tenu avec un groupe de proches parmi ses associés durant ces trois dernières années.

Après avoir étudié avec soin ces transcriptions et les discussions philosophiques touchant les sujets les plus divers qu'elles contenaient — toutes basées sur certains des aspects des 17 principes — deux idées ont peu à peu émergé:

23

Premièrement, les principes semblent se diviser naturellement en cinq catégories: la personnalité, l'intelligence, l'attitude, la fraternité et la spiritualité. Cette observation est à l'origine de l'organisation de ce livre et de l'ordre selon lequel les principes y sont traités.

Deuxièmement, il est nécessaire d'insister sur l'importance de l'honnêteté et de l'intégrité dans les transactions d'affaires. Alors que W. Clement Stone et Napoleon Hill ont souligné l'importance de suivre la règle d'or, ils ont semblé tenir pour acquis que l'honnêteté et l'intégrité seraient vues comme allant de soi par leurs lecteurs. W. Clement Stone croit toujours qu'il faut accorder toute sa confiance aux employés, qu'ils feront ce qu'il faut, mais il précise, dans les «sessions Essence», qu'il est du ressort de la direction de montrer aux employés ce qui est la bonne chose et de vérifier périodiquement leur rendement pour s'assurer qu'ils la font bien. Notre sondage auprès des dirigeants actuels qui ont du succès reflète aussi cette préoccupation de l'honnêteté et de l'intégrité. Dans la société à plus forte densité de population et à plus grande mobilité, les conventions du bon vieux temps cèdent souvent la place à l'opportunisme. La nouvelle attitude en est une de pragmatisme. Tous les moyens pour progresser semblent être acceptables.

Naturellement, ce sentiment n'est pas partagé par tout le monde. Le docteur James Botkin, dont la perspicacité a été inestimable pour expliquer les principes intellectuels, croit que nos valeurs fondamentales sont toujours intactes. Alors que la génération d'aujourd'hui peut sembler plus combinarde et plus rapide, il dit que ses membres n'en sont pas moins honnêtes; ils sont seulement plus subtils et bougent plus vite. «C'est une culture de technologie de pointe, une culture de la côte qui», dit-il, «contraste de façon spectaculaire avec le style ouvert et honnête qui caractérise les dirigeants plus âgés.

Que cela indique un manque d'honnêteté ou un changement de culture, le sujet de l'honnêteté a été mentionné si souvent par les dirigeants que nous avons interrogés que nous nous sommes sentis obligés de le mentionner ici. À peu près tous ceux à qui nous avons parlé ont voulu inclure l'honnêteté et l'intégrité parmi les fondements nécessaires pour atteindre un succès durable.

Le succès est relatif. Un P.D.G. exprima une profonde admiration pour son jardinier, «un homme qui», dit-il, «est un bon mari et un bon père, un homme respecté de son entourage, un homme qui a du succès et qui est heureux». La plupart des répondants à notre sondage ont toutefois défini le succès en termes d'argent, de pouvoir, de respect et de reconnaissance.

Le succès, peu importe notre façon de le mesurer, est une cible en mouvement. On ne l'atteint jamais complètement. «Je crois qu'à chaque nouvel échelon de réalisation, vous devez être exigeant envers vous-même ou vous vous restreindrez», dit Pat Ryan, «alors je préconise d'atteindre d'abord un échelon, puis de bondir au suivant, et ainsi de suite. Quand vous faites cela, votre capacité personnelle prend de l'expansion; le succès vient à la rencontre de vos buts, et il ne cesse de tendre vers sa pleine satisfaction.»

«J'ai déjà dit: «Vous ne pouvez concevoir à quel point «à perte de vue», c'est élevé, sauf en vous limitant vous-même». Cela n'est peut-être pas bien dit, mais beaucoup de gens — incluant monsieur Stone — ont aimé l'idée et y ont réagi. Tout ce que je veux vraiment dire, c'est qu'une fois que vous décidez à quelle hauteur vous désirez aller, vous n'allez pas plus loin. Les gens me demandent parfois si j'ai déjà pris conscience de l'envergure que pouvait prendre mon entreprise. Je leur dis que je n'en avais honnêtement aucune idée, mais je savais qu'elle serait importante à partir du jour où je l'ai lancée en 1963. J'avais comme objectif d'en faire une entreprise de vente d'envergure nationale. J'aurais pu décider que cela était suffisant, mais j'ai voulu atteindre des sommets plus élevés. Je ne veux pas savoir à quelle hauteur car si vous décidez de la hauteur que vous voulez atteindre, c'est là que vous vous arrêterez».

Ma plus grande révélation peut-être, en faisant la recherche pour ce livre fut le fait que, comme le succès lui-même, la philosophie de l'A.M.P. n'est pas statique. Elle est vivante, elle bouge, évoluant sans cesse pour faire face à des changements de besoins et de situations. Depuis le début de la collaboration de W. Clement Stone avec Napoleon Hill, il a raffiné les principes qu'ils ont développés et il a ajouté de nouvelles idées.

«Ma perception, c'est que les principes de base de monsieur Stone ont survécu et supporté beaucoup plus que les situations à la mode que nous voyons si souvent», dit Pat Ryan. «Il est important pour le lecteur de comprendre que ces principes ne sont pas une réflexion sur la vie d'un homme qui a réussi mais ce sont, à mon avis, des principes qui se prolongent à perpétuité. Les lecteurs devraient accepter cette philosophie comme faisant partie du passé, du présent, et d'une grande part de l'avenir».

Les idées originales de W. Clement Stone et de Napoleon Hill, de même que les perceptions évolutives de monsieur Stone, sont explorées en profondeur dans les pages qui suivent. Ceci est l'essence d'une philosophie du succès qui a passé l'épreuve du temps et qui est taillée sur le gabarit formé par les mœurs de la vie moderne en Amérique.

Chapitre 1

Les 17 principes

Ce que l'esprit de l'homme peut concevoir et croire, l'esprit de l'homme peut le réussir avec l'A.M.P.

L'approche de l'attitude mentale positive du succès a aidé des millions de personnes à travers le monde à prendre leurs vies en charge, à prendre conscience de leur potentiel et à atteindre les buts les plus élevés qu'ils se sont fixés. Parmi les leaders actuels du gouvernement, de l'éducation, des affaires, du spectacle et des arts, et de pratiquement tous les autres domaines d'activités, la plupart d'entre eux sont des témoignages vivants de la valeur de la philosophie de l'A.M.P. et de ses 17 principes du succès.

Les principes sont pratiques et ils ont fait leurs preuves ; ils ont résisté à l'épreuve du temps. Et ils sont universels. Comme nous nous développons et nous changeons, les principes se développent avec notre capacité d'atteindre des buts plus élevés et répondent à nos attentes plus élevées. Comme toute autre chose d'ailleurs, plus nous utilisons les principes du succès, mieux nous les comprenons et les appliquons.

C'est un processus continu, et non quelque chose que nous apprenons une fois pour toutes et que nous possédons pour toujours. Même si nous sommes tous nés avec un potentiel de pensées et d'émotions tant négatives que positives, le milieu ambiant est trop souvent négatif. En fait, un des premiers mots que nous apprenons est *non*. Et les influences négatives continuent tout au long de notre vie. Nous entendons rarement des louanges quand nous faisons bien quelque chose ; c'est plus ou moins ce que l'on attend de nous. Pourtant lorsque nous commettons une erreur, les amis, les voisins, les collègues de travail et les parents font la queue sur le pas de la porte pour nous dire que nous nous sommes trompés.

Pour réussir dans ce milieu, il nous faut un ego fort, une foi en nous-même et en notre habileté, et l'assurance que nous finirons par l'emporter. Maintenir une telle attitude nécessite une assimilation périodique de renforcement positif pour contrer les influences négatives que nous subissons quotidiennement.

La quantité de renforcement positif dont nous avons besoin varie selon les gens ; elle est proportionnelle aux influences négatives que nous subissons à la maison, au travail, et dans nos moments de loisirs. Le vendeur d'assurances qui, de par la nature même de son travail doit souvent se heurter au refus, peut avoir besoin de doses régulières de pensée positive. De même, un neurochirurgien dont le poste et l'habileté exigent le respect et l'acceptation de la part des patients et des pairs peut en avoir beaucoup moins besoin.

Voici donc une brève description des 17 principes, regroupés dans nos nouveaux ensembles.

Des principes de l'attitude

Sans aucun doute, la plupart des principes originaux du succès s'adressent à l'attitude de la personne. Ceux que nous avons inclus dans ce regroupement d'ailleurs sont davantage guidés par l'attitude. Ces derniers comportent des thèmes tels qu'une attitude mentale positive, un objectif précis, en faire toujours un peu plus et tirer des leçons de la défaite.

1. Une attitude mentale positive

Ce principe arrive en tête de liste parce qu'il est la pierre angulaire qui supporte les 16 autres principes. C'est le processus par lequel vous pouvez commencer à changer votre vie pour le mieux, parce que vous êtes la seule personne au monde à pouvoir contrôler votre attitude. Ce que votre esprit accepte ou rejette, les autres peuvent l'influencer ou le suggérer, mais vous seul pouvez le contrôler.

Une attitude mentale positive est *la* bonne attitude dans une situation donnée. Ce n'est pas une notion optimiste selon laquelle tout finira par aller bien si vous regardez seulement le bon côté des choses. C'est plutôt un effort consciencieux pour remplacer les pensées négatives, celles qui vont à l'encontre du but recherché, par des pensées positives, celles qui se réalisent. C'est un processus à mettre en pratique toute la journée durant jusqu'à ce que soit prise l'habitude de contrer le doute de soi par la confiance en soi.

Il en est de votre esprit comme de vos muscles qui deviennent forts et résistants par l'exercice et l'utilisation continuelle. Par expérience, vous savez que votre esprit est vivace et au meilleur de lui-même durant les périodes de réflexion et de concentration intenses.

Si vous supprimez les influences négatives et les remplacez par des idées et des pensées positives, vous déclencherez une force puissante qui vous permettra de réaliser n'importe lequel des buts que vous vous fixerez. Le secret est le contrôle. Vous devez choisir consciemment d'éliminer les pensées négatives et de les remplacer par des pensées positives.

2.   Un objectif précis

Napoleon Hill a dit qu'un objectif précis est le point de départ de toute réalisation ; vous devez d'abord savoir où vous allez si vous voulez avoir l'espoir d'y arriver.

Avoir un objectif précis, c'est plus que se fixer un but. En termes plus simples, un objectif précis est votre fil d'Ariane pour atteindre un objectif global de carrière ; les buts représentent des étapes précises le long du parcours. À moins d'être l'une de ces personnes extrêmement rares dont le talent est si grand et qui sont dotées d'une capacité mentale telle qu'elles sont instantanément catapultées à l'apogée du succès, vous devez avancer méthodiquement vers votre objectif.

La plupart des architectes, par exemple, ne commenceraient pas leur carrière en dessinant les plans de gratte-ciel coûtant des millions de dollars. Ils concevraient d'abord des bâtiments plus petits ou des parties d'édifices plus imposants jusqu'à ce que leurs clients aient assez confiance en eux pour risquer des sommes substantielles sur leurs projets.

Plusieurs des «succès du jour au lendemain» ont mis des années à se préparer en vue de l'occasion qui leur a procuré finalement la reconnaissance qu'ils méritaient.

Avoir un objectif dans votre vie a un effet synergique sur votre habileté à atteindre vos buts. En précisant votre objectif, vous devenez meilleur dans ce que vous faites, vous consacrez toutes vos ressources à atteindre votre objectif, vous devenez plus éveillé aux bonnes occasions, et vous pouvez prendre des décisions plus rapidement. Chaque action entreprise vous amène à vous demander: est-ce que ceci m'aide à atteindre mon objectif global ou non?

Plus important encore, avoir un objectif précis se manifeste par un ardent désir qui vous aide à concentrer toutes vos énergies pour atteindre vos buts. Votre objectif devient alors votre vie; il s'infiltre dans votre esprit, à la fois au niveau du conscient et de l'inconscient.

3.   En faire toujours un peu plus

Si vous en faites plus que ce pour quoi on vous paie, il est inévitable que vous finirez par être payé plus pour ce que vous faites. Mais cette lapalissade n'est pas largement acceptée. Les gens tendent naturellement à se diviser en deux groupes: ceux qui font pour le mieux avec entrain dans leur travail et ceux qui semblent avoir cette attitude: «Quand ils me paieront pour ce que je vaux, je leur en donnerai pour ce qu'ils me paient».

Notre société exige une gratification instantanée. Nous voulons ce que nous voulons, et nous le voulons maintenant. Toutefois, la plupart des vraies récompenses ne s'obtiennent pas ainsi. En général, vous devez être prêt à faire le travail, à fournir plus qu'il ne vous est demandé, avant de commencer à recevoir de l'intérêt sur votre investissement.

Le principe vaut tout autant pour les entreprises que pour les personnes. À la fin de 1982, quand Johnson & Johnson découvrit que du poison avait été placé dans certaines de ses capsules de Tylenol, l'entreprise n'hésita pas à tout mettre en branle pour retirer son produit de la vente au niveau national, malgré les justifications quasi immédiates de l'entreprise Tylenol et des preuves à l'appui convaincantes que seuls quelques magasins de Chicago avaient été touchés.

Les pertes de l'entreprise furent évaluées à plus de 100 000 000 $ suite à ce rappel et aux tests de laboratoire subséquents. L'entreprise refusa toutefois de distribuer le produit jusqu'à ce que ses dirigeants soient convaincus qu'il ne subsistait plus aucun risque pour les utilisateurs de Tylenol. Quand le produit fut de nouveau sur le marché — dans le nouveau triple emballage de sécurité — les clients récompensèrent l'entreprise par une loyauté sans précédent. Johnson & Johnson reconquit ainsi sa part du marché car les consommateurs revenaient et manifestement amenaient leurs amis avec eux.

Puis, comme l'entreprise donnait l'impression d'avoir repris le dessus quant aux retombées de la tragédie, la catastrophe se produisit à nouveau à New York. Une jeune femme fut empoisonnée par du cyanure après avoir ingéré un cachet, l'entreprise retira aussitôt les nouvelles capsules du marché — un geste qui coûta certainement entre 100 et 150 000 000 $.

Le président de Johnson & Johnson, James E. Burke, a déclaré en conférence de presse: «Nous croyons que l'entreprise ne peut plus garantir la sûreté des capsules avec le degré de certitude qui corresponde à ses normes de responsabilité à l'égard de sa clientèle.

«Alors que cette décision nous occasionne une perte financière considérable, il est impensable de même songer à la comparer à cette perte qui afflige la famille et les amis de la victime, Diane Elsroth », ajouta-t-il en faisant référence au cas de la jeune femme décédée.

Au moment où nous écrivons ces lignes, nous ne savons toujours pas si les clients accepteront les « caplets » de remplacement que l'entreprise a mis sur le marché, mais ce genre d'intégrité ne peut que rapporter des dividendes à long terme.

L'histoire est remplie d'exemples de sportifs, de gens d'affaires, d'hommes d'État et de soldats qui ont récolté des récompenses, à la fois personnelles et financières, et qui ont été une source d'inspiration pour les autres en donnant plus que ce qu'on attendait d'eux.

4.   Tirer des leçons de la défaite

Une des phrases de motivation favorites de W. Clement Stone est : « Chaque adversité porte en elle le germe d'une occasion d'égale ou de plus grande valeur pour ceux qui ont l'A.M.P. et qui l'appliquent ».

C'est vrai. Pensez aux gens que vous avez personnellement connus et qui ont échoué dans un domaine seulement pour continuer et atteindre un grand succès dans quelque chose de différent. La défaite est rarement permanente.

« Notre force » dit Ralph Waldo Emerson, « provient de notre faiblesse. L'indignation qui s'arme de forces secrètes ne s'éveille pas en nous tant que nous n'avons pas été piqués, blessés et gravement atteints. Un grand homme est toujours disposé à être petit. Alors qu'il se prélasse sur le coussin des avantages, il s'enfonce dans le sommeil. Quand il est pressé, tourmenté, battu, il a une chance d'apprendre quelque chose ; il a dû dépendre de son intelligence, de sa virilité, il a tiré parti des faits, a appris son ignorance ; il a été guéri de la folie de la vanité ; il est mesuré et d'une compétence réelle ».

L'échec a souvent l'habitude de placer quelqu'un en position de fournir un effort inhabituel. Plus d'un homme a arraché une victoire de la défaite, combattant acculé au mur quand il ne pouvait reculer.

César avait longtemps voulu conquérir les Britanniques. Il vogua sans bruit vers les îles britanniques, débarqua ses troupes et son matériel, puis donna l'ordre de brûler les navires. Rassemblant ses hommes, il leur dit: «Maintenant, c'est vaincre ou périr. Nous n'avons pas le choix».

Bien sûr, ils ont gagné. C'est ce que font la plupart des gens quand ils décident de le faire.

Des principes de la personnalité

Vos caractéristiques personnelles sont presque aussi importantes que votre attitude. Pour atteindre le niveau de succès que vous désirez, vous devez développer les traits implicites aux principes de la personnalité, lesquels incluent l'initiative, l'enthousiasme, une personnalité agréable, l'autodiscipline, planifier l'emploi de son temps et de son argent et garder une bonne santé physique et mentale.

5. L'initiative personnelle

L'auteur Elbert Hubbard a dit: «Le monde accorde ses grands prix, à la fois en argent et en honneurs, pour une seule chose, et c'est l'initiative. Qu'est-ce que l'initiative? C'est faire la bonne chose sans que cela nous soit demandé».

L'initiative se manifeste souvent dans le leadership. Si vous êtes une personne d'action qui prend la responsabilité de faire un travail, les autres réagiront à votre exemple. En fait, une des meilleures façons de développer l'initiative personnelle, c'est de l'enseigner aux autres. C'est comme le vendeur qui se vend lui-même avant de pouvoir réussir à vendre aux autres.

L'initiative est le trait qui dit: «Allons-y, faisons quelque chose, même si c'est imparfait». Henry Johnson, le président-directeur général de Spiegel, Inc., se remémore: «J'étais toujours l'organisateur, le président du club, le gars qui tenait la batte, qui disait à tous les autres: "allons-y"».*

33

Henry Johnson — qui mérite de grandes félicitations pour avoir fait une merveilleuse princesse de Spiegel, la parente pauvre de cette forme de commerce qui expose en magasin des produits proposés par catalogue — accorde une grande valeur au leadership. Tellement grande, en fait, qu'il dit à ses directeurs du personnel d'embaucher des gens exceptionnels même si l'entreprise n'a pas de postes vacants. Ses conseils au sujet de l'initiative et du leadership se traduisent ainsi:

- Créez vos propres occasions.

- Soyez sérieux à propos de votre travail et faites-le mieux qu'il n'a jamais été accompli auparavant.

- Consentez à avoir le courage de vos opinions — à prendre des décisions et à courir des risques même dans les travaux quelconques.

Henry Johnson sait de quoi il parle. C'est un dirigeant qui est fils de ses œuvres. Il s'est frayé un chemin depuis le poste de commis de bureau chez Montgomery Ward & Co., jusqu'à celui de président-directeur général de Spiegel.

L'initiative ne va pas sans risque. Voilà des années, Cadillac fit remarquer dans une annonce publicitaire que si une chose devient la norme pour tout le monde, elle devient la cible des envieux. Si votre travail est médiocre, on vous laissera sûrement tout seul, mais si vous réussissez une œuvre d'art, des millions de personnes parleront de vous. Toutefois, un vrai leader s'élèvera au-dessus de la foule et ne sera pas dissuadé par les passions humaines que sont l'envie, la peur ou la cupidité.

6. L'enthousiasme

L'enthousiasme est un état d'esprit qui inspire et pousse une personne à l'action. Il est contagieux et ne touche pas seulement ceux qui sont emballés, mais tous ceux avec qui la personne entre en contact.

** Laurie M. Sachtleben, «The Man who Fashioned a New Spiegel», *PMA Adviser* (août 1983), p. 3.

L'enthousiasme est à une personne ce que l'essence est au moteur d'une automobile: la force motrice vitale. Il est le combustible avec lequel les grands leaders alimentent leurs supporters; il est essentiel à l'art de la vente; il est de loin le facteur le plus important dans l'art de parler en public.

Si vous combinez enthousiasme et travail, ce dernier ne sera jamais difficile ou monotone mais plutôt amusant et excitant. L'enthousiasme donnera tellement d'énergie à votre corps que vous pourrez vous contenter de la moitié de votre sommeil habituel et accomplir en même temps deux fois plus sans vous sentir fatigué.

Certaines personnes sont naturellement enthousiastes; d'autres doivent développer l'enthousiasme. Le meilleur point de départ pour cultiver l'enthousiasme est de faire quelque chose que vous aimez, quelque chose qui vous aide à atteindre vos buts. Ce principe est un bon exemple de l'interdépendance des 17 principes entre eux. Si vous avez un objectif précis, une attention maîtrisée, une attitude mentale positive et les autres caractéristiques, il est facile d'être enthousiaste.

Toutefois, pour que l'enthousiasme fasse des merveilles, il doit être vrai. Votre ton et votre façon de parler doivent refléter la sincérité de votre but. Vous ne pouvez influencer les autres si vous ne croyez pas en vos propres paroles. Quand vous parlez d'un cœur qui éclate d'enthousiasme, le feu de votre enthousiasme enflammera le cœur des autres.

7. Une personnalité agréable

Les gens aiment faire affaire avec des gens qu'ils aiment. Si des critères compétitifs comme la qualité, le service, le prix et la livraison sont plus ou moins équivalents, le facteur décisif pour la plupart d'entre nous sera de faire affaire avec quelqu'un ou une entreprise avec qui nous pouvons établir un lien. Mais comment s'y prendre pour développer une personnalité que les autres aiment?

Le premier point essentiel est de former le caractère. Il est peu probable que vous puissiez avoir une personnalité agréable sans qu'elle repose sur un caractère sain et positif. Il vous est pour ainsi dire à peu près impossible de ne pas donner les signes de votre vrai caractère à ceux avec qui vous entrez en contact. C'est pourquoi lorsque vous rencontrez quelqu'un pour la première fois, vous pouvez avoir un sentiment intuitif concernant cette personne ; vous pouvez l'aimer ou la détester instinctivement sans trop savoir pourquoi.

La personne que vous voulez être — le caractère que vous adoptez — est une question de choix. Vous décidez du genre de personne que vous voulez être, et vous développez des traits bons et positifs en imitant ceux que vous admirez, en pratiquant l'autodiscipline pour remplacer les mauvaises habitudes par des bonnes et en concentrant votre esprit sur des pensées positives. C'est un processus lent et mûrement réfléchi.

L'honnêteté et l'intégrité sont les marques essentielles d'un caractère fort. Si vous ne vous conduisez pas de façon intègre dans vos transactions avec autrui, vous pouvez obtenir du succès pendant un certain temps, mais votre succès ne durera pas. Vous n'avez qu'à lire les journaux quotidiens pour voir défiler des exemples de personnalités du monde des sports, du marché boursier, de la politique et d'autres domaines qui sont tombées en disgrâce à cause d'un défaut de caractère fatal.

Il est certes bien vrai que le succès est plus difficile à supporter que l'échec — une fois que vous l'avez atteint dans une certaine mesure. Une fondation durable bâtie sur un caractère solide est même plus essentielle quand les autres s'en remettent à vous et que vous avez les moyens de vous offrir à peu près tout ce que vous voulez.

Une fois que votre bon caractère repose sur des fondations solides, il existe des techniques spécifiques à utiliser pour donner une bonne impression. Aucune n'est nouvelle ou surprenante, mais la combinaison de toutes ces caractéristiques fera de vous une personne que les autres aimeront côtoyer. Ces techniques sont:

- Soyez sincèrement intéressé aux autres. Trouvez leurs qualités et faites-en l'éloge.

- Parlez avec force et conviction non seulement durant les réunions et les rencontres publiques, mais également dans les conversations en privé.

- Habillez-vous pour réussir, selon votre âge, votre apparence physique et le type de travail que vous faites.

- Apprenez à donner la main d'une façon qui exprime de la cordialité et de l'enthousiasme. (Si cela vous semble superflu et élémentaire, reportez-vous à la dernière fois qu'on vous a donné une poignée de main du genre «poisson mort». Quelle impression vous a donné cette personne?)

- Attirez les autres à vous en vous rendant attrayants pour eux. Parlez-leur de leurs intérêts au lieu des vôtres.

- Rappelez-vous toujours que vos seules limitations sont celles que vous vous créez dans votre propre esprit.

8. L'autodiscipline

Nous sommes le produit d'un million d'années d'évolution. Pendant des générations, nos espèces se sont raffinées, nos instincts de bêtes et nos plus basses passions se sont contenus, jusqu'à ce que nous représentions en définitive le meilleur spécimen d'animal qui ait jamais vécu. Nous sommes nantis de raison, de sang-froid et d'aplomb pour nous contrôler, pour faire tout ce que nous voulons.

Aucune autre créature n'a été dotée du contrôle de soi que vous possédez. Vous avez le pouvoir d'utiliser la forme d'énergie la plus hautement organisée connue de l'homme, celle de la pensée. Vous avez le pouvoir de penser et de diriger vos pensées dans n'importe laquelle des directions que vous désirez.

Vous avez aussi le pouvoir de contrôler vos émotions. Les émotions sont le résultat d'un état d'esprit que vous pouvez maîtriser par l'autodiscipline. Personne ne peut vous rendre jaloux, en colère, vengeur ou cupide. Les autres, par leurs actions, peuvent éveiller ces émotions, mais vous seul pouvez vous permettre de devenir la personnification de ces états d'âme.

Le plus grand praticien de l'autodiscipline fut peut-être le philosophe indien, Mohandas Gandhi. Peu d'hommes ont possédé un tel pouvoir ou joui d'une telle renommée. Il donna naissance à un mouvement qui arracha à l'Empire britannique — alors une des plus grandes puissances militaires au monde — la liberté pour la population de l'Inde, et il le fit sans jamais tirer un seul coup de feu. L'autodiscipline du mahatma Gandhi garda sa vie simple et pure, libre de corruption ou de désir de pouvoir personnel ou de richesses.

Il y a une grande puissance dans l'autodiscipline. C'est l'élément qui vous permet de continuer, même si vous devez toujours vous échiner à gravir la pente pas à pas, jusqu'à ce que vous atteigniez votre objectif.

9. Planifier l'emploi de son temps et de son argent

John Wanamaker, le roi des négociants de Philadelphie, a dit un jour: «L'homme qui n'a pas de système établi pour l'utilisation de son temps et de son argent n'aura jamais de sécurité financière à moins d'avoir un parent riche qui lui laisse une fortune».

Ceux qui offrent des services professionnels — les médecins, les avocats, les comptables et les consultants — savent très bien que le temps est la seule chose qu'ils ont à vendre. Ils développent un système de comptabilité pour leur temps, un tarif horaire qui couvre le coût d'être à son compte et comprend un profit. C'est une leçon pour nous tous; le temps est notre avoir le plus précieux.

C'est votre seul avoir qui peut être converti en n'importe quelle forme de richesse que vous choisissiez. Vous pouvez le dépenser sagement, ou vous pouvez le gaspiller et passer votre vie entière sans autre but que de vous assurer d'être toujours pourvu de nourriture, de vêtements et d'un gîte.

Le temps d'une personne moyenne peut être divisé en trois parties: le sommeil, le travail et la détente. C'est cette dernière partie qui est la plus importante en ce qui concerne votre réalisation personnelle. Votre temps libre vous donne l'occasion de vous améliorer et de vous instruire, ce qui à son tour vous offre la possibilité de mettre votre temps de travail en marché pour un juste prix. La personne qui se sert de tout son temps libre seulement pour son plaisir personnel et pour s'amuser ne trouvera pas grand succès dans quoi que ce soit.

Il est vital de vous accorder du temps pour de la pensée créatrice. W. Clement Stone recommande de consacrer au moins une demi-heure par jour à la pensée créatrice. Le moment de la journée dépend de la personne en cause; certains pensent avec plus de clarté durant leurs marches matinales; d'autres préfèrent un moment plus calme juste avant de s'endormir le soir. Faites l'expérience de vos propres rythmes pour déterminer quand vous pouvez penser le mieux, puis réservez ce moment de la journée pour la pensée créatrice, à l'abri de toute distraction.

Les gens qui réussissent vraiment organisent aussi les rentrées et les sorties d'argent aussi soigneusement qu'ils organisent leur temps. Un montant défini est consacré à la nourriture, à l'habillement, aux dépenses de la maison, à l'épargne et à l'investissement, à la charité et aux loisirs. Naturellement, les circonstances individuelles varient, et les sommes spécifiques allouées à chaque domaine dépendront de votre occupation et de vos possibilités de gagner de l'argent.

L'épargne et l'investissement personnels sont fréquemment les domaines négligés quand les autres dépenses augmentent, mais il y a souvent un bénéfice marginal qu'on oublie dans l'épargne. En cas d'urgence, même un modeste compte en banque peut vous donner du courage et de la sécurité; en période d'abondance, il augmentera votre confiance en soi et réduira votre anxiété. Les inquiétudes au sujet de l'argent peuvent tuer votre ambition et même vous tuer, vous.

10. Garder une bonne santé physique et mentale

Durant les dernières années, nous avons vu augmenter l'attention qu'on accorde à la médecine holistique — le traitement du corps et de l'esprit en tant qu'unité complète. L'importance de l'attitude mentale dans le maintien de la santé n'est nulle part ailleurs autant visible que dans le traitement des patients sérieusement malades. Par exemple, beaucoup de centres de traitement du cancer incluent maintenant l'assistance psychologique comme partie essentielle dans les soins du patient. Et la Société américaine du Cancer peut montrer, témoignages sur témoignages, que l'attitude mentale est le facteur qui distingue les patients qui se sont rétablis de ceux qui n'ont pas pu se remettre.

Vous n'avez pas besoin d'être sérieusement malade pour évoquer ce principe. Il peut être difficile à prouver à l'aide de documents, mais vous avez sans doute connu des gens qui refusent tout simplement d'être malades — vous avez peut-être vécu ce phénomène vous-même — parce qu'ils ont des engagements pressants à respecter, peu importe les circonstances.

Plusieurs des principales maladies d'aujourd'hui sont reliées à notre style de vie. Les maladies du cœur et les cancers, deux des plus courantes, sont sans aucun doute intimement liées aux substances que nous ingérons.

D'autres principes du succès comme le désir, la pensée juste et l'autodiscipline peuvent être utilisés en matière de maintien de la santé peut-être plus efficacement que dans tout autre domaine. En éliminant les mauvaises habitudes de trop manger, de trop boire, de fumer ou d'utiliser des drogues nocives, et en les remplaçant par des habitudes saines, nous pouvons prévenir les causes de maladies mortelles.

Ce qui peut ne pas être aussi apparent, toutefois, c'est l'importance de l'équilibre dans votre vie. Nous avons tous besoin d'un rythme régulier d'amour et de prières, de travail et de détente pour maintenir des niveaux élevés d'énergie physique et mentale.

Cette énergie en surplus peut faire la différence entre gagner ou être battu par la concurrence. Feu Sydney J. Harris, journaliste d'agence au Chicago Sun-Times disait que dans n'importe lequel des grands domaines où il y a de la concurrence, peu d'entre nous sont deux fois meilleurs ou même à moitié aussi bons que leurs concurrents. Mais, dit-il, être 5 % ou 10 % meilleur est suffisant pour nous distinguer de la foule et nous élever vers les sommets.*
Votre avantage sur les concurrents peut très bien résider dans votre bonne santé.

Un corps sain vous aidera à atteindre la confiance qui, jumelée à une attitude mentale positive, vous aidera à arriver à vos objectifs les plus élevés.

Des principes de fraternité

Depuis l'aube de l'humanité lorsque les chasseurs se regroupaient parce qu'ils obtenaient plus de succès en groupes que tout seul, l'homme s'est débattu avec les rapports interpersonnels. Alors que nous savons logiquement et intellectuellement que nous pouvons réaliser des objectifs communs si nous coopérons avec les autres, notre réaction naturelle est souvent de «tenter sa chance tout seul». Cette façon de procéder peut temporairement donner des résultats, mais un succès durable nécessite le soutien et l'aide des autres. Alors que vous commencez à obtenir de plus en plus de succès, vous devenez aussi plus occupé. Vous parvenez au point où il est impossible de tout faire vous-même.

Il y a aussi une grande satisfaction à aider les autres à grandir et à développer leur potentiel. Les dirigeants qui connaissent le succès de nos jours sont tout autant profes-

---

*   Sydney J. Harris, «Winners Learn to Handle Themselves Intelligently», Chicago *Sun-Times* (octobre 1984), p. 57.

seurs que surveillants, et plus meneurs et chefs que patrons autoritaires.

D'où l'importance des principes de la fraternité. Ils comprennent le cerveau collectif et le travail en équipe.

11. Le cerveau collectif

En des termes contemporains, le cerveau collectif pourrait être défini comme le maillage de réseau d'un ordre supérieur. Cela signifie le partage des idées, de l'information et des contacts dans un esprit d'harmonie parfaite pour travailler en vue d'un objectif commun.

Il existe un phénomène en électronique que l'on appelle la résonance, où de grandes quantités de puissance peuvent être générées et soutenues par de petites quantités de forces électromagnétiques appliquées à intervalles réguliers. Toutefois, pour que cet état existe, le pouvoir doit être appliqué en harmonie parfaite avec la source primaire de pouvoir. C'est comme donner une légère poussée à l'enfant dans la balançoire juste au bon moment pour maintenir l'arc du mouvement de pendule.

L'état de pouvoir qui se régénère sans fin existe aussi quand deux esprits ou plus, développés par une alliance amicale, se rencontrent pour produire une puissance combinée qui est de loin supérieure à la somme des esprits pris individuellement.

Le cerveau collectif n'est pas une sorte de tour de passe-passe parapsychologique. Vous pouvez en avoir fait l'expérience dans des exercices de «brainstorming» quand les autres et vous avez précisément eu l'impression de vous découvrir des atomes crochus. Les idées agissent les unes sur les autres jusqu'à ce que vous en arriviez finalement à la meilleure idée de toutes, à la meilleure solution au problème, ou à un nouveau concept original. Et chacune des intelligences du groupe a ajouté sa contribution au processus.

C'est une relation qui devrait être nourrie et dont on devrait encourager le développement, mais il n'est pas toujours facile de réussir une telle harmonie. Nous avons tous parfois de la difficulté à concilier nos propres forces internes; il est beaucoup plus difficile d'harmoniser un groupe d'intelligences diverses, même dans le plus favorable des environnements.

Mais cela vaut l'effort. Choisissez de vous associer avec des gens qui partagent des valeurs, des objectifs et des intérêts communs, mais qui toutefois ont chacun un fort désir individuel de contribuer à l'effort global. Enrôlez-les comme membres de votre cerveau collectif, et vous trouverez qu'il n'existe pas de problème trop difficile à résoudre, pas de but si élevé qu'on ne puisse l'atteindre.

12. Le travail en équipe

Une équipe sportive professionnelle qui pratique le travail en équipe peut gagner avec régularité lorsque les joueurs travaillent en équipe sur le terrain, qu'ils s'entendent bien entre eux hors du terrain ou non.

Les membres d'un conseil d'administration peuvent ne pas être d'accord, parfois même être hostiles, mais parvenir quand même à mener des affaires qui réussissent.

Un homme et sa femme peuvent ne pas s'entendre et quand même réussir à élever une famille puis, selon toutes les apparences extérieures, être heureux et avoir du succès.

Toutes ces alliances seront toutefois beaucoup plus puissantes et efficaces si elles sont bâties sur une base d'harmonie et de coopération. Un simple effort en coopération produit de la puissance, mais le travail en équipe fondé sur une harmonie parfaite de but crée une «superpuissance».

Le travail en équipe diffère du cerveau collectif sur un aspect important. Les membres du cerveau collectif partagent un engagement envers un même objectif précis, alors qu'une équipe peut représenter la coopération nécessaire de chacun des membres pour atteindre un but qui peut être commun seulement de façon temporaire. Les équipes sportives sont de bons exemples d'un tel effort coopératif; les groupes de musiciens en sont un autre. Les joueurs individuels peuvent prendre la vedette ou jouer en solo brèvement, mais le succès du groupe dépendra de leur effort collectif, tout aussi temporaire qu'il soit.

Dans le domaine des affaires, on dénote de nos jours un grand intérêt pour le partenariat stratégique, une forme sophistiquée de travail en équipe. Chaque entreprise partenaire contribue selon ses ressources. Les grandes entreprises, par exemple, peuvent apporter le capital et la force de mise en marché mondiale alors que les partenaires plus modestes contribuent avec cette créativité et cette souplesse à s'adapter aux conditions du marché plus courantes ches les entreprises animées de l'esprit d'entreprise. Quelques-uns des exemples les plus connus seront abordés plus avant dans ce livre.

Tout grand leader — qu'il soit du domaine des affaires, de la finance, de l'industrie ou de la politique — comprend comment créer un objectif motivant qui sera accueilli avec enthousiasme par chaque membre de l'équipe. Trouvez un motif autour duquel on peut persuader les gens de se rallier dans un esprit de collaboration émotionnelle et enthousiaste, et vous aurez créé une force irrésistible.

Des principes de l'intelligence

Les chercheurs commencent seulement à explorer et à expliquer le fonctionnement du plus magnifique de tous les ordinateurs: le cerveau humain. On parle régulièrement dans la presse populaire des percées merveilleuses dans l'étude de la chimie du cerveau, de la transmission des ondes du cerveau et des nouvelles façons révolutionnaires de traiter les désordres du cerveau.

Ce livre n'essaie en aucune manière d'examiner ou d'expliquer les complexités de sujets aussi compliqués. Nous reconnaissons plutôt l'existence des principes et nous nous concentrons sur leur application dans le développement d'une personne harmonieuse qui a du succès.

Les principes de l'intelligence comprennent la vision créatrice, l'attention contrôlée et la pensée juste.

13. La vision créatrice

L'imagination est l'atelier du cerveau où les vieilles idées et les faits établis peuvent être assemblés de nouveau en de nouvelles combinaisons et utilisés de façons nouvelles. Elle pourrait être appelée le pivot des 17 principes, parce que chacun des autres principes du succès mène à l'imagination et s'en sert, tout comme toutes les lignes téléphoniques mènent à la centrale qui est leur source de pouvoir.

Vous n'aurez jamais un objectif précis dans la vie, vous n'aurez jamais de confiance en soi, vous n'aurez jamais d'initiative ni de leadership à moins que vous n'ayez d'abord créé ces qualités dans votre esprit et que vous vous soyez vu les posséder.

Deux phénomènes dans le domaine de l'informatique, Steven Jobs et Steven Wozniak, ont vu dans leur imagination un ordinateur petit, peu cher et facile à manipuler pour un usage personnel. Même si les leaders de l'industrie rejetaient l'idée, ils ont persévéré et ils ont lancé l'ordinateur Apple, qui donna naissance à l'industrie de l'ordinateur personnel qui représente de nos jours plusieurs millions de dollars de ventes.

Les géants du domaine ont depuis suivi le mouvement; presque tous offrent des ordinateurs personnels, et une sous-industrie complète a vu le jour pour satisfaire l'appétit vorace des acheteurs de logiciels. Et le mot *convivialité* est devenu le slogan de marketing dans cette industrie.

Si votre imagination est le miroir de votre âme, vous avez alors le droit de vous placer devant votre miroir et de vous voir comme vous désirez être. Vous avez le droit de voir dans ce miroir le manoir que vous avez l'intention de posséder, l'entreprise que vous avez l'intention de diriger, la banque dont vous avez l'intention d'être le président, la place que vous projetez d'occuper dans la vie.

Votre imagination vous appartient. Plus vous l'utiliserez mieux elle vous servira.

14. L'attention contrôlée

Le principe de l'attention contrôlée peut être mieux défini comme l'habileté, acquise par l'habitude et la pratique, de concentrer votre esprit sur un sujet jusqu'à ce qu'il vous soit devenu complètement familier et que vous l'ayez maîtrisé. Cela veut dire la capacité de concentrer votre attention sur un problème donné jusqu'à ce que vous l'ayez résolu. L'attention contrôlée est aussi l'aptitude de penser comme vous désirez penser, l'intelligence de gérer vos pensées et de les diriger vers un but déterminé. Elle est la capacité d'organiser votre connaissance en un plan d'action qui est valable et exécutable.

Vous réaliserez vos objectifs lorsque vous concentrerez vos pensées sur le plan d'action réaliste que vous avez défini, écrit et que vous vous imaginerez dans la situation où vous avez accompli ce que vous aviez l'intention de faire. Jimmy Carter devint président des États-Unis quand il cessa d'avoir peur du poste et d'être impressionné par Gerald Ford. Si vous avez regardé les débats télévisés de la campagne de 1976, vous avez vu la transformation se produire. Au commencement du premier débat, Jimmy Carter semblait intimidé par le poste, par le président Ford, et par la bousculade de la foule et des caméras de télévision. Mais quand il commença à prendre conscience qu'il pouvait maîtriser la situation, qu'il contrôla son attention et la dirigea sur le travail à accomplir, il commença à croire qu'il pouvait vraiment devenir président. Et il le devint.

Aucun être humain n'a jamais rien créé qui n'ait d'abord été conçu dans son imagination, pour être ensuite transformé en réalité par un désir brûlant et une attention contrôlée. Quand vous vous concentrez réellement sur un but, et que vous vous voyez comme vous désirez l'être dans un, deux, trois, cinq ou dix ans — gagnant le revenu que vous désirez, propriétaire de la nouvelle maison que vous désirez, une personne avec des ressources et de l'influence — vous commencez à être cette personne.

Si vous brossez ce tableau clairement dans votre imagination, il deviendra rapidement l'objet d'un désir profond. Utilisez ce désir pour contrôler votre attention et vous accomplirez des choses que vous pensiez être impossibles.

Vous pouvez le faire si vous croyez que vous le pouvez.

15. La pensée juste

Le cerveau humain a souvent été comparé à un ordinateur, et il lui ressemble de plusieurs façons. Les deux peuvent emmagasiner et traiter de l'information, mais il y a une différence significative dans les méthodes qu'ils utilisent. Aussi longtemps que l'information est mise dans la mémoire d'un ordinateur d'une façon logique, les données peuvent être réorganisées, comparées et extraites intactes. D'un autre côté, nos mémoires peuvent être obscurcies par les émotions, les partis pris, les préjugés ou simplement par le temps qui passe.

Cependant il est absolument essentiel, si nous devons prendre des décisions convenables dans les circonstances sans cesse variées auxquelles nous faisons face dans la vie, d'être capables de penser avec clarté et précision. Comment y parvenir?

La meilleure méthode pourrait être de considérer tous les «faits» avec un scepticisme de bon aloi. Demandez-vous: est-ce que l'opinion de l'expert repose sur une recherche adéquate? Est-elle corroborée par d'autres experts dans le domaine? Est-ce que cette personne fait habituellement preuve de bon jugement? Les faits peuvent-ils être prouvés? Y a-t-il d'autres sources d'information disponibles? Est-ce que ceci est sensé? Est-ce que c'est compatible avec mes expériences passées, mes connaissances, ma formation? Est-ce que cela tombe bien sous le sens commun?

La pensée juste est appuyée par ce que W. Clement Stone appelle la «formule R2A2» — Reconnaître et Relier, Assimiler et Appliquer au problème à l'étude l'information apprise dans tous les domaines.

Peu importe qui essaie de les influencer, les gens qui pensent juste apprennent à faire confiance à leur propre jugement et à demeurer prudents. Ils apprennent à écouter les paroles et à étudier le langage corporel, à examiner leurs réactions instinctives qui leur disent d'être prudents lorsqu'il s'agit de s'engager avec une personne ou une autre, à faire confiance à leur intuition.

Une vieille histoire circule à propos d'un professeur à la faculté de droit, il exigeait que ses étudiants s'en tiennent aux faits connus avec une telle rigidité qu'ils décidèrent de lui tendre un piège. Ils trouvèrent un cheval blanc et le peignirent en noir d'un côté. Ensuite ils désignèrent un des leurs pour mettre en position le cheval le long du chemin de façon à ne rendre visible que le côté noir. Ils firent venir le professeur et lui demandèrent: «Qu'est-ce que vous voyez?»

«Je vois monsieur Thomas tenir la bride d'un cheval dont le côté qui me fait face est apparemment noir», répliqua sagement le vieux professeur.

Des principes spirituels

Les principes spirituels — la foi mise en pratique et la force cosmique de l'habitude — vous aident à exploiter le pouvoir qui est en vous pour travailler en harmonie avec les lois de Dieu et de la nature. Bien appliqués, ces principes enrichiront votre vie dans le domaine des affaires, de la vie sociale, de la vie religieuse et de la vie familiale.

16. La foi mise en pratique

La foi mise en pratique, en termes plus simples, signifie l'action. Elle est l'application de votre foi en vous-même, de votre foi en vos semblables, de votre foi en ces bonnes occasions qui sont à votre disposition et de votre foi en Dieu en toutes circonstances.

Plus votre objectif a de la valeur, plus il est facile de suivre tous les principes du succès en le réalisant. Il est tout simplement impossible de ne pas être enthousiaste et consciencieux quand vos objectifs sont louables et désirables.

L'application de la règle d'or dans votre vie quotidienne est inhérente au principe de la foi mise en pratique.
Faire aux autres ce que vous aimeriez qu'ils fassent pour
vous, si vos rôles étaient inversés, est une règle de conduite
morale sensée. Mais il y a beaucoup plus.

Quand vous décidez de vous guider selon un code de
conduite qui est juste et équitable, vous mettez en marche
une puissance qui suivra son cours pour le bien dans la vie
des autres, et qui reviendra inévitablement pour vous aider
comme le pain proverbial lancé sur les eaux. Quand vous
rendez service à l'autre ou quand vous posez des gestes de
bonté, votre action a un effet psychologique subtil sur
vous, même si personne d'autre ne sait que vous l'avez fait.
C'est votre personnalité, en quelque sorte, qui s'illumine
dans un de ses aspects. Finalement, si vous posez suffisamment de gestes bons, vous développerez une personnalité
tellement positive et dynamique que les autres personnes
qui ont les mêmes dispositions seront attirées vers vous, et
que la bonté dont vous aurez fait preuve vous sera rendue,
en provenance de sources tout à fait imprévues.

17. Utiliser la force cosmique de l'habitude

Nous sommes tous régis par des habitudes; elles deviennent une partie de notre caractère par la répétition de
nos pensées et de nos actes. Nous pouvons contrôler nos
destinées et nos façons de vivre seulement dans la mesure
où nous pouvons contrôler nos habitudes. La raison pour
laquelle nos habitudes sont tellement importantes dans le
succès est qu'après un certain temps, elles deviennent une
façon inconsciente de faire les choses ou de penser. Ce sont
presque des réactions instinctives. Si nous prenons l'habitude de faire la bonne chose sans y penser, nous libérons
nos esprits de la nécessité de juger du bien-fondé de notre
ligne de conduite et nous pouvons nous concentrer sur les
résultats à obtenir.

Les bonnes habitudes qui conduisent au succès peuvent être apprises et acquises; les mauvaises habitudes
peuvent être corrigées et remplacées par des bonnes, à
volonté, par qui que ce soit. L'homme est le seul animal qui
puisse faire cela; nous sommes les seuls à ne pas être
irrémédiablement gouvernés par l'instinct.

W. Clement Stone aime bien dire que la seule façon d'apprendre quelque chose est la répétition, la répétition, la répétition. Si vous répétez une idée assez souvent, elle devient vôtre. Si vous la répétez à haute voix, vous concentrez à la fois votre ouïe et votre vue sur l'apprentissage, et vous fixez l'information dans votre inconscient. Contrairement à votre esprit conscient, qui ne fonctionne qu'en état de veille, votre inconscient est capable de travailler pour vous 24 heures sur 24. La puissance et le potentiel sont là; tout ce que vous avez à faire est de vous brancher à même la source.

La force cosmique de l'habitude ne fait pas de miracle. Elle ne peut faire quelque chose à partir de rien, et elle ne vous dit pas quelle ligne de conduite adopter. Mais elle vous aidera — elle vous forcera même — à vous mettre simplement et logiquement à convertir vos pensées en leur équivalent physique par l'utilisation des moyens naturels à votre disposition.

Quand vous commencez à réorganiser vos habitudes, commencez avec l'habitude du succès. Placez-vous sur la voie du succès en vous forçant à vous concentrer sur vos buts. Avec le temps, vous développerez l'habitude de penser au succès, et vos nouvelles habitudes vous mèneront de manière sûre à l'objet de votre désir.

Tous vos succès et vos échecs sont le résultat des habitudes que vous avez formées. Vous pouvez changer votre vie et contrôler votre destinée par la mise en application de ce principe.

Les voilà donc ces 17 principes qui ont subi l'épreuve du temps. Ils représentent l'essentiel de la sagesse collective de certaines des personnes qui ont le mieux réussi au cours des deux dernières générations, des gens qui nous ont fait partager leur savoir de plein gré et qui nous ont permis de bénéficier de leur expérience. Dans les chapitres qui suivent, certains des gagnants, parmi les plus grands de nos jours, décrivent leurs propres façons de mettre en application les principes du succès. Leurs expériences sont à votre disposition pour les appliquer dans vos propres vies.

Première partie

Des principes de l'attitude

La mesure du succès que vous atteignez dans votre vie — succès personnel, financier ou autre nature — sera régie plus par votre attitude que par tout autre facteur. Il n'y a pas de limites physiques, intellectuelles ou spirituelles qui ne puissent être franchies grâce à une bonne attitude.

W. Clement Stone l'appelle l'A.M.P., l'attitude mentale positive. C'est cela et beaucoup plus. C'est la passion, celle qui se manifeste dans les actions physiques et mentales, qui fait ce qui est nécessaire pour accomplir la besogne.

C'est la conviction intime, le feu en votre for intérieur qui vous fait continuer longtemps après que tous les autres aient décidé que cela n'en valait plus la peine. C'est la persévérance de suivre votre plan quand tous ceux que vous connaissez vous disent que vous êtes en train de commettre une erreur idiote.

Une attitude de gagnant vous pousse à donner un service un tantinet meilleur comparativement à celui de votre plus proche concurrent, simplement parce que vous êtes la personne que vous êtes. Vous ne seriez pas satisfait d'être aussi bon que tout le monde; vous avez besoin d'être meilleur. Une attitude de gagnant, c'est ce qui vous fait continuer de rechercher des clients encore un peu après que tous les autres vendeurs soient retournés à la maison, ou prendre un cours de perfectionnement le samedi pendant que vos copains jouent au golf.

«L'attitude appropriée selon les circonstances» est celle qui vous aide, qui vous force même à vous fixer des objectifs afin de vous assurer que *vous* savez où vous allez. C'est visualiser un but avec une intensité telle que vous en perdez toute notion du temps quand vous êtes à travailler pour l'atteindre. C'est l'exaltation de relever un défi avec succès, et ensuite de vous fixer des objectifs encore plus élevés pour la prochaine fois.

Quand vous avez perdu lors d'une dispute ou même d'une lutte importante, la bonne attitude, c'est la petite voix qui murmure dans votre tête : « Je ne commettrai plus jamais cette erreur-là ». C'est de savoir que les leçons pénibles apprises durant les revers passagers feront de vous une personne meilleure et plus forte. C'est la conviction qu'après tout la défaite est seulement provisoire. Vous secouerez la poussière et c'est seulement un peu défraîchi que vous retournerez au combat. La fois suivante, vous gagnerez.

Ce sont là les attitudes qui portent les gagnants au sommet, qui font prendre un tournant aux carrières infructueuses, et nous donnent à tous de l'espoir. Les vieilles vertus à l'ancienne, maintenir une attitude mentale positive, se fixer un objectif, en faire toujours un peu plus et tirer des leçons de la défaite, ces vertus fonctionnent vraiment. Dans cette première partie, nous réviserons ces principes et nous examinerons les vies de quelques personnes qui les ont utilisé à leur avantage.

Chapitre 2

Une attitude mentale positive

« Une attitude mentale positive », dit W. Clement Stone, « est la bonne attitude dans un contexte donné ». Elle est composée de foi, d'optimisme, d'espoir, d'intégrité, d'initiative, de courage, de générosité, de tolérance, de tact, d'amabilité et de bon sens. L'A.M.P. vous permet d'atteindre vos objectifs, d'accumuler des richesses, d'être une source d'inspiration pour les autres, de réaliser vos rêves — tout aussi ambitieux qu'ils puissent être — pourvu que vous vouliez bien en payer le prix.

W. Clement Stone et Napoleon Hill ont parlé des 17 principes du succès dans leurs écrits. Ils ont conclu que deux d'entre eux sont le point de départ de toute réussite valable : une attitude mentale positive et un objectif précis. Les deux sont essentiels afin d'appliquer correctement et efficacement tout autre principe du succès ou toute autre combinaison de ces principes.

W. Clement Stone dit : « Une attitude mentale positive jumelée au choix d'un but spécifique est le point de départ de tous les succès. Votre univers changera que vous choisissiez ou non de le transformer. Mais vous avez vraiment le pouvoir de choisir dans quelle direction. Vous pouvez choisir vos propres cibles.

« Pendant des siècles, les philosophes nous ont dit : « Connais-toi toi-même ». Ce que nous devrions réellement enseigner est non seulement de se connaître et de se comprendre soi-même, mais bien de se rendre compte que nous avons le potentiel en soi d'atteindre n'importe quel but que nous désirons dans la vie aussi longtemps que cela n'enfreint pas les lois de Dieu ou les droits de nos semblables.

« Ce que l'esprit de l'homme peut concevoir et croire », maintient W. Clement Stone, « l'esprit de l'homme peut le réaliser par l'A.M.P.. Nous traduisons dans la réalité physique les pensées et les attitudes que nous avons dans nos esprits. Nous reproduisons des pensées de pauvreté et d'échec dans la réalité tout aussi rapidement que nous le faisons pour des pensées de richesse et de succès. Quand notre attitude envers nous-même est généreuse et que notre attitude envers les autres est fraternelle et clémente, nous attirons à nous des parts de succès généreuses et considérables ».

W. Clement Stone dit que le début de l'application de l'A.M.P. est de comprendre et d'appliquer la règle d'or. « Soyez attentionné et sensible aux réactions des autres et aux vôtres en contrôlant vos réactions émotionnelles face aux influences de votre entourage », recommande-t-il. « Développez les bonnes habitudes de pensée et d'action. Croyez, croyez réellement, que vous pouvez atteindre n'importe quel but, et vous le pourrez.

« Avec chaque victoire, vous grandissez en sagesse, vous prenez de l'envergure et de l'expérience. Vous devenez une personne plus forte et meilleure ; votre réussite est plus grande chaque fois que vous faites face à un problème, que vous l'affrontez et le surmontez avec l'A.M.P ».

Dans tout ce que vous entreprenez, le succès est plus facile que l'échec même si cela n'est pas apparent au premier coup d'œil. Mais si, dans votre propre vie, vous examinez ces époques où vous avez fait l'expérience de l'échec temporaire et de la défaite, vous vous rendrez compte qu'il vous a fallu beaucoup plus de temps et d'énergie pour échouer qu'il ne vous en aurait fallu pour réussir.

Il n'y a pas de problème qui ne puisse être résolu, pas d'obstacle si grand qu'il ne puisse être franchi si vous l'abordez avec confiance, intelligence, persévérance, et une attitude mentale positive. Quand vous vous tourmentez pour savoir si oui ou non vous êtes capable de faire quelque chose qui est difficile pour vous, quand vous substituez le doute de soi à la confiance en soi, non seulement vous *ne* réussissez *pas*, mais vous trouvez l'expérience elle-même épuisante.

Si, d'autre part, vous abordez le problème ou l'occasion avec l'attitude qui convient dans les circonstances, vous pouvez orienter toutes vos énergies vers la tâche à accomplir. Et le travail à mener à bien, vous le faites. Parce que vous avez une attitude positive, vous réussirez. Vous connaîtrez, sans aucun doute, des revers passagers. Rien de valable n'est jamais accompli facilement, mais si vous persévérez — avec l'A.M.P. — vous vaincrez.

C'est une question d'*espérance*. Si vous vous attendez à réussir, vous réussirez; si vous ne vous y attendez pas, vous ne réussirez pas. Alors que ceci peut vous sembler simple en apparence, rappelez-vous, nous sommes influencés par notre entourage. Nous ne sommes pas nés pour penser négativement, on nous a appris à le faire.

«Un bébé négatif, cela n'existe pas» dit Norman Vincent Peale, dont le livre, *La puissance de la pensée positive*, a été vendu à plus de 15 millions d'exemplaires en 45 langues, depuis sa parution originale en 1952. «À la naissance, le monde est à nous. Tout ce que nous avons à faire est de pleurer et nous obtenons tout ce que nous voulons».

Au cours de la vie, toutefois, nous sommes soumis à de plus en plus d'influences négatives de la part de nos parents, de nos pairs, de nos professeurs, de nos frères et sœurs, et d'un nombre incalculable de personnes. On nous dit que nous ne pouvons faire ceci ou cela, parfois pour notre bien, parfois pour une question de jalousie ou de concurrence, parfois pour des raisons que nous ne pouvons absolument pas comprendre. Il en résulte que nous commençons à penser négativement à notre propre sujet. Ceci continue jusqu'à ce que, arrivés à l'âge de 25, 30, 40 ou 50 ans, dit Norman Vincent Peale, «nous devions passer par un «processus de désapprentissage» pour nous débarrasser de nos pensées négatives».

La meilleure étude connue des effets des attentes extérieures sur notre rendement a peut-être été faite par Robert Rosenthal de l'université Harvard, il y a plus de deux décennies. Robert Rosenthal croyait que les scientifiques et les chercheurs pouvaient sans en avoir l'intention influencer le résultat de leurs expériences en s'attendant à ce que certaines choses se produisent. Les résultats devenaient alors ce qu'il appelait «une prophétie qui se réalise elle-même».[*]

Il vérifia l'idée en donnant à 12 expérimentateurs 5 rats chacun, avec pour directives d'enseigner aux rats à franchir un labyrinthe à l'aide de signaux visuels. Les rats étaient identiques, mais Robert Rosenthal dit aux expérimentateurs qu'une moitié des rats avaient été élevés pour être «forts en labyrinthe» et l'autre moitié «nuls en labyrinthe». À la fin de l'expérience, les rats dont les entraîneurs savaient qu'ils étaient plus forts ont réellement obtenu un meilleur rendement que les rats soi-disant nuls.

Robert Rosenthal répéta l'expérience avec un différent groupe de rats et d'expérimentateurs. Les résultats furent les mêmes; d'une certaine manière, les attentes des expérimentateurs furent communiquées aux rats et ils réagirent en conséquence.

Pour déterminer si les gens réagissent aux attentes de la même façon, Robert Rosenthal entreprit une autre recherche. Au début de l'année scolaire, il fit passer un test courant de Q.I. (quotient intellectuel) à tous les élèves d'une école élémentaire, mais il dit aux instituteurs que le test était conçu pour aider à identifier les «génies en herbe».

L'école était constituée de 18 classes, 3 pour chacun des niveaux. Dans chaque niveau, il y avait une classe composée d'enfants dont la capacité était en-dessous de la moyenne, une dont les enfants avaient la moyenne et une dans laquelle les élèves étaient au-dessus de la moyenne.

Robert Rosenthal choisit au hasard environ 20 % des enfants dans toute l'école et dit aux instituteurs que ces

---

[*]   Robert Rosenthal, «The Psychology of the Psychologist», *Psychology and Life* Ed. Floyd L. Ruch (Glenview, III.: Scott, Foresman and Company, 1963, 1967), p. 651.

élèves avaient été identifiés grâce au test comme étant des «génies en herbe».

Huit mois plus tard, Robert Rosenthal fit passer un autre test de Q.I. à tous les élèves. Dans les niveaux supérieurs, il n'y eut guère de différence dans les résultats, mais les résultats des deux premières années furent impressionnants. Monsieur Rosenthal découvrit que les élèves de première année, dont les instituteurs s'attendaient à les voir progresser, eurent en effet plus de 15 points de Q.I. que le groupe de référence.

Les enfants de deuxième, soumis à l'expérimentation, obtinrent près de 10 points de Q.I. de plus que les enfants du groupe de référence. Robert Rosenthal vit aussi que 47% des enfants dont les instituteurs s'attendaient à ce qu'ils s'épanouissent intellectuellement progressèrent de 20 points de Q.I. ou plus, alors que seulement 19% des enfants du groupe initial cheminèrent autant.

La seule différence résidait dans les *attentes* des professeurs à l'égard des enfants. Nous réagissons aux influences négatives ou positives des autres sur nous, que les autres et nous-mêmes en soyons conscients ou non, et nous sommes sensibles à ces influences dès notre jeune âge.

Les habitudes de pensée négative que nous avons acquises doivent être délibérément désapprises. Nous devons prendre l'habitude de remplacer les pensées négatives par des pensées positives. Chaque fois que nous nous surprenons à penser négativement dans quelque situation que ce soit, nous devons immédiatement remplacer ces pensées par des pensées positives. Nous devons conditionner nos esprits de la même manière que nous conditionnons n'importe quelle autre partie de notre corps.

Par exemple, dit W. Clement Stone, vous ne vous attendriez pas à vous lever un matin en disant: «Aujourd'hui, je vais devenir un coureur de marathon. Je sais que je n'ai jamais couru plus d'un kilomètre de toute ma vie, je suis obèse et je ne suis pas en forme, mais je crois que je peux y arriver».

Ce que vous faites d'abord c'est de vous fixer un objectif, puis de commencer à travailler en vue de le réaliser. Au début, vous courez sur une petite distance et vous l'augmentez jusqu'à ce que vous puissiez courir le marathon. La même chose est vraie pour votre esprit. Vous ne vous levez pas un bon jour en décidant d'être positif à partir de maintenant, et c'est fini. Cette décision est seulement un début. Vous y travaillez tous les jours, sans relâche, remplaçant méthodiquement les pensées négatives avec leurs équivalents positifs, jusqu'à ce qu'une attitude mentale positive devienne à ce point partie intégrante de vous-même qu'un jour vous soyez plutôt surpris de voir que vos pensées sont rarement négatives.

Norman Vincent Peale est d'accord. « Si vous êtes une personne qui pense négativement », dit-il, « vous avez beaucoup de modèles négatifs à désapprendre et vous devez penser positivement. Dans très peu de cas, ceci peut se faire rapidement.

« J'utilise l'exemple de ma ferme dans le Duchess County (New York). Nous avions un arbre là-bas d'environ 200 ans et qui commençait à avoir des problèmes. On a fait venir alors un homme pour couper l'arbre parce qu'il était pourri à l'intérieur et qu'un vent fort pouvait le faire tomber. En tombant, il pouvait endommager la maison.

« Quand ce fut le temps, l'homme et ses aides sont venus à la ferme et je les ai regardés commencer à travailler. Je m'imaginais qu'ils allaient sortir une espèce de scie gigantesque, couperaient simplement l'arbre au ras du sol, et que tout serait terminé.

« Mais ce n'est pas du tout de cette façon que cela s'est passé. Ils ont grimpé au sommet, ils ont émondé les petites branches, et les ont taillées ainsi en descendant jusqu'à ce qu'il ne reste plus que le tronc. Ensuite ils ont coupé le tronc en sections en commençant par le haut jusqu'au sol.

« C'est ainsi qu'on se débarrasse de la pensée négative. Vous commencez par les petites pensées négatives, vous les éliminez et vous continuez à travailler sur les plus grosses jusqu'à pouvoir enfin vous rendre au cœur de votre pensée négative. Alors vous la supprimez, et vous êtes prêt à y substituer une façon de penser positive».

«Je crois qu'il est absolument essentiel que vous ayez l'A.M.P. dans chaque aspect de votre vie, et que vous commenciez tôt», dit Patrick O'Malley, président émérite de Canteen Company, une entreprise auxiliaire de Transworld Corporation valant 1 000 000 000 $. «J'étais déterminé à avoir du succès et à exceller dans tout ce que j'allais entreprendre. De telles réussites se produisent seulement avec une attitude mentale positive qui vous permettra de vous engager totalement face à n'importe quel défi qui pourrait survenir. J'ai ressenti l'importance de l'A.M.P. dans tout ce qui touchait ma vie, que ce soit dans le domaine de la religion, de l'éducation de mes enfants, de mes affaires ou des activités civiques. L'A.M.P. est essentielle dans votre vie non seulement intimement liée à vous-même mais aussi liée à ces choses que vous pouvez faire pour aider les autres».

Patrick O'Malley, a d'abord commencé à travailler comme chauffeur de camion puis comme vice-président exécutif responsable des ventes et de l'embouteillage au niveau mondial chez Coca-Cola Company avant de devenir président de Canteen Corporation. Il raconte ses souvenirs: «Je viens d'une famille pauvre de South Boston où nous vivions dans un appartement au troisième étage. Notre seule source de chaleur provenait d'un gros poêle à bois dans la cuisine. Nous étions six enfants, et nous devions tous apporter notre contribution — spécialement durant la dépression — pour avoir quelque chose à manger sur la table.

«J'ai commencé à travailler à l'âge de neuf ans, je cirais les chaussures et je me servais de l'A.M.P. tous les jours, même si je ne savais pas comment ça s'appelait. Je voulais donner le meilleur des services possible. Le résultat final est que Pasquale Tutello, le propriétaire de la boutique, recevait cinq sous pour le cirage et moi, je ramassais un pourboire de dix sous! Sans aucune mise de fonds, je recevais deux fois plus que le propriétaire lui-même. C'était surtout parce que j'avais décidé que les chaussures les mieux cirées qu'on puisse trouver à South Boston seraient celles cirées par Pat O'Malley. Cela a marché. Les clients sont revenus maintes et maintes fois pour me faire cirer leurs chaussures.

« Je me suis lancé dans le commerce des journaux de l'autre côté de la rue juste en face de la boutique du cireur de chaussures. J'avais un kiosque à journaux dès l'âge de 12 ans. Je vendais les journaux — nous en comptions environ huit à Boston à l'époque, et ils coûtaient tous deux sous chacun — mais je les vendais deux pour cinq sous. Les gens trouvaient ça drôle, mais ils payaient les cinq sous. Je fis un marché avec l'épicier-traiteur tout près pour lui donner ma monnaie à la fin de la journée en échange d'un sandwich au jambon. Je mangeais la moitié du sandwich et j'apportais le reste à la maison pour la famille.

« Je quittai ce travail pour faire de la livraison d'épice-rie en conduisant un cheval attelé à une voiture. Là encore, je donnai aux clients le genre de service que j'aurais aimé recevoir pour moi, et invariablement je recevais un beau pourboire. Tous ces gestes englobaient une bonne attitude, et j'essayais tout le temps d'avoir le sourire. Je crois que peu importe le genre d'affaires que vous effectuez, que ce soit dans le domaine des services, de la technique, ou dans les professions libérales, si vous gardez ce sourire sur votre visage et si vous avez toujours une attitude mentale posi-tive, cela vous mènera loin ».

Patrick O'Malley a commencé chez Coca-Cola Com-pany comme aide camionneur en 1932 et a eu la chance de montrer ses compétences quand le chauffeur dut s'absenter 10 jours pour raisons de santé. « Il s'agissait de vendre nos produits directement du camion sur un territoire donné », se souvient-il. « Je me suis mis en tête que pendant ces 10 jours-là, j'allais vendre plus qu'on n'avait jamais réussi à le faire auparavant à partir d'un camion. C'est ce que je fis. Ils m'ont gardé comme vendeur et ils ont envoyé le gars que j'avais remplacé dans un autre district. Deux ans plus tard, j'étais promu surveillant, puis directeur à Stamford, au Connecticut, puis pour un plus grand territoire à Oshkosh, au Wisconsin, par la suite à Chicago comme président de

Coca-Cola Bottling Company de Chicago, et ensuite au siège social d'Atlanta ».

Patrick O'Malley est retourné à Chicago un peu plus de deux ans plus tard à la tête de Canteen où il fit passer l'entreprise d'un chiffre d'affaires de 195 000 000 $ au chiffre actuel de 1 000 000 000 $. Depuis qu'il a quitté Canteen pour prendre sa retraite, Patrick O'Malley a occupé divers postes de direction dans le service civique et communautaire, s'engageant partout avec cette même attitude mentale positive qui l'a fait passer d'emplois modestes au poste le plus élevé d'une des plus grosses entreprises du pays.

Un autre qui a appris par l'expérience ce qui peut être accompli avec une attitude mentale positive, c'est Og Mandino, récipiendaire du premier Napoleon Hill Gold Medal Award pour son œuvre littéraire. Du podium de la grande salle de bal du Conrad Hilton Hotel à Chicago, Og Mandino raconte à l'auditoire assemblé pour honorer les lauréats ce que l'A.M.P. a fait pour lui.

Og Mandino rappelle l'époque la plus affligeante de sa vie. Il avait perdu son travail, sa maison, sa famille, et son rêve de devenir un écrivain. Au plus profond du désespoir, il vit son image — il était hirsute et mal rasé — se refléter dans la vitrine d'un mont-de-piété où étaient exposés des revolvers à vendre. Avec ses trois derniers billets de 10 $ tout froissés, il acheta une arme pour mettre fin à la vie inutile qu'il menait.

« Je n'ai même pas eu le courage d'aller jusqu'au bout », admit Og Mandino.

De cet abîme de désespoir, il commença à chercher des réponses, à essayer d'apprendre « les règles de la vie qui ne m'avaient jamais été enseignées à l'école ». Il parcourut les bibliothèques à la recherche de quelque chose — n'importe quoi — pour l'aider à recoller les morceaux de sa vie.

Dans une bibliothèque de Concord, au New Hampshire, Og Mandino trouva *Le succès par la pensée constructive*, un exemplaire du livre de W. Clement Stone et Napoleon Hill. Les connaissances qu'il acquit de ce livre et l'encouragement que lui prodigua une femme qui croyait en lui lui donnèrent le courage d'essayer à nouveau. Il fit une demande d'emploi chez Combined Insurance et, recourant à la philosophie du succès qu'il avait apprise dans les livres de motivation et d'épanouissement personnel, il trouva la vérité pour lui-même. «Vous pouvez vraiment accomplir tout ce que vous voulez, à la condition de vouloir en payer le prix». Une réussite en entraîna une autre, et il commença à attirer l'attention du siège social à Chicago.

Quand son intérêt pour écrire refit surface, Og Mandino fit la location d'une machine à écrire, prit congé deux semaines, et écrivit un manuel des ventes, espérant que quelqu'un dans l'entreprise «reconnaîtrait le grand talent de rédaction qu'ils avaient là-bas, dans le Maine».

Mike Ritt, aujourd'hui à la tête de la fondation Napoleon Hill le remarqua *vraiment* et offrit à Og Mandino un travail de rédacteur. Og Mandino continua jusqu'à devenir l'éditeur de *Success Unlimited*, le magazine fondé par Napoleon Hill et W. Clement Stone, où il apprit de la bouche de W. Clement Stone comment mettre en pratique les 17 principes du succès.

Og Mandino ne manquait pas d'enthousiasme, mais de temps à autre son inexpérience quant aux aspects de la production dans l'édition causa des problèmes. Une fois, après s'être torturé longuement à cause d'une erreur coûteuse qu'il avait commise, il trouva le courage de dire à W. Clement Stone ce qui était arrivé.

«Oh, c'est extraordinaire», dit W. Clement Stone et au grand soulagement ainsi qu'à la grande surprise d'Og Mandino, il écarta le problème en lui indiquant les principes du succès et en lui disant combien il avait appris de l'expérience. Avec son attitude mentale positive caractéristique, W. Clement Stone ne s'inquiéta pas de ce qui ne pouvait être changé. Il savait que monsieur Mandino ne commettrait plus jamais une telle erreur. Au lieu de s'inquiéter, il s'appliqua à lui montrer tout ce qu'il pouvait tirer de cette expérience.

Comme c'est souvent le cas, la nécessité donna naissance à l'idée qu'il fit fructifier dans un livre qui récolta un prix littéraire. Quand un article pour *Success* n'arriva pas au moment prévu, Og Mandino, pour remplir cet espace, écrivit une histoire émouvante à propos du grand golfeur Ben Hogan qui avait surmonté un handicap qui l'avait laissé incapable de marcher.

Cette histoire attira l'attention d'un éditeur qui invita Og Mandino à écrire un livre. Le livre — qui est depuis devenu un classique du genre — était *Le plus grand vendeur du monde**.

«Les impudents disent qu'il n'y a plus d'histoires comme celle d'Horatio Alger, mais je dis que ces cyniques ont tort», dit Og Mandino. «Mon message est que la vie est un jeu. Elle relève du spirituel et du sacré, mais elle est un jeu. Et vous ne pouvez pas gagner à moins d'en connaître les règles.

«Les principes du succès que Napoleon Hill et W. Clement Stone ont partagé avec le monde enseignent les règles de la vie qui ne sont pas inculquées à l'école primaire, au collège, au lycée ou à l'université: comment atteindre la réussite par l'attitude mentale positive».

La leçon apprise par Og Mandino est la même que celle qui a éclairé tous les grands gagnants à une époque ou à une autre. Quand on demanda à Henry Ford ce qui avait le plus contribué à son succès, il dit: «Je me garde l'esprit tellement occupé à penser à ce que je veux accomplir qu'il n'y a pas de place là-dedans pour les choses que je ne veux pas». Ce dont il a eu le plus besoin pour diriger son empire de l'automobile, s'exclama-t-il, a été «plus d'hommes qui ne savent rien à propos des façons de ne pas faire quelque chose».**

---

* Publié aux éditions Un monde différent sous format de livre et de cassette audio.

** «Napoleon Hill Revisited: On A Positive Mental Attitude», *PMA Adviser* (March 1985), p. 6.

Selon ce que rapporte Napoleon Hill, Thomas Edison, le plus grand inventeur que ce pays ait connu, consterna ses amis en disant que sa surdité était sa plus grande bénédiction parce qu'elle lui avait épargné le problème d'avoir à entendre parler de circonstances négatives qui n'avaient aucun intérêt pour lui, et lui avait permis de fixer son attention sur ses buts et ses objectifs dans une attitude mentale positive.

Le grand Thomas Edison attribua à sa mère le fait de lui avoir inculqué la foi en sa réussite. Selon l'écrivain, Francis A. Jones, Thomas Edison a dit: «Je me souviens que je n'étais jamais capable de bien m'en tirer à l'école. Je ne sais pas ce qu'il y avait, mais j'étais toujours le dernier de la classe. J'avais l'habitude de penser que les instituteurs ne sympathisaient jamais avec moi et que mon père pensait que j'étais stupide; et à la fin j'ai quasiment cru que je devais vraiment être un âne. Ma mère était toujours gentille, toujours compatissante. Elle n'a jamais manqué de compréhension à mon égard et ne m'a jamais mal jugé. Mais j'avais peur de lui parler de toutes mes difficultés à l'école de crainte qu'elle aussi puisse perdre sa confiance en moi.

«Un jour, j'entendis l'instituteur dire à l'inspecteur que j'étais «pourri» et que cela ne valait pas la peine de me garder à l'école plus longtemps. Je fus tellement blessé que ce fut la dernière goutte qui fit déborder le vase, j'éclatai en sanglots et m'en allai à la maison tout raconter à ma mère. C'est alors que j'ai compris à quel point ma mère était bonne pour moi. Elle prit complètement ma défense. L'amour d'une mère s'était réveillé, l'orgueil d'une mère venait à la rescousse. Elle me ramena à l'école et dit avec colère à l'instituteur que j'avais plus de cervelle que lui, et bien d'autres choses encore. En fait, elle était le défenseur le plus enthousiaste qu'un garçon ait jamais eu, et *j'ai aussitôt décidé que je serais digne d'elle et que je lui montrerais que sa confiance n'était pas mal placée.* C'est ma mère qui a formé mon caractère[*].

Analysant cet épisode, W. Clement Stone dit: «Alors qu'il est vrai que sa mère éveilla en lui le désir qui l'a motivé à atteindre une grande réussite, Thomas Edison fut en fait celui qui s'est formé lui-même. Même s'il alla à l'école primaire pendant moins de trois mois, il devint un homme instruit et une personne douée parce qu'il était motivé à apprendre et à persévérer. Peu importe ce que vous êtes ou ce que vous avez été, vous avez le pouvoir potentiel de devenir ce que vous voulez être».

C'était la même attitude mentale positive qui permit à W. Clement Stone lui-même, un garçon pauvre du South Side de Chicago, d'atteindre des sommets élevés de richesse et de réussite. Orphelin de père dès l'âge de 3 ans, il commença à vendre des journaux sur le coin des rues aux environs de la 31e rue et de Cottage Grove à l'âge de 6 ans. La concurrence était féroce et il fut souvent menacé par des garçons plus forts et plus vieux qui voulaient protéger leur territoire.

Sans se laisser intimider, il vendit ses journaux à l'intérieur d'un restaurant très fréquenté situé à proximité, en passant d'une table à l'autre. Même si le propriétaire le mit à la porte plus d'une fois, le jeune Stone continua d'y retourner jusqu'à ce que le restaurateur laisse tomber. Il admirait le cran et la persévérance de W. Clement Stone et tous deux devinrent de très bons amis.

«Comme vendeur de journaux, j'ai appris beaucoup de choses qui m'ont aidé par la suite comme vendeur, directeur des ventes et dirigeant, même si je ne m'en rendais pas compte à ce moment-là. Je sais maintenant que si je ne pouvais pas résoudre un problème d'une façon, j'essayais de découvrir une autre façon de trouver une solution. Vendre mes journaux au restaurant Hœlle, par exemple, finit par me faire comprendre que chaque désavantage peut être transformé en avantage si on l'envisage d'une façon positive. Tout le monde finit par avoir des problèmes; vous devez seulement les surmonter avec l'A.M.P.

*** «W. Clement Stone On: Your Potential», *PMA Adviser* (January 1984), pp. 3, 6.

« J'ai aussi commencé à apprendre à vaincre la peur par l'action et la persévérance, et que je pouvais vendre plus que les autres en me rendant dans des endroits où ils avaient peur d'aller. J'apprenais aussi à penser par moi-même. Je crois que les garçons plus âgés qui vendaient des journaux n'avaient jamais pensé les vendre dans un restaurant ».

Au moment où W. Clement Stone s'est retrouvé au collège, les finances de sa mère s'étaient suffisamment améliorées pour qu'elle s'achète une petite agence d'assurance à Detroit. Même si W. Clement Stone a choisi de demeurer à Chicago pour terminer ses études au collège, il passait les fêtes et les vacances avec sa mère. Ce fut au cours d'une de ces vacances d'été que W. Clement Stone, alors âgé de 16 ans, fut séduit par le domaine des assurances.

Tirant profit des leçons qu'il avait apprises comme vendeur de journaux, le jeune Stone se rendit là où se trouvait la plupart des occasions d'affaires. Il ratissa les édifices commerciaux, effrayé et manquant de confiance, jusqu'à ce qu'il perfectionne sa technique. À la fin de l'été, il gagnait tellement d'argent qu'il quitta le collège pour travailler à plein temps. (Il retourna par la suite terminer ses études).

À l'âge de 20 ans, il revint à Chicago pour ouvrir son agence qui devint la base sur laquelle il bâtit sa fortune dans les assurances. Pour garder une attitude mentale positive, il lisait des livres de motivation et de croissance personnelle. Il était stimulé, mais peiné du fait que les livres lui disaient ce qu'il fallait faire, mais pas de quelle façon le faire. Il se jura qu'un jour il écrirait des livres pour dire aux autres comment réussir, et commença à essayer consciemment de découvrir les principes qui mènent au succès ou à l'échec. « Mon but évident », dit-il, « était d'utiliser ces principes qui amènent le succès et d'éviter ceux qui conduisent à l'échec ».

Combined International, l'entreprise qu'il a fondée, est devenue un conglomérat multinational dans le domaine des assurances (maintenant Aon Corporation) et emploie

des milliers de gens. W. Clement Stone a partagé ses principes du succès avec des millions de personnes par l'entremise d'innombrables conférences à des auditoires à travers
le monde et de plusieurs best-sellers. Il fit tout cela en
suivant la philosophie du succès de l'A.M.P. qu'il préconise.

Norman Vincent Peale a dit: « Clem Stone commença
très pauvre, et fit beaucoup d'argent. Mais l'argent ne le
contrôla jamais. C'est lui qui contrôlait l'argent, et il en
donna la plus grande partie. L'argent pour lui était un
instrument afin d'aider les autres à développer leur confiance en soi, à croire, à devenir positifs dans leurs attitudes ».

Sa philosophie a aidé des millions d'autres personnes,
et elle vous aidera, vous aussi.

Chapitre 3

Un objectif précis

Des premières entrevues avec Andrew Carnegie jusqu'à ses dernières conférences et ses écrits, Napoleon Hill crut fermement que la principale raison pour laquelle certaines personnes réussissent alors que d'autres échouent provient de ce que les gens qui réussissent ont un but précis dans leur vie. Ceux qui échouent n'en possèdent pas. Il passa sa vie à persuader les autres qu'ils doivent d'abord savoir où ils vont pour espérer pouvoir s'y rendre.

Ses idées novatrices ont été reprises et raffinées par de nombreux autres auteurs jusqu'à ce qu'il y ait maintenant une assez imposante collection de littérature de motivation et de croissance personnelle sur la façon de se fixer des objectifs. Mais les principes fondamentaux demeurent les mêmes.

Napoleon Hill préconise une formule en quatre points :

* *Premièrement, écrivez un énoncé clair, concis, de ce que vous désirez le plus dans la vie. Ceci peut être d'atteindre un certain niveau de salaire, d'être promu au plus haut poste que vous pouvez imaginer, de générer un volume de ventes désirées ou un revenu de commission, d'acquérir suffisamment de capital de mise de fonds pour lancer votre propre affaire, ou de réussir à ce que votre entreprise soit cotée en Bourse.*

Le seul critère pour choisir votre objectif précis principal est qu'une fois que vous l'avez réalisé, vous devez penser mériter qu'on dise que vous avez réussi.

71

Dans son livre, *Semences de grandeur*, l'auteur et conférencier Denis Waitley suggère d'écrire les objectifs sur des fiches de 8 cm sur 13 cm que vous pouvez garder sur vous et réviser plusieurs fois par jour.

«L'esprit est enclin par nature à se fixer des objectifs», dit monsieur Waitley. «Les individus qui réussissent ont des stratégies et des buts qui sont clairement définis et auxquels ils se réfèrent constamment. Ils savent où ils vont chaque jour, chaque mois et chaque année de leur vie. Ils contrôlent le déroulement de la vie pour eux-mêmes et pour ceux qu'ils aiment».[*]

- *Deuxièmement, tracez les grandes lignes de votre plan pour atteindre cet objectif important. Le plan n'a pas besoin d'être long; en fait, le contraire est bon. Plus il est court, plus il est susceptible de se concentrer sur les questions primordiales.*

Les auteurs contemporains poussent un peu plus loin la démarche de Napoleon Hill. Denis Waitley suggère d'écrire l'objectif comme s'il avait déjà été réalisé. «Voyez-vous comme ayant déjà atteint cet objectif» dit-il. «Permettez-vous de ressentir vraiment la fierté de bien faire».

Ron Willingham, un consultant de formation à la vente, dirigeant d'ateliers et auteur, raconte l'histoire (dans son livre *The Best Seller!*) de Robert Hooten, le nouveau propriétaire d'une imprimerie qui tente de survivre. Son but était d'acheter une Jaguar sport — à condition d'avoir au moins 40 000 dollars de volume d'affaires par mois et l'argent pour l'acheter comptant.

Robert Hooten découpa une photo représentant précisément la voiture qu'il voulait et l'épingla sur le mur de son bureau là où il pouvait la regarder. Chaque jour, il se voyait au volant de la Jaguar jusqu'à ce que, selon Ron Willingham, cela soit devenu pour lui une passion.

Ce seul objectif lui permit de persévérer même durant les temps les plus difficiles, jusqu'à ce qu'il puisse finale-

---

[*]   Denis Waitley, «Goal Setting: The Wheel of Fortune», *PMA Adviser* (April 1984), pp. 2,5. Adaptation de *Semences de grandeur*.

ment être capable d'acheter la voiture. «Un jour il vint à mon bureau», dit monsieur Willingham, «et lança un trousseau de clés sur le bureau». À l'extérieur, stationnée le long du trottoir, trônait la Jaguar, identique en tous points à la photo qu'il avait épinglée sur le mur de son bureau quelques années auparavant.*

- *Troisièmement, déterminez un temps précis pour réaliser votre objectif. Rappelez-vous, les objectifs majeurs sont rarement atteints en faisant de grandes enjambées. Votre plan devrait inclure les étapes intermédiaires nécessaires pour arriver au sommet. Vous pouvez de temps à autre sauter un échelon ou deux de l'échelle, mais ne vous attendez pas à sauter d'un seul coup depuis le sol jusqu'à l'échelon le plus élevé.*

La légende veut que durant ses débuts dans l'industrie automobile, tout le plan de carrière de Lee Iacocca tenait sur une petite carte. Elle contenait tout simplement la liste des promotions qu'il désirait et les dates auxquelles il s'attendait à les recevoir jusqu'à ce qu'il devienne président de Ford Motor Company.

- *Quatrièmement, mémorisez votre objectif principal et votre plan. Répétez-les plusieurs fois par jour — à peu près comme une prière — et terminez en exprimant votre gratitude d'avoir reçu ce que votre plan prévoyait.*

Ici, Napoleon Hill préconisait une forme d'autosuggestion dont il disait qu'elle conditionne votre inconscient à accepter comme une réalité les buts que vous vous êtes fixés dans votre esprit conscient. Répéter vos objectifs à voix haute renforce le message.

Denis Waitley, psychologue de formation, appelle cette approche «se parler à soi-même». Il dit que le processus rend plus rapide l'intériorisation de vos objectifs. «Votre image de soi ne peut pas faire la différence entre la réalité et quelque chose qui est imaginé de façon vivante», écrit-il. «L'habitude de renforcer vos propres objectifs de

---

* Ron Willingham, *The Best Seller!* (Englewood Cliffs, N.J.: Prentice-Hall Inc., 1984) pp. 11-12.

façon répétitive comme s'ils étaient au temps présent fait venir des suggestions visuelles, émotionnelles et verbales à votre imagination créatrice au niveau de l'inconscient. Ces suggestions, si elles sont répétées fréquemment dans une ambiance de détente, tendront avec une nouvelle stratégie à l'emporter sur vos anciens modèles habituels».

À part la nécessité évidente d'avoir un plan pour vous donner une direction, W. Clement Stone indique beaucoup d'autres avantages inhérents au fait de se fixer un «but premier» ou un objectif précis dans votre vie. En plus de faire travailler pour vous votre inconscient par la suggestion à soi-même ou l'autosuggestion, vous avez tendance à vous retrouver sur la bonne voie et à vous diriger dans la bonne direction parce que vous savez ce que vous voulez.

Qui plus est, vous vous embarquez dans l'**ACTION**! Les plans et les objectifs sont importants — essentiels, en vérité — mais ils sont gaspillés sans action. Vous devez prendre les mesures nécessaires pour mettre vos plans en application.

Aussi, lorsque vous avez un objectif précis, le travail devient du plaisir. Vous êtes motivés à payer le prix, et à le faire de bonne humeur et de bonne grâce. C'est volontairement que vous étudiez, que vous pensez et que vous planifiez, augmentant votre enthousiasme et intensifiant votre désir brûlant de réaliser vos objectifs.

Savoir exactement où vous allez a pour effet d'éveiller votre attentions sur les occasions que vous pourriez autrement laisser passer. Vous verrez des choses dans vos expériences quotidiennes qui vous aideront à atteindre vos objectifs; et parce que vous avez un but précis, vous êtes beaucoup plus enclin à reconnaître et à saisir ces occasions lorsqu'elles se présentent d'elles-mêmes.

Peut-être que le seul plus grand avantage d'avoir un objectif déterminé est que cela aide à mettre le reste de votre vie en perspective. Peu d'entre nous ont le temps, l'énergie ou les ressources d'accomplir tout ce que nous voudrions, ou de toucher un peu à tout ce qui peut bien nous intéresser à l'occasion. Votre objectif principal devient un guide instantané pour établir des priorités. Ou bien l'action vous aide à atteindre votre but, ou bien elle ne vous aide pas. C'est aussi simple que cela.

Votre objectif précis, si vous le renforcez convenablement, se manifestera en un désir brûlant qui vous permettra d'atteindre n'importe lequel des buts que vous vous êtes donnés.

Curtis L. Carlson, président-directeur général de Carlson Companies, installée à Minneapolis, une des vingt plus grandes sociétés commerciales privées en Amérique, a institutionnalisé le fait de déterminer des objectifs dans son organisation.

« Quand j'ai débuté en affaires », dit monsieur Carlson, dont les entreprises comprennent des joyaux tels que TGI Friday's, les restaurants Country Kitchen, les hôtels Radisson, les agences de voyages Ask Mr. Foster, et les entreprises de promotion des ventes E. F. MacDonald, « j'ai écrit mon objectif ultime sur un petit morceau de papier, je l'ai plié et je l'ai gardé sur moi jusqu'à ce que je le réalise. Quand j'ai enfin atteint ce but — parfois le papier était froissé et écorné — je me suis fixé un autre objectif et c'est celui-là que j'ai gardé sur moi.

« Je le portais sur moi afin de toujours savoir qu'il était là. Il devenait une partie de moi. Et parce qu'il était écrit, il se cristallisait dans mon esprit. Il m'aidait à rendre mes pensées plus claires et mes décisions plus faciles à prendre. Quand vous avez un but précis, vous pouvez rapidement évaluer si vos décisions vous rapprochent de votre objectif ou si elles vous en éloignent ».

Quand il lança la Gold Bond Stamp Company en 1938 avec 50 dollars de capital emprunté, son premier but a été de gagner 100 dollars par semaine. Ce petit morceau de papier fut le « drapeau blanc » qui l'aiguillonna.

S'il lui arrivait de ne pas réussir quelque chose la première fois, il ne pensait jamais à laisser tomber — il essayait tout simplement de s'y prendre d'une autre façon. Quand Gold Bond eut des problèmes de liquidités en 1940, il vendit une demi-douzaine d'actions à des amis (actions qu'il racheta rapidement), et quand le rationnement de la nourriture mit fin à l'attrait des timbres à échanger, monsieur Carlson modernisa rapidement son organisation pour préserver son précieux capital. Ce ne fut pas avant les années 1950, quand il obtint son premier client de chaîne de supermarchés, que monsieur Carlson commença à atteindre la prospérité qu'il avait toujours cru possible avec les timbres à échanger. Il répéta sa stratégie de promotion dans le commerce de l'alimentation et prit de l'expansion dans les stations-services et les pressings.

Puis dans les années 1960, vinrent le mouvement de la protection des consommateurs et la demande en faveur de la baisse des prix au lieu des promotions et des primes. Curtis Carlson lutta pour protéger ses intérêts, mais les consommateurs blâmaient les timbres à échanger pour l'augmentation des prix de la nourriture, et il était clair que leur popularité s'amenuisait.

Curtis Carlson réagit par la diversification et les acquisitions. Il investit dans l'immobilier, dans l'hôtellerie, la restauration, la vente par catalogue et la manufacture. Il acheta des entreprises où il pouvait mettre en pratique le bon sens qu'il avait acquis dans le domaine de la promotion — des entreprises qui cadraient bien avec sa stratégie de reproduction.

«Tout ce que nous avons à faire», disait-il à ses gestionnaires, «c'est de garder un œil sur le but à atteindre. Les obstacles sont ces choses effrayantes que vous voyez lorsque vous détachez votre œil de la cible».

«Toutefois, vous ne devriez jamais vous contenter d'atteindre un objectif», dit monsieur Carlson. «Je considère un objectif comme un voyage plutôt que comme une destination».

Il prouva l'importance de l'objectif précis dans ses propres entreprises. En 1973, Curtis Carlson établit un objectif de ventes d'un milliard de dollars, objectif à atteindre à partir de 1977 (inclusivement). Cet objectif ambitieux souleva quelques doutes puisqu'à l'époque la Carlson Companies affichait des ventes de la moitié de ce volume;

il planifiait de doubler ses ventes sur une très courte période de cinq ans.

Il a réussi à convaincre ceux qui en avaient douté lorsqu'il a atteint son objectif un an avant l'échéance. Jamais satisfait de se reposer sur ses lauriers, le bouillant Carlson annonça immédiatement que son entreprise doublerait encore ses ventes avant la fin de 1982.

Malgré une récession qui s'éternisait plus longtemps que tout le monde l'avait prévu, Curtis Carlson encore une fois tira son épingle du jeu. « Nous n'avons pas vraiment été certains d'avoir atteint notre but avant le 10 janvier 1983 », dit monsieur Carlson, mais quand les données furent toutes compilées, l'entreprise rapportait un montant de deux milliards cent cinquante millions de dollars de ventes pour l'année 1982.

« Notre but est maintenant de doubler les ventes tous les cinq ans. Cela représente une augmentation annuelle de 15 % », dit-il. Curtis Carlson franchit la barre des trois milliards et demi en 1986 et s'il réalise ses projections de croissance de 15 %, il devrait dépasser les quatre milliards de dollars de ventes en 1987. En 1986, le magazine *Forbes* estimait la valeur personnelle de Curtis Carlson à 550 millions de dollars.

Curtis Carlson est un adepte du plan quinquennal qu'il considère comme le délai idéal pour permettre la souplesse nécessaire afin de dévier temporairement du plan pour saisir les nouvelles occasions quand elles se présentent, sans avoir à compromettre votre objectif global. Ses conseils pour se fixer des objectifs sont les suivants :

- Établissez un calendrier pour atteindre votre objectif.

- Soyez persévérant. Ne reculez jamais devant l'adversité et les difficultés courantes qui surviennent pour vous empêcher d'atteindre vos buts.

- Parlez de votre objectif à tout le monde. Si vous le gardez pour vous, il est trop facile de le laisser tomber (Carlson afficha ses objectifs de ventes dans le hall de l'édifice).

- Que votre objectif soit réaliste. Divisez-le en sous-objectifs et voyez de quelle façon vous atteindrez votre objectif global. Au cours de l'année qui vient, le plan d'action devrait être précisé clairement mois après mois.

Curtis Carlson mit en pratique récemment sa philosophie de l'établissement des objectifs — et ses grandes habiletés de persuasion — en défiant de ramasser 300 millions de dollars pour l'université du Minnesota, où il avait étudié 50 ans auparavant et payé ses études en étant chauffeur de camion de boissons gazeuses et en vendant de la publicité sur les panneaux d'affichage des associations d'étudiants et d'étudiantes. Il ne douta jamais de sa réussite et, c'était à prévoir, il ramassa 85 % de la somme en seulement deux ans. «Il est incontestable qu'avec une autre année à venir, les 300 millions seront dépassés», dit Curtis Carlson. Il ajoute que ceci sera la plus grosse somme d'argent jamais souscrite par des particuliers en un tel délai.

Curtis Carlson n'a plus sur lui son petit morceau de papier sur lequel est écrit son objectif; cela est devenu une «seconde nature» pour lui. Il dit qu'après avoir acquis une certaine compétence quant à établir des objectifs, vous apprenez à vous diriger continuellement vers votre but et vous vous rappelez de ce qui doit être fait pour vous y mener.

«L'autre jour, j'ai entendu une histoire», dit-il, «qui illustre la valeur de se fixer des objectifs. Il y a 30 ans, un professeur de Yale demanda aux étudiants qui terminaient leurs études s'ils avaient écrit l'objectif qu'ils voulaient réaliser une fois rendus dans la vraie vie. Seulement trois levèrent la main. Quand les membres toujours vivants de ce groupe furent contactés 30 ans plus tard, les trois qui avaient déterminé des buts précis pour leur vie avaient accumulé autant de richesses que le reste de la classe mis ensemble».

«Cela», dit monsieur Carlson, est le pouvoir que donne le fait de déterminer des objectifs.

Tom Monaghan, qui comme Curtis Carlson s'éleva depuis la pauvreté jusqu'aux grands sommets de la réussite (les deux ont été lauréats du Horatio Alger Award), insiste sur l'importance de se fixer des objectifs — un objectif précis — croyant cela essentiel. «Mon système pour déterminer des objectifs repose sur l'écriture», dit monsieur Monaghan, fondateur de Domino's Pizza et propriétaire de l'équipe de base-ball des Tigers de Detroit. «Je traîne toujours avec moi un bloc-notes jaune de format légal partout où je vais. Tout, mes pensées, mes projets, mes rêves, mes analyses de mes problèmes — tout ce qui me passe par la tête, même parfois ma liste de courses — tout est écrit sur le bloc-notes que j'utilise. Quand celui-là est rempli, j'en commence un autre; j'ai parfois plusieurs blocs-notes de front pour différents genres de pensées. Durant les 20 dernières années, j'ai accumulé des douzaines de caisses remplies de ces blocs-notes. Mais la chose amusante est que je ne les regarde jamais une fois que j'ai fini d'écrire. La raison en est que c'est le processus de l'écriture qui est important pour moi. C'est la pensée qui se retrouve dans l'écriture qui est importante, pas les mots qui finissent sur la page blanche.

Dans son autobiographie, *Pizza Tiger*, Tom Monaghan dit, «j'établis des objectifs à long terme, des objectifs annuels, mensuels, hebdomadaires et quotidiens. Les objectifs à long terme sont des rêves sur papier. Mais les autres listes sont spécifiques et orientées sur l'action. Ma liste d'objectifs pour 1980, par exemple, commençait par cette inscription: «500 unités». Pour moi cela voulait dire que nous aurions un total de 500 magasins à la fin de l'année. C'était un objectif élevé à ce moment-là de notre développement, mais c'était atteignable. La chose importante relativement à cet objectif, en tout cas, c'est qu'il était *déterminé*, ce n'était pas seulement «augmentons le nombre d'unités cette année». C'était *500 ou rien!* Si un objectif est précis, c'est facile de le communiquer aux autres. Ceci est important parce que lorsque vous travaillez avec un objectif constitué en société, vous devez le *vendre* à d'autres personnes qui peuvent vous aider à l'atteindre. Ils doivent comprendre exactement ce que l'objectif représente, et ils doivent être convaincus qu'il peut être réalisé par *eux*».[*]

Tom Monaghan insiste aussi sur le fait que, en plus d'être déterminés, les objectifs doivent être limités dans le temps. Son style est de fixer des objectifs qu'il planifie de réaliser *cette* année, pas «un peu plus tard». Ses blocs-notes jaunes de format légal comprennent des objectifs d'affaires, des objectifs physiques et des choses personnelles. Il découvrit l'importance d'annoncer publiquement ses objectifs en 1952 quand il cessa de fumer. «J'en ai parlé à tous ceux que je connaissais. «Ça y est. J'ai fumé ma dernière cigarette». Cela m'a donné la force de m'en tenir à ma décision. Si vous croyez que vous allez faire quelque chose et que vous dites à tout le monde que vous allez le faire, le fait qu'ils vous croient vous servira de filet de sécurité pour votre propre foi en vous-même».

Allen H. Neuharth, président-directeur général de Gannett Company, Inc., une des plus grandes chaînes de journaux du pays, avait longtemps cru que sa compagnie avait besoin d'une image de marque qui la distinguerait de la concurrence. L'organisation comprenait de nombreux journaux locaux rentables et de bonne renommée, recevait régulièrement des prix d'excellence et faisait suffisamment de profits pour que ses directeurs et ses actionnaires soient satisfaits et heureux.

Mais monsieur Neuharth voulait plus. Il imaginait un journal d'envergure nationale, une idée qui avait eu du succès dans d'autres pays, mais non aux États-Unis. Le *Christian Science Monitor*, un journal qui paraissait cinq jours par semaine à travers le pays, avait connu du succès pendant un certain temps, mais n'avait jamais fait courir les foules, et avait dû lutter pour sa survie depuis quelques années. *The National Observer* de Dow Jone's, un hebdomadaire acerbe lancé en 1962, est mort brusquement en 1977.

---

[*] Tom Monagham with Robert Anderson, *Pizza Tiger* (New York: Random House, 1986) pp. 222-23.

Allen Neuharth croyait qu'il pouvait réussir où les autres avaient échoué, et commença à faire des recherches intensives afin de concrétiser cette idée à la fin de 1979. Son entreprise fit l'essai de ce concept auprès de 40 000 ménages à travers le pays.

Dès sa parution, *USA Today* fit sensation. La façon elle-même d'organiser les nouvelles devint une nouvelle, faisant la moue, la critique surnommait la nouvelle publication «McNews» — par allusion à l'approche «fast food» du journal et à son penchant pour les articles courts et optimistes.

Allen Neuharth risqua gros dans la poursuite de son objectif, mais c'était seulement une fois de plus dans sa carrière. Quand il a commencé comme journaliste avec Associated Press à Sioux Falls, au Dakota du Sud, il a lancé un quotidien populaire, *SoDak Sports*, qui a échoué. Il a perdu 50 000 dollars appartenant à ses investisseurs — la plupart étant des amis et de la famille.

Depuis ces débuts peu reluisants, Allen Neuharth joignit le Knight Organization (maintenant Knight-Ridder) comme journaliste pour le *Herald* de Miami, et monta rapidement dans la hiérarchie pour être nommé six ans plus tard éditeur exécutif adjoint du *Detroit Free Press*. Gannett l'embaucha pour gérer ses journaux de Rochester, New York et en 1966, l'envoya gérer les opérations de l'entreprise en Floride. Il dit à ses amis, «Je reviendrai à Rochester comme grouillot de rédaction ou comme président».

En Floride, il lança un journal qu'il appela *Today* pour desservir les lecteurs d'un milieu aisé dans le Centre-Est de l'État.

Le succès de sa publication l'aida à réaliser la promesse qu'il avait faite à ses amis et en 1970, il était nommé président et dirigeant responsable des opérations. Trois ans plus tard, il occupait le poste de président-directeur général et en 1979, il était élu président de l'entreprise.

Même s'il y a encore beaucoup de gens qui refusent le journal et le condamnent à la ruine, *USA Today* semble avoir trouvé une clientèle qui se multiplie rapidement. Aujourd'hui, la publication s'enorgueillit de 5 541 000 lecteurs. Elle a fait état de son premier profit mensuel en mai 1987 — plus de 1,1 million de dollars. Bien identifiables, les distributeurs automatiques de journaux pigmentent le paysage, et il est difficile de s'inscrire dans un hôtel de première classe ou de monter à bord d'un avion ces jours-ci sans qu'on vous offre un exemplaire de *USA Today*.

Allen Neuharth, Tom Monaghan, Curtis Carlson et beaucoup d'autres sont des exemples vivants d'un autre grand avantage de posséder un objectif précis: quand vous avez le désir brûlant de réaliser votre objectif, vous avez la persévérance et la détermination de continuer à travailler jusqu'à ce qu'il soit atteint.

« Souvent », dit la Banque Royale du Canada dans une de ses lettres qui suscitent l'inspiration, « le succès peut dépendre simplement de savoir combien de temps il faudra pour réussir.

« Si vous avez lu les biographies des grands personnages, hommes et femmes, vous verrez que leur réussite ne vint pas tant de leur intelligence supérieure que de leur énergie et de leur persévérance. Gregor Mendel, le moine australien qui découvrit les principes de l'hérédité, rata trois fois ses examens pour devenir enseignant, mais persista néanmoins dans ses expériences avec la culture des plantes.

« Il fit 21 000 croisements de plantes sur une période de 10 ans, faisant des analyses statistiques détaillées de ses observations jusqu'à pouvoir enfin être capable de percer les secrets de la génétique. Gregor Mendel était un de ceux qui devaient se contenter de la satisfaction spirituelle d'avoir fait quelque chose de durable; son travail fut largement ignoré par la communauté scientifique bien longtemps encore après sa mort ». [*]

---

[*]   « A Sense of Achievement », *The Royal Bank Letter* (The Royal Bank of Canada), Vol. 65, No. 6 (November/December 1984), p. 2.

Un auteur américain anonyme en parla en ces termes: «Rien au monde ne peut prendre la place de la persévérance. Le talent ne le fera pas; rien n'est plus courant que des gens talentueux qui ne réussissent pas. Le génie ne le fera pas; le génie non exploité est presque devenu un proverbe. Les études ne le feront pas; le monde est rempli d'épaves bardées de diplômes. Seules la persévérance et la détermination sont suprêmes».

Un objectif précis vous donne la force de persévérer jusqu'à atteindre votre but, peu importe les chances à tenter, peu importe les obstacles qui doivent être surmontés, peu importe les échecs provisoires que vous connaîtrez inévitablement le long de la route vers le succès.

Chapitre 4

En faire toujours un peu plus

Steve Mecsery est le propriétaire de Cos Cob TV, un curieux mélange de ventes de télévision, de service, et de location de vidéo. Les allées encombrées du magasin regorgent d'appareils de télévision qui vont des modèles coûteux encastrés dans des meubles jusqu'aux minuscules appareils qui se branchent sur l'allume-cigare de la voiture. Dans un coin, se trouve une étagère de vidéocassettes à louer. L'atelier de réparation à l'arrière est jonché de carcasses de télévisions dans divers états de délabrement.

Le magasin reflète le secteur de marché de monsieur Mecsery. Cos Cob est un secteur riche de Greenwich, au Connecticut, où certains parmi les plus riches de New York ont emménagé pour éviter la cohue de Manhattan. À la même distance dans l'autre direction, vous trouvez les quartiers d'habitations à loyer modéré de Stamford. Les clients de Steve Mecsery sont à la fois parmi les plus riches et les plus pauvres du pays. Il vend les nouveaux modèles coûteux aux riches, répare ceux qu'ils ont apportés en échange, les revend d'occasion aux moins fortunés, et il loue des vidéos à tout le monde.

Steve Mecsery traite les deux groupes de la même façon — avec une chaude hospitalité, un service amical et des produits de qualité, dont des modèles réparés qu'il garantit personnellement pour 90 jours. Il se souvient d'une cliente qui vivait dans une de ces H.L.M. à Stamford. L'appareil d'occasion qu'elle avait acheté tomba en panne deux jours seulement après l'expiration de la garantie de 90 jours. Il aurait été parfaitement légitime de témoigner sa sympathie à la cliente, sans plus; après tout, la garantie était expirée.

Mais ce n'est pas là la façon de Steve Mecsery de faire des affaires. Il reprit l'appareil sans poser de questions et donna un autre appareil remis en bon état à la cliente. Durant les quelques jours qui suivirent, quatre nouveaux clients du même quartier d'habitation vinrent acheter des appareils d'occasion. La cliente de Steve Mecsery avait parlé à toutes ses amies de Cos Cob TV et du gars honnête qui en fait toujours un peu plus pour servir sa clientèle.

« Dans mon genre de commerce, le bouche à oreille est une publicité beaucoup plus efficace que les annonces dans les journaux », dit monsieur Mecsery. « Votre façon de traiter un client peut faire le tour d'un certain nombre de ses amis ou de ses voisins — en bien ou en moins bien. Faites seulement ce que vous croyez juste pour tous vos clients, et par cela je veux dire être loyal et honnête et aussi en faire toujours un peu plus. Avant de vous en rendre compte, on se passera le mot, en disant que votre commerce est un endroit où les gens ont avantage à venir et à faire affaire. Cela fonctionne vraiment — et cela rend la vie beaucoup plus belle! »

« Cela », dit W. Clement Stone, « est la façon dont le principe fonctionne ». Il définit en faire toujours un peu plus comme simplement « fournir un rendement meilleur ou plus grand que ce que vous êtes payé pour faire ». C'est précisément cette attitude qui fait que vos clients reviennent et amènent leurs amis; c'est ce qui fait que votre patron et vos collègues comptent sur vous; c'est ce qui vous assurera une promotion après l'autre dans votre carrière.

« Pour en obtenir plus dans la vie », dit monsieur Stone, « vous devez en donner plus. L'essence du principe dans le livre de Lloyd C. Douglas, *Une merveilleuse obsession*, est que lorsque vous faites le bien seulement pour l'amour de faire le bien pour les autres, sans vous attendre à de la reconnaissance ou à toute autre récompense, vos efforts sont 10 000 fois plus récompensés — et c'est vrai quant à l'expérience des vraies richesses de la vie. Vous ne pouvez pas les arrêter; je le sais, grâce à des années d'expérience. *En faire toujours un peu plus* est un concept biblique appliqué par de grands gagnants dans leur vie personnelle, familiale et professionnelle ».

Une entreprise qui a la réputation d'en faire toujours un peu plus en qualité et en service mérite la loyauté de sa clientèle enviée par les concurrents qui ne suivent pas de telles pratiques. Le principe fonctionne dans chaque domaine des affaires, mais si les employés doivent maintenir l'attitude de quelqu'un qui en fait toujours un peu plus, cela doit venir du sommet de la hiérarchie à sa base, dit Robert D. Nicholas, un directeur régional de The Glidden Company.

« La direction doit donner l'exemple que l'entreprise en fera plus que ce à quoi on pourrait s'attendre dans les circonstances », dit Robert Nicholas. « Si un de nos clients doit fermer un atelier de fabrication à cause d'un produit que nous avons fourni et qui est défectueux, il risque de perdre beaucoup d'argent rapidement. Nous faisons tous les efforts nécessaires pour éviter que cela se produise ».

Robert Nicholas croit qu'il est possible d'inculquer l'habitude positive d'en faire toujours un peu plus en donnant le bon exemple aux directeurs et en montrant aux employés la relation directe entre donner aux clients l'effort supplémentaire et leur propre réussite personnelle. Aider les autres à acquérir cette prise de conscience sert non seulement les employés et l'entreprise, cela donne aussi au directeur un grand avantage. « Il n'y a pas plus grande récompense », dit monsieur Nicholas, « que la fierté de savoir qu'en tant que directeur, vous avez aidé à faire d'un employé marginal — ou d'un raté — un gagnant ».

En plus de la gestion par l'exemple, un autre bon moyen d'institutionnaliser l'attitude d'en faire toujours un peu plus est de faire paraître un code d'éthique que tout le monde dans l'entreprise est censé suivre. C'est ce que dit E. Morgan Massey, président de A. T. Massey Coal Company, Inc., une exploitation de mines et d'exportations, évaluée à un milliard de dollars, dont le siège social est à Richmond, en Virginie.

Morgan Massey exige que tous les employés adoptent un code d'éthique précis au moment où ils entrent dans l'entreprise; cette directive évite qu'une question ne trotte jamais dans la tête de qui que ce soit à propos de ce qui est un comportement acceptable et de ce qui ne l'est pas. Le code embrasse des sujets tels que les contributions illégales aux politiciens et aux syndicats, les pots-de-vin, ou toute autre activité orientée vers l'obtention de privilèges spéciaux ou de traitement de faveur pour l'entreprise.

Le code interdit aussi toute activité reliée en fait à des fonds secrets, des avoirs cachés, des paiements ou des cadeaux inappropriés (en donner ou en recevoir), ainsi que de dévoiler de l'information privilégiée pour un gain personnel, et il s'oppose aux conflits d'intérêt.

Les abus étaient fréquents dans notre domaine quand je me suis lancé en affaires, dit Massey. « Nous avons été les leaders du changement. Je crois qu'il est nécessaire d'avoir un code d'éthique impeccable, jusqu'à l'exagération même. Quoi que ce soit d'autre va à l'encontre du but recherché; j'ai vu des gens ruiner de brillantes carrières seulement pour gagner quelques dollars de plus sur leurs notes de frais ».

Johnson & Johnson porte même plus loin l'idée d'un code d'éthique, expliquant la philosophie de l'entreprise en quelques paragraphes. Ce fut cette politique écrite, dit le porte-parole de J & J, Robert Andrews, qui a facilité la décision quant à ce que serait la réaction de l'entreprise durant la crise concernant le Tylenol, mentionnée au premier chapitre.

Le credo avait été écrit plus de 40 ans auparavant par le fils d'un des fondateurs de l'entreprise. « C'est un document qui n'a pas d'âge », dit le président-directeur général de J & J, James E. Burke, « idéaliste dans son objectif mais d'une efficacité pragmatique quand ses principes sont mis en application. Son auteur, le général Robert Wood Johnson, se montra de toute évidence remarquablement visionnaire au milieu des années 1940 pour avoir prévu le besoin essentiel pour notre entreprise d'accepter ses responsabilités dans les nombreuses collectivités où nous vivons et où nous travaillons à travers le monde».

Le credo, qui a été mis à jour périodiquement pour suivre la marche du temps, est reproduit ici. La liste des principes, dit Robert Andrews, est écrite par ordre d'importance.

Notre Credo

Nous croyons que notre responsabilité première est à l'égard des médecins, des infirmières et des patients, des mères et de tous les autres qui utilisent nos produits et nos services. Pour répondre à leurs besoins, tout ce que nous faisons doit être de grande qualité. Nous devons constamment tenter de réduire nos coûts afin de maintenir des prix raisonnables. Les commandes des clients doivent être traitées promptement et avec précision. Nos fournisseurs et nos distributeurs doivent avoir une occasion de faire du bénéfice.

Nous sommes responsables envers nos employés, les hommes et les femmes qui travaillent avec nous à travers le monde. Chacun doit être considéré comme un être à part entière. Nous devons respecter leur dignité et reconnaître leur mérite. Ils doivent avoir une impression de sécurité dans leur emploi. Le revenu doit être juste et adéquat, et le lieu de travail doit être propre, rangé et sans danger. Les employés doivent se sentir libres de faire des suggestions et de se plaindre. Il doit y avoir des chances égales d'emploi, de développement et d'avancement pour ceux qui sont qualifiés. Nous devons leur assurer des directeurs compétents, leurs actions doivent être justes et morales.

Nous sommes responsables envers les collectivités où nous vivons et où nous travaillons et tout autant envers la communauté mondiale. Nous devons être de bons citoyens — soutenir les bonnes œuvres et les œuvres de charité et supporter notre juste part de taxes. Nous devons promouvoir les améliorations civiques, une meilleure santé et une meilleure éducation. Nous devons garder en bon état la propriété que nous avons le privilège d'utiliser, protéger l'environnement et les ressources naturelles.

Notre responsabilité ultime est envers nos actionnaires. L'entreprise doit faire un bon profit. Nous devons expérimenter les idées nouvelles. La recherche doit se poursuivre, les programmes innovateurs se développer et nous devons payer pour nos erreurs. Nous devons acheter de l'équipement neuf, fournir de nouvelles installations et lancer de nouveaux produits. Nous devons constituer des réserves en prévision des temps difficiles. Lorsqu'une entreprise est exploitée conformément à ces principes, les actionnaires devraient réaliser un profit sur leur investissement satisfaisant.

* * *

Une autre entreprise qui s'enorgueillit d'en faire toujours un peu plus pour servir ses clients est American Express. Dans une section spéciale du magazine *Fortune* portant sur la qualité, le président Louis V. Gerstner dit, «l'excellence de notre service à la clientèle à travers le monde n'est ni un simple slogan à réciter ni une tradition ancienne à vénérer. C'est notre mandat quotidien, que nous devons exécuter sans failles dans des circonstances souvent imprévisibles».[*]

L'entreprise, selon *Fortune*, est à la fine pointe de l'utilisation de la technologie pour assurer un service de qualité, hautement personnalisé. «En 1985, plus de 22 millions de membres détenteurs de la carte American Express ont acheté pour une valeur de 55 milliards de dollars en produits et services dans plus de 150 pays. Pour traiter ce volume d'informations, American Express gère 16 centres majeurs de traitement d'information, 10 réseaux de données et de temps partagé à travers le monde, 90 systè-

---

[*]   Jerry G. Bowles, «The Quality Imperative», a special advertising section, *Fortune* (September 29, 1986).

mes de gros ordinateurs, 400 systèmes de mini-ordina-
teurs, et 30 000 postes de travail individuels».

«La technologie est une part seulement de notre
étoffe, pas le vêtement en entier», dit le président-directeur
général James D. Robinson III. «Nous avons un engagement en deux volets à l'égard de nos clients: d'abord, ne
promettre que ce que nous pouvons livrer; ensuite, livrer
ce que nous avons promis. Et nous livrons nos services un
par un. Ce sont nos employés bien formés qui font fonctionner cette technologie — qui livrent en dernier lieu ce
que nous promettons».

Cette société commerciale souligne le travail des employés qui donnent un service supérieur par un programme
d'encouragement qu'elle appelle «le prix de distinction».

American Express en fait toujours un peu plus pour
les clients dans des situations parfois dramatiques. Ses
employés étaient là pour aider les passagers du vol 847 de
la TWA, victimes des pirates de l'air, quand ils ont été
libérés par leurs ravisseurs au Liban. Ils étaient aussi sur les
lieux pour aider les passagers du *Achille Lauro* et pour aider
les voyageurs et les résidents locaux suite au tremblement
de terre du Mexique.

En faire toujours un peu plus peut prendre la forme de
petites choses qui veulent dire beaucoup. Quelque semaines après que les clients d'un concessionnaire arrivent à la
maison au volant de leur nouvelle Lincoln Mark VII, ils
reçoivent un colis de T.J. Wagner, vice-président et directeur général de la division Lincoln-Mercury de Ford. C'est
une lettre de T.J. Wagner — sur son papier à en-tête personnel — qui fait état des avantages de posséder une nouvelle
Lincoln et qui promet plein appui du concessionnaire. Le
colis contient un rapport sur les avantages de «L'engagement Lincoln pour la qualité», un numéro de téléphone
sans frais pour appeler si vous avez des questions, et une
clé ainsi qu'un porte-clés spécialement conçus afin que
vous puissiez aviser l'entreprise et obtenir facilement un
remplacement en cas de perte.

Par comparaison avec le prix de la voiture, qui dépasse 25 000 dollars, la clé ne coûte pas grand-chose. Vous pourriez en acheter une au concessionnaire pour environ 15 dollars, mais cela ne ferait pas le même effet que d'en recevoir une par la poste, en provenance d'un vice-président d'entreprise. C'est un petit extra inattendu, quoique modeste, qui donne aux clients le sentiment que l'entreprise apprécie vraiment de faire affaire avec eux.

Les concessionnaires automobiles ont essuyé le plus fort des nombreuses critiques du public tout au long des années (est-ce que vous achèteriez une auto d'occasion à cet homme?); il ne fait aucun doute que certaines des critiques étaient fondées, mais elles ont été tout aussi injustifiées en d'autres cas. Après des années de querelles entre les clients, les constructeurs et les concessionnaires, ainsi que d'occasionnelles batailles en cour, le Bureau d'éthique commerciale a établi ce qu'il appelle un service d'arbitrage-consommation pour régler de tels conflits. Voilà pourquoi 19 constructeurs, variant de Jeep à General Motors et jusqu'à Rolls Royce, participent au programme.

Cela fonctionne bien. Diane Skelton du Conseil national pour le Bureau d'éthique commerciale, dit que sur les 199 066 cas soumis en 1985, près de 90 % étaient basés sur des divergences d'opinions qui furent réglées en médiation et n'ont pas nécessité d'arbitrage obligatoire.

Un concessionnaire qui n'éprouve pas tellement de problèmes de cet ordre est Jack Rowe, propriétaire de Precision Toyota à Tucson, en Arizona.

«Si un de nos clients va au B.É.C. pour déposer une plainte, notre réputation amène toujours les gens du B.É.C. à demander toujours d'abord au plaignant: «Avez-vous parlé de ceci à Jack Rowe?» À la minute même où cela se produit, peu importe la situation, je prends tout le temps nécessaire et je fais ce qui doit être fait.

«Je n'ai jamais eu un client insatisfait dont je n'ai pu m'occuper. Tout cela est une question d'attitude. Si vous voulez le faire, vous le pouvez. Le résultat de cet effort est qu'en 31 ans d'affaires, nous n'avons pas de rapport négatif au bureau du procureur du Comté, nous n'avons rien au bureau du procureur de l'État, et je gage que nous avons le plus petit des dossiers du Bureau d'éthique commerciale en Arizona.

« Mais cela en vaut la peine. Nous n'avons pas de frais d'avocat parce que nous ne sommes jamais allés en cour. Notre philosophie est que si vous allez en cour, même si vous gagnez, vous perdez. Ce client-là vous haïra et en parlera à tous ceux qu'il connaît.

« Cela n'a aucun sens de dépenser 25 000 dollars en publicité pour éviter de dépenser 250 dollars pour la clientèle. Sans aucun doute, les deux tiers de notre commerce reposent sur les clients qui reviennent ou sur notre réputation. Nous aimons cela, et nous entendons que les choses demeurent ainsi.

« La politique de notre établissement est que le client n'a jamais tort. Il n'y a vraiment aucune magie à cela ; nous nous mettons tout simplement à la place de notre client. De nos jours, les clients paient de grosses sommes d'argent pour avoir un moyen de locomotion fiable, et c'est ce à quoi ils s'attendent — même s'il s'agit d'une voiture d'occasion. C'est cela que nous leur donnons ».

En faire toujours un peu plus est un concept très simple. Comme le dit Jack Rowe, ce n'est rien de plus que de vous mettre vous-même à la place du client. Alors pourquoi sommes-nous réticents à donner ce petit supplément qui rapportera de si gros bénéfices ? Peut-être que cela vient de l'ego — nous croyons fondamentalement que si nous faisons plus que ce que nous sommes obligés de faire, nous faisons en quelque sorte de nous les subalternes des autres.

C'est peut-être une conséquence de la pression de nos pairs. Quand nous étions enfants, nous avons appris que si nous faisions plus que ce que nos parents attendaient de nous, nos frères et nos sœurs pouvaient nous accuser de briguer des faveurs à leurs dépens. Si nous faisions plus que ce que les professeurs demandaient, les autres nous accusaient d'être des « lèche-bottes » ou d'être les « chouchous des professeurs ».

Le résultat est que de nombreuses personnes prennent très tôt l'habitude de ne pas faire plus que ce qui est demandé. Avec le temps, ces «patterns» de comportement négatif deviennent si fortement ancrés qu'ils sont extrêmement difficiles à changer. Nous réagissons comme nous avons toujours réagi, sans penser.

Le drame, c'est que les seules personnes à qui nous n'en donnons pas assez, c'est nous-mêmes. Nos relations avec les autres se détériorent, nous nous empêchons d'apprendre quelque chose de nouveau et nous nous privons de la satisfaction de savoir que nous avons fait ce qui était bien, et davantage.

Thomas Corson dit qu'il a appris les règles les plus importantes du commerce en étant livreur de journaux et en faisant des menus travaux, bien longtemps avant d'avoir commencé sa carrière dans le monde des affaires. «Les gens apprécient le service et une attitude aimable», dit-il. «Les clients aiment pouvoir compter sur vous et recevoir un service avec le sourire, que vous soyez un livreur de journaux ou le directeur général d'une entreprise parmi les Fortune 500».

En 1964, Thomas Corson eut la chance de vérifier sa théorie quand il lança avec deux associés qui étaient frères la Coachmen Industries, Inc., à Middlebury, en Indiana. Ils ont commencé dans un édifice de 460 m^2 avec rien de plus que «le rêve de fournir à l'Amérique des caravanes de qualité et un style de voyage agréable». La première année, avec trois employés, Coachmen Industries produisit 12 caravanes, une autocaravane séparable et 80 «couverts de boîte de camion». Les ventes brutes s'élevaient à 23 653 dollars.

En 1985, Coachmen faisait état de ventes de plus de 350 millions de dollars. L'entreprise avait connu les hauts et les bas de l'industrie des véhicules de loisirs, mais avait pu survivre et prospérer parce que, selon Thomas Corson, «notre philosophie depuis le premier jour a été de mettre en pratique la règle d'or avec notre public quel qu'il soit». Durant les bons et les mauvais temps, dit-il, l'entreprise a fait tous les efforts possibles pour être franche avec les employés, les actionnaires et les clients. «Je ne connais pas d'autre façon de faire des affaires que de me mettre à la place de l'autre personne, d'évaluer la situation et de les traiter toutes deux en conséquence».

«J'essaie de donner l'exemple à mes employés en cherchant une occasion dans chaque situation où je me trouve, et j'essaie d'en tirer le meilleur parti possible. Il n'y a jamais assez d'heures dans une journée pour faire tout ce qui doit être fait. Une personne qui fait seulement ce qui lui est demandé peut s'en tirer avec 40 heures par semaine, mais si vous examinez à travers les années les hommes d'affaires qui réussissent le mieux, vous verrez qu'ils mettent entre 60 et 80 heures par semaine. C'est ce qui est nécessaire.

«J'aime penser que plus je mets de l'énergie, plus mes clients en bénéficient, que ce soit par l'amélioration des produits ou par celle de la gestion du personnel qui sert la clientèle. Chaque partie des relations dans le travail est nécessairement influencée par un engagement supplémentaire de bien servir. Notre credo, que j'ai prêché pendant de nombreuses années, est simplement que la clientèle va là où elle est sollicitée et qu'elle reste là où l'on s'occupe d'elle. Vous et moi faisons affaire là où nous sommes sollicités, et si nous sommes convaincus par le service et l'attention qu'on prend bien soin de nous, c'est là que nous continuerons à faire affaire. Sinon, nous chercherons ailleurs».

Une entreprise qui a répandu dans son organisation la philosophie d'en faire toujours un peu plus avec les clients est Quill Corporation, un fournisseur d'articles de bureau de Lincolnshire, en Illinois. Cette société commerciale vend par catalogue et par téléphone seulement, desservant plus d'un demi-million de clients à travers le pays.

«Les propriétaires de Quill, Jack, Harvey et Arnold Miller, sont absolument passionnés par le service à la clientèle», dit le responsable des relations avec la clientèle, Gerald Barber. «Ils soutiennent cette passion par l'engagement, l'encouragement et les ressources. Ils ont aussi fourni un modèle solide que tous les employés peuvent utiliser comme référence. L'engagement de Quill est si grand que nous publions nos croyances de base sur la manière dont nous devrions nous conduire en affaires dans chaque parution semestrielle de notre catalogue. Ce dernier est désormais connu sous le nom de « La déclaration des droits des clients de Quill ».

« Il y a quelques années, quand nous avons commencé à insérer un formulaire de retour préautorisé (le client n'a pas besoin d'appeler ou de venir ici pour recevoir l'approbation de retourner la marchandise) comme partie du bordereau d'emballage avec chaque commande, beaucoup de nos concurrents ont pensé que nous cherchions des embêtements ».

Il n'en fut pas ainsi, bien sûr. « D'un côté », dit Gerald Barber, « cela a souligné le fait que nous sommes sérieux à propos de nos garanties. Nos clients comprennent exactement quand, où et comment retourner la marchandise, et ils apprécient la facilité avec laquelle cela se fait. D'un autre côté, cela donne à Quill une information plus détaillée à propos des retours de marchandises, comme le numéro du client, son nom, le numéro de la commande et ainsi de suite, car tout cela est imprimé sur le formulaire. De plus, cela a considérablement réduit nos coûts de personnel pour le service à la clientèle puisque c'est autant de demandes d'autorisation préalable dont nous n'avons pas à nous occuper. Mieux que tout, nos retours n'ont pas augmenté suite à l'utilisation de cette formule ».

L'entreprise Quill utilise une vaste gamme de récompenses et de contrôles internes pour s'assurer d'un service conforme et de qualité. Des vérificateurs internes passent des commandes en changeant leur identité et font un rapport du rendement des employés à la direction ; en matière de relations avec la clientèle, les surveillants vérifient les appels des agents des ventes et fournissent l'aide requise dans les zones à problèmes ; et une équipe responsable de la qualité enquête sur les produits qui ont un taux élevé de retour.

Les employés s'investissent beaucoup. Chez Quill, on maintient 12 cercles de qualité qui se rencontrent hebdomadairement pour résoudre des problèmes reliés au travail. Ces groupes ont amélioré le rendement dans plusieurs services avec le plein soutien et toute la coopération des employés concernés. Quill a aussi un service de formation actif à l'intérieur de la maison et une généreuse politique de remboursement de frais d'inscription à la formation. «Les employés sont encouragés à suivre des cours universitaires reliés à leur travail ou à assister à des séminaires professionnels, et nous leur en remboursons le coût», ajoute Gerald Barber.

L'objectif est de promouvoir de l'intérieur. Nombreux sont les surveillants et les directeurs qui ont fait carrière en s'élevant des échelons inférieurs de l'organisation, dit Gerald Barber qui ajoute: «Cette philosophie du service à la clientèle "nous prenons soin de vous" est nourrie et répandue à travers toute l'organisation. Quill croit dans le fait d'aider les employés à tirer le maximum de ce qu'ils peuvent être de meilleur. En retour, l'entreprise compte sur les employés pour l'aider à devenir la meilleure possible. Les deux doivent être conscients des mêmes objectifs, et tenter de les réaliser».

Dans le monde hautement compétitif des articles de bureau où la différenciation entre les concurrents est souvent difficile à réaliser, la société commerciale Quill a acquis sa réputation en en faisant toujours un peu plus pour ses clients. S'attribuant elle-même le titre de «leader de la nation comme fournisseur indépendant d'articles de bureau», l'entreprise a terminé, en 1985, un programme d'expansion «combatif» qui ajoutait 9 000 m^2 à son espace existant pour un total de 40 000 m^2. Quill emploie actuellement 875 employés, un nombre qui, selon Gerald Barber pourra doubler au cours des prochaines années vu l'augmentation des affaires. «Peu importe le nombre d'employés qui s'ajouteront, dit Gerald Barber, chacun d'eux sera imprégné de cette philosophie "Nous prenons soin de vous" propre à Quill».

Napoleon Hill a étudié les gens pendant la majeure partie de sa vie, essayant de quantifier les raisons qui font que certains individus atteignent les hauts sommets de la réussite alors que d'autres avec tout autant de compétences et d'études ont des carrières peu brillantes. «Il semble significatif», dit-il, «que chaque personne que j'ai vu appliquer le principe d'en faire toujours un peu plus avait un meilleur poste et un meilleur salaire que celles qui en faisaient tout simplement assez pour «s'en tirer sans peine».

«La mise en application de ce principe apporte non seulement la récompense financière mais aussi le bonheur et la satisfaction qui gratifient ceux qui donnent un tel service. Si vous ne recevez aucune autre compensation que votre salaire, vous êtes sous-payé, peu importe le montant que votre salaire atteint. Aucune somme d'argent ne peut vraisemblablement remplacer la joie et l'orgueil de la personne qui fait une vente «impossible», qui construit un meilleur pont ou qui gagne une cause difficile.

Lorsque vous livrez le meilleur service que vous pouvez, tentant à chaque fois de surpasser tous vos efforts antérieurs, vous exercez et affermissez ces forces de l'esprit qui sont à votre portée pour que vous les utilisiez. Si vous suivez ce principe, et si vous vous habituez à en faire toujours un peu plus — en faisant toujours plus ce que pour quoi vous êtes payé — avant de vous rendre compte de ce qui est arrivé, vous trouverez que le monde vous paie volontiers pour plus que ce que vous faites».[*]

Comme Elbert Green Hubbard l'a relevé voilà plusieurs années, «les gens qui ne font jamais plus que ce pour quoi ils sont payés, ne sont jamais payés pour plus que ce qu'ils font».

---

[*] «Napoleon Hill Revisited: On Going The Extra Mile», *PMA Adviser* (February 1983), p. 6.

Chapitre 5

Tirer des leçons de la défaite

Quand Larry King, l'animateur de talk-show, prend l'antenne, des millions d'Américains entendent sa voix veloutée durant son programme de radio ou le voient interviewer l'élite du monde entier six soirs par semaine au cours de son programme sur Cable News Network TV.

Ce qu'ils ignorent cependant, c'est qu'il y a seulement quelques années, le Larry King calme et sûr de lui qu'ils voient et entendent était complètement fauché, submergé par les dettes et aux prises avec les cicatrices émotionnelles de deux mariages ratés. Pour ajouter à son fardeau, le financier Louis Wolfson de Miami porta des accusations au criminel (qui furent par la suite abandonnées) contre monsieur King, alléguant que cette personnalité de la radio l'avait escroqué de 5 000 dollars — argent que Larry King était supposé avoir avancé à une tierce personne.

Larry King fut chassé de son emploi, et pendant les trois années qui suivirent, survécut grâce à la générosité de ses amis. Il dit au magazine *Success!*, «Ce qui m'a aidé à refaire surface a été d'écouter des entrevues à la radio, d'en voir à la télévision et de me dire en mon for intérieur, «je suis meilleur que cela». Finalement, j'ai compris que la seule raison pour laquelle je n'étais plus sur les ondes était que j'avais tout gâché. Personne ne l'avait fait pour moi. J'étais le seul responsable. Je me suis dit: «D'une façon ou d'une autre, j'y retournerai».*

---

* William Hoffer, «The King of Conversation», *Success!* magazine (July 1983), p. 25.

Il réduisit son train de vie et cessa de dépenser sans compter, puis trouva un travail comme responsable des relations publiques pour un champ de courses en Louisiane. Bientôt, il devint la voix des Shreveport Steamers de la ligue mondiale de football et en moins d'un an, il était réembauché par la station de radio de Miami qui l'avait mis à la porte.

Peu de temps après, il signa un contrat avec le Mutual Broadcasting System pour animer le premier programme national de radio qui durait toute la nuit. Il confia ses finances à son agent qui payait les factures et lui donnait une allocation.

L'adversité qu'il avait connue avait donné à Larry King la sagesse de surmonter ses problèmes et la détermination de recommencer à neuf.

C'est remarquable mais vrai que le tournant de la vie de beaucoup de gens a été marqué par une sorte de défaite ou d'échec, habituellement de la même envergure que leur succès final. Envisager la défaite simplement comme un test de votre force intérieure vous permet de l'accepter pour ce qu'elle est, c'est-à-dire provisoire. Comme dit W. Clement Stone, « la défaite n'est jamais la même chose que l'échec à moins de l'avoir acceptée comme telle et jusqu'à ce moment-là.

« N'utilisez pas le mot *échec* imprudemment. Si vous avez la vraie graine du succès en vous, un peu d'adversité et une défaite temporaire serviront seulement à nourrir cette graine et à l'amener à germer pour qu'elle fleurisse. Le succès, et toute la responsabilité qui l'accompagne, gravitent toujours autour de la personne qui n'acceptera pas la défaite provisoire comme un échec permanent ».

Un des plus grands citoyens d'Amérique, un homme estimé et révéré à travers le monde, est né dans une cabane de rondins à Hardin County, au Kentucky. Il n'avait aucun des avantages que nous tenons pour acquis de nos jours, et ce qu'il savait, il l'avait appris tout seul, en lisant des livres à la lumière de la chandelle.

Il se lança en affaires, mais il se ruina. Quand il vendit ses intérêts dans l'affaire, l'acheteur ne tint pas ses engagements quant au prêt. Il économisa sur tout pendant les 15 années qui suivirent pour payer les dettes de cette association. Il essaya de pratiquer le droit mais attira peu de clients. Sa carrière militaire fut également sans aucun intérêt ; il vécut peu d'action, et sa principale contribution semble avoir été de sauver un vieil Indien qui allait être pendu pour espionnage parce que ses papiers n'étaient pas en règle. Il semblait que tout ce qu'il touchait se soldait par un échec.

Comme si ses échecs en matière de carrière n'étaient pas suffisants, la femme qu'il aimait mourut. Mais ce fut précisément l'adversité qu'il avait endurée qui rejoignit le fond de l'âme d'Abraham Lincoln et éveilla en lui le grand émancipateur américain.

Il faut parfois beaucoup de courage, de foi et d'imagination pour décortiquer l'écorce de l'adversité et révéler la graine de l'avantage, mais elle est toujours là. Si vous lui permettez de germer, si vous la nourrissez comme il se doit et que vous en prenez soin, cette petite semence donnera naissance à la fleur épanouie de l'avantage.

Henry Viscardi junior, gagnant du Napoleon Hill Foundation Award for Meritorious Achievement de 1984, est né avec des moignons à la place des jambes. «J'ai passé les sept premières années de ma vie dans une salle d'hôpital à Harlem», dit-il. «On m'a laissé sortir de cet hôpital à l'âge de sept ans pour que je me débrouille de mon mieux, en demeurant dans un appartement sans eau chaude dans le West Side de New York, où grandir relevait de la survie.

«Quand j'ai eu 12 ans, on a déménagé dans un secteur semi-rural de Long Island où je suis allé à une petite école en bois. Je me déplaçais dans une petite voiture comme Porgy dans la comédie musicale *Porgy and Bess*. Quand j'ai vu l'opéra récemment, j'ai pu me rapprocher de Porgy quand il chante à la fin : «Je pars pour la Terre promise», pour trouver Bess qui est partie dans la grande ville. La majeure partie de l'auditoire croit qu'il ne la retrouvera jamais, mais moi j'y crois parce que j'ai trouvé ma destinée dans le monde».

Henry Viscardi avait 27 ans quand il eut ses premières jambes prothétiques. «Jusque-là», dit-il, «dans ma masculinité, je mesurais 1,10 m de hauteur. Je sais tout ce qu'il y a à savoir à propos de la pitié, de la douleur et du ridicule. Puis un jour, j'étais là, debout, capable de regarder le dessus de la tête de ma mère, de regarder l'heure sur l'horloge du manteau de la cheminée, de voir le dessus du toit des automobiles sur la route, de m'agripper à la poignée dans le métro, de me tenir debout au téléphone. Je n'avais jamais pu l'atteindre auparavant. Une toute nouvelle vie avait commencé et une autre vie venait de se terminer pour moi.

«Quand j'étais enfant, je me demandais: «Pourquoi moi? pourquoi avais-je été choisi pour vivre cette épreuve?» Ma mère, une humble femme, une immigrante de l'Italie, répondait dans la simplicité de sa sagesse: «Quand le Seigneur et son conseil ont tenu une réunion pour décider où le prochain enfant infirme viendrait au monde, ils ont décidé que les Viscardi seraient une bonne famille pour un garçon infirme». Voilà une réalité plutôt solide pour vous y raccrocher et survivre quand vous faites face à l'adversité!

«La chose la plus importante, je crois, est que je ne me suis jamais pensé différent, même si je savais que je l'étais. J'ai toujours estimé que j'étais semblable à n'importe qui d'autre et que si j'avais l'occasion de devenir un homme instruit je pourrais réussir dans la vie. Je n'ai jamais considéré cela comme un handicap, c'était seulement quelque chose qui me faisait désirer encore plus la réussite. J'ai réalisé très rapidement que c'est très tôt que vous devez entrer dans le jeu avec une attitude mentale positive et vouloir travailler très fort pour réussir».

Personne n'aurait blâmé le jeune Viscardi s'il avait abandonné; en fait, la plupart des gens ne s'attendaient pas à grand-chose de sa part. Mais il avait des critères beaucoup plus élevés pour lui-même. Durant la Seconde Guerre mondiale, il servit comme officier supérieur dans la Croix

Rouge, passant la majeure partie de son service à l'hôpital Walter Reed, travaillant avec les grands blessés. «J'ai vu revenir des milliers de jeunes hommes mutilés, horriblement défigurés, d'abord dans les camps d'entraînements suite à des accidents, puis en Afrique du Nord à cause des invasions, puis en Europe de l'Ouest où nous a conduits une succession d'engagements.

« Tenter de leur remonter le moral et de leur dire qu'il y avait un monde à l'extérieur fut, auprès de ces hommes, une expérience qui donnait terriblement à réfléchir.

Je revins de la guerre et de ses expériences avec le sentiment que j'en avais eu assez. Je ne voulais plus être identifié comme une personne handicapée».

Henry Viscardi se tourna vers le monde des affaires pour se bâtir une carrière et se retrouva en bonne voie de devenir vice-président d'une grande entreprise de textile, mais quelque chose continuait de le hanter. «Je n'arrêtais pas de croiser des hommes que j'avais rencontrés durant la guerre. Ils étaient des héros — il y avait des défilés et ainsi de suite, mais ils n'avaient pas la dignité d'une vie productive. Je crois que je commençais à comprendre que le succès dans le monde des affaires n'avait pas tant d'importance pour moi. Le défi d'être au service de ces hommes m'attirait, les aider à trouver un endroit où ils pourraient travailler et produire, et les aider à rechercher une vie dans la dignité au lieu de vivre des pensions et de l'assistance sociale que le gouvernement leur offrait».

En 1947, Henry Viscardi fonda un organisme pour aider ces vétérans infirmes et dans les années qui suivirent, en vint à créer pour les personnes handicapées des centres de formation qui fonctionnent maintenant dans 60 endroits à travers le monde. Il a été honoré par des organismes qui représentent presque toutes les nations, et il a servi à titre de conseiller pour chaque président à commencer par Franklin D. Roosevelt. Par son exemple personnel, Henry Viscardi a inspiré des millions de personnes handicapées à surmonter leur propre adversité et à tendre vers des niveaux d'accomplissement encore plus élevés.

« Pour moi », dit-il, « le succès n'est pas lié à l'argent. C'est l'accomplissement de votre vie, c'est être capable de faire, même modestement, ces choses que vous voulez accomplir. C'est cette partie de la vie qui vous amène à donner qui a un effet sur les autres. C'est être capable d'affronter chaque matin et de remercier le Seigneur de vous avoir donné ce jour. C'est vivre la vie de la façon la plus intense possible en vous consacrant aux besoins des autres, en rendant heureux les gens autour de vous. En faisant cela, vous faites quelque chose pour vous-même ».

Le germe de l'avantage qui semble toujours accompagner l'adversité prend souvent forme de façons inhabituelles. La Minnesota Mining and Manufacturing (3M) Company a réussi aussi bien que n'importe quelle autre entreprise à institutionnaliser le processus qui consiste à trouver à partir de quelque chose d'insatisfaisant de qualité inférieure ou sans valeur, la pierre précieuse sous la gangue.

Dans leur livre *The 100 Best Companies to Work for in America*, les auteurs Robert Levering, Milton Moskowitz et Michael Katz écrivent: « Deux dictons caractérisent la recherche chez 3M. L'un est: « Ne tuez jamais une idée, faites-la seulement dévier ». L'autre, appelé le onzième commandement, est: « Vous ne tuerez point l'idée d'un nouveau produit ». Le fardeau repose sur ceux qui veulent arrêter la recherche, puisque l'entreprise a souvent trouvé une application pour beaucoup d'idées qui semblaient bizarres ».[*]

C'est le cas des « Post-it ». Si vous ne connaissez pas cette marque de commerce, les « Post-it » sont ces petit morceaux de papier collant aussi courants de nos jours dans la plupart des maisons et des bureaux que le ruban adhésif transparent de 3M.

Les « Post-it » furent le résultat d'un lot raté de ruban adhésif de 3M, grâce à un ingénieur qui trouva une application pour un produit raté. Un dimanche à l'église, selon

---

[*] Robert Levering, Milton Moskowitz, and Michael Katz, *The 100 Best Companies to Work for in America* (Reading, Mass.: Addison-Wesley, 1984), pp. 221-22.

un rapport publié dans le magazine *The Washington Times' Insight*, Art Fry pensa le premier à une application pour un adhésif expérimental qui avait fini par être beaucoup moins collant qu'on ne s'y attendait. Membre d'une chorale à l'église, Art Fry était frustré parce que les signets de son livre de cantiques se détachaient toujours.

« C'est alors », dit Art Fry à *Insight*, « que je conçus l'idée d'un signet qui collerait à la page mais en même temps s'enlèverait sans déchirer le papier. L'adhésif à capacité réduite créé par accident semblait parfait pour cet usage ».[*]

Pour commencer, le produit a eu quelques pépins de marketing, parce que les consommateurs ne comprenaient pas l'utilité des « Post-it » jusqu'à ce qu'ils commencent à les utiliser. Une fois qu'ils l'eurent fait, dit l'entreprise, « ils ne pouvaient plus s'en passer ». Maintenant, les petits carrés jaunes, roses et bleus sont utilisés pour toutes sortes de choses depuis des notes sur le manuscrit d'un auteur jusqu'à la note griffonnée collée sur la porte du réfrigérateur pour ne pas oublier de rapporter un litre de lait en revenant à la maison.

Brian Graves était de ces personnes qui reconnaissaient une bonne idée quand ils en voyaient une. Durant la dernière chute du marché immobilier, quand la plupart des gens dans le domaine se tordaient les mains de désespoir ou se cherchaient un autre travail, Brian Graves décida de se lancer dans les affaires. Il s'imagina que ce surcroît de maisons à vendre et dont les propriétaires étaient absents devait receler une bonne occasion.

Il se souvint alors du jour où deux de ses associés — qui avaient fait de la rénovation immobilière dans une petite ville de l'État de Washington — lui dirent qu'ils auraient aimé prendre de l'expansion mais qu'ils ne savaient pas vraiment comment s'y prendre. « Une idée me vint à l'esprit. Il y avait ici un créneau dans le marché, une

---

[*]   Phœbe Hawkins, « Noteworthy Success from Bad Glue », *Insight* magazine (July 21, 1986), p. 43.

occasion de service spécialisé. Toutes mes expériences passées m'avaient parfaitement préparé pour ceci ; je savais que je pouvais faire en sorte que cela marche ».

Ce que Brian Graves finit par trouver fut America's Home Caretakers, une société commerciale à Redmond, dans l'État de Washington, qui offre un service professionnel et organisé de gardiennage aux propriétaires qui veulent vendre leurs maisons et leurs appartements vacants. Pour sa troisième année d'exploitation, l'entreprise s'attendait à un revenu net de 100 000 dollars.

C'est une entente où tout le monde gagne. Il n'y a pas de frais de service pour le propriétaire, et les gens qui occupent les maisons paient des frais mensuels aussi peu élevés que 150 ou 200 dollars par mois, plus les charges, pour des maisons qui se loueraient normalement jusqu'à 1 500 dollars par mois.

Brian Graves décrit ses gardiens comme des « personnes de qualité qui espèrent épargner un peu d'argent et qui n'ont pas peur d'un peu d'aventure ». Tous les candidats sont triés sur le volet — ils doivent être fiables, pouvoir être liés par une garantie financière et être assurables. (L'entreprise prend une assurance responsabilité-locataire pour eux). Ils sont recommandés à monsieur Graves par des groupements religieux, des établissements d'enseignement secondaire, des agents immobiliers et d'autres gardiens.

Les gardiens des maisons protègent l'investissement des propriétaires en gardant l'endroit impeccable et en minimisant les risques de dommages causés par le vandalisme ou les problèmes de plomberie comme la tuyauterie gelée ou qui coule sans qu'on s'en aperçoive, des pertes qui ne sont pas couvertes par la plupart des polices d'assurances des propriétaires si la maison est vacante pendant plus de 30 jours. Il y a un avantage supplémentaire, dit Brian Graves, « je sais par ma propre expérience dans le domaine de l'immobilier que les maisons occupées se vendent plus vite que celles qui sont vacantes ».

Brian Graves admet volontiers que l'idée du gardiennage des maisons n'est pas un nouveau concept ; c'est seulement une vieille idée avec un tour nouveau. «Il n'y a rien de nouveau dans un hamburger non plus», dit-il, «mais voyez ce que McDonald's a fait avec ça».

Dans un marché immobilier en baisse, Brian Graves a trouvé une bonne occasion en contrepartie. Il fait toutefois remarquer rapidement que reconnaître une occasion n'est pas une garantie de succès — vous devez passer à l'action, tirer parti de l'occasion. «Vous pouvez lire tous les livres de motivation que vous voulez pour maintenir une attitude mentale positive», dit-il, «mais il arrive un moment où vous devez faire quelque chose pour la faire fonctionner. Vous devez relever vos manches et vous mettre à la tâche.

«Vous pouvez, par exemple, lire tout ce qui a été écrit à propos de la natation», dit-il, «mais tôt ou tard vous devez sauter dans l'eau si vous espérez jamais apprendre à nager».

Tout ceci est très bien, pouvez-vous penser. *C'est bien de lire à propos des autres, ceux qui ont connu l'expérience d'échecs temporaires et qui ont persévéré pour atteindre de hauts sommets de réussite. Intellectuellement, je suis d'accord, mais la défaite est une chose très émotionnelle et très personnelle. Comment est-ce que je reprends le dessus quand mon ego est écrasé et mon estime de soi à son niveau le plus bas? Comment est-ce que j'organise un retour alors que je n'ai jamais été aussi peu préparé à l'affronter?*

Il n'y a pas de réponses faciles. Il se peut que la seule source de force est la foi en vous-même qui vient avec l'expérience. Nous faisons tous de petites erreurs tous les jours, mais nous ne les laissons pas nous abattre en permanence. Nous identifions les problèmes et nous les corrigeons. Apprenez de vos erreurs de telle sorte que lorsque les grandes défaites surviendront — et elles viendront probablement — vous serez certain de pouvoir les surmonter.

Envisagez chaque défaite provisoire comme un tremplin vers des choses plus grandes et meilleures. Chaque problème que vous résolvez, chaque obstacle que vous surmontez ne font que vous rapprocher d'autant de votre objectif final. Si vous essayez à l'avance d'anticiper tous les problèmes, si vous vous inquiétez de tout ce qui pourrait survenir comme pépins avant même de commencer, vous n'essaierez jamais quoi que ce soit.

La vie ressemble beaucoup à l'ascension d'une montagne. Si vous vous attendez à passer de la base au sommet en quelques pas faciles, vous vous découragerez rapidement et vous abandonnerez. Mais si vous êtes préparé mentalement et physiquement à grimper jusqu'au sommet, vous y arriverez. Lorsque vous trébucherez et que vous tomberez, vous vous épousseterez et vous regrimperez à nouveau à l'endroit où vous aviez perdu pied et vous le dépasserez. Vous continuerez à faire cela jusqu'à atteindre le sommet. Ensuite vous chercherez à escalader de nouvelles montagnes plus hautes.

Feu Kenneth McFarland, un des plus grands orateurs qui ait jamais vécu, fit un jour le rapprochement entre la vie et un voyage en automobile. Si vous pensez aux dangers d'entreprendre un long voyage, dit-il, si vous pensez à toutes ces voitures qui roulent à grande vitesse et que vous allez croiser — à quelques centimètres de vos enjoliveurs — vous n'aurez jamais le courage de quitter la maison. Mais vous ne traversez pas la vie de cette façon. Vous faites cela kilomètre par kilomètre, une heure à la fois, et un jour à la fois.

C'est de la même façon que vous devriez affronter les reculs temporaires. Maîtrisez-les un à la fois, et tirez des leçons de l'expérience de telle sorte que vous ne fassiez pas de nouveau les mêmes erreurs.

Alors qu'il peut être difficile de reconnaître les causes d'échecs provisoires pendant que vos blessures vous font encore mal, de tels reculs sont habituellement le résultat de l'une des trois choses suivantes:

- une perte matérielle, comme la richesse, une situation ou des biens;

- une perte personnelle, comme la mort d'un ami ou d'un membre de la famille ou la fin d'une relation; ou

- une perte spirituelle, lorsque l'échec vient de l'intérieur et que vous cessez d'essayer.

Vous pouvez surmonter toutes et chacune de ces choses. Vous avez sans doute connu des gens qui ont été chassés de leur emploi pour finalement avoir un immense succès dans une autre entreprise ou en lançant leur propre affaire. Les échecs matériels ont leur façon de nous amener à réévaluer nos priorités, à décider ce qui est vraiment important pour nous, à nous trouver de nouveaux objectifs pour nous-mêmes, et à ne pas être distraits par les choses qui auparavant nous avaient causé des problèmes.

Endommagées ou rompues, les relations avec les autres, qu'ils soient partenaires d'affaires ou conjoints, nous forcent à examiner les traits de notre caractère qui ont contribué au problème et nous obligent à changer nos habitudes dans nos rapports avec autrui. Même à la mort d'un être aimé, plusieurs personnes ont trouvé une façon de donner une nouvelle dimension à leur douleur en aidant les autres et, dans ce processus, elles sont devenues elles-mêmes meilleures.

Une perte spirituelle, lorsque nous sommes vaincus par le découragement ou que nous avons perdu contact avec nos croyances religieuses, nous force à devenir plus introspectifs, à trouver le réconfort à l'intérieur de nos propres âmes. Dans cette recherche, vous pouvez trouver une force intérieure et une paix que vous n'auriez jamais découvertes sans la défaite.

La frontière entre la réussite et l'échec est tellement ténue qu'on ne voit souvent pas la cause réelle de l'échec. Ce n'est rien de plus que l'attitude — comment vous prenez les échecs que vous subissez ou ceux dont vous êtes personnellement responsable.

Merle Haggard, personnage légendaire de la musique country, se souvient clairement du moment qui fut le tournant de sa vie. Il avait connu des ennuis durant la plus grande partie de sa jeunesse jusqu'à ce qu'il finisse par échouer dans la prison de San Quentin.

«Je dirai que San Quentin, contrairement à certaines des prisons dont j'ai entendu parler», écrit-il dans sa biographie, «vous donnait un choix. Vous pouviez ou bien postuler un emploi, travailler fort et vous bâtir un bon dossier, ou bien rester allongé dans la cour toute la journée. J'ai voté pour rester allongé dans la cour toute la journée. Nous pouvions faire que notre temps compte — ou seulement compter notre temps. J'ai fait un peu des deux».[*]

Sa première occasion de libération conditionnelle vint après 18 mois, mais son manque de motivation ne fit pas grand-chose pour attirer l'attention du comité des libérations conditionnelles. Personne ne fut surpris de voir sa première requête de libération conditionnelle rejetée.

Selon sa propre version des faits, Merle Haggard continua de faire très peu pour améliorer sa situation. Ils commencèrent, lui et un compagnon de prison, leur «propre petite affaire, une histoire de paris et de bières». Cette aventure le conduisit au trou.

«Il faut parfois plus d'une chose pour faire pencher les plateaux de la balance d'un côté ou de l'autre. Je ne sais pas ce qui a été le plus important: l'exécution (d'un compagnon de prison), les sept jours au trou, la mort (d'un évadé), ou la combinaison de tout cela.

«Quoiqu'il en soit, je sortis du trou déterminé à faire quelque chose de positif pour Merle Haggard».

Merle Haggard obtint sa libération conditionnelle la fois suivante, et même si cela n'a pas été facile, spécialement juste après être sorti de prison, il poursuivit son objectif de devenir une vedette de musique country. Il y en a peu aujourd'hui qui le surpassent en popularité dans ce domaine.

La «cellule» d'Abe Widra était un espace de 8,40 m² pratiqué dans des blocs de ciment du centre médical Chicago de l'université de l'Illinois, qui lui servait à la fois de bureau et de laboratoire. C'est dans ce cadre invraisemblable que l'assistant de mycologie médicale (la science des fongus) a développé Stra-cor, une peau artificielle biodé-

---

[*] Merle Haggard with Peggy Russell, *Sing Me Back Home*: My Story (New York: Pocket Books division of Simon & Schuster, 1981), pp. 154, 169-70.

110

gradable qui peut être employée pour traiter les brûlures et les grosses blessures.

Stra-cor, à l'encontre des greffes de peau et d'autres types de peau artificielle, agit comme un substitut de l'épiderme. Il est flexible, adhérent et absorbant. L'eau et l'air peuvent le pénétrer mais il arrête les bactéries. La matière est facile à appliquer et travaille avec les processus naturels de guérison du corps, permettant aux globules blancs du sang de passer à travers la substance et aux cellules de la peau de migrer et de se former à nouveau à même cette membrane artificielle.

Star-cor est fait de matériaux aisément disponibles et facilement applicables, et empêche les cicatrices. Il peut aussi être employé pour libérer lentement des médicaments dans le corps, une caractéristique qu'Abe Widra croit concluante pour l'aboutissement des recherches en chirurgie avec implants et greffes.

Abe Widra a d'abord jonglé avec l'idée d'une telle substance il y a plus de vingt ans quand il faisait de la recherche fondamentale sur les fongus. C'est alors qu'il découvrit une substance gommeuse qu'il pensa efficace pour le traitement des brûlures et des lésions, mais à cause d'autres engagements de recherches, il mit l'idée en suspens jusqu'en 1978.

Il trouva tout seul la solution à la plupart des problèmes sans pouvoir compter sur aucun financement ou à peu près, en improvisant au fur et à mesure. Quand il eut besoin d'une façon de modeler la substance en feuilles, il acheta des moules à tarte en aluminium pour quelques pièces de monnaie au supermarché du quartier. «Ils ont bien marché», dit-il.

Star-cor fut utilisé pour la première fois sur un patient humain quatre ans après qu'il eut commencé à travailler activement sur cette substance. Aujourd'hui, une entreprise de Boston a une option sur le produit; il est actuellement testé par l'office du contrôle pharmaceutique et alimentaire, mais n'est pas encore approuvé. Abe Widra a connu de nouveaux revers lorsqu'il a demandé un brevet;

mais en concentrant ses énergies à maîtriser les obstacles légaux inhérents à la demande de brevet pour son produit révolutionnaire, il a finalement atteint son but.

Abe Widra a aussi profité d'une certaine réussite avec une autre invention qu'il appelle « Crudaway », un onguent anti-fongus qui débarrasse les lésions cutanées de presque toutes les sortes d'infections fongiques. Il a été testé dans les écoles de médecine sur 50 individus différents avec une variété d'infections fongiques, et « dans chacun des cas », dit monsieur Widra, « le problème a disparu. C'est ma pension de retraite », dit-il en riant. « Quand je prendrai ma retraite, je vais voyager autour du pays pour vendre le produit aux distributeurs locaux. C'est vraiment un produit étonnant ».

Pour faire face aux essais constants, aux erreurs et aux éternels recommencements qui hantent l'existence d'un chercheur, dit Abe Widra, « vous devez être têtu à l'excès. Vous devez approfondir avec soin toutes les possibilités. S'il y a une voie que vous n'avez pas explorée, trouvez quelqu'un qui l'a fait. Soyez flexible ; collaborez avec quelqu'un qui a des ressources autres que les vôtres. Il y a toujours un réseau de personnes à l'extérieur qui peut vous aider ».

Comme l'avaient écrit W. Clement Stone et Napoleon Hill dans leurs cours par correspondance « PMA Science of Success », il y a 25 ans, « Toute défaite, quelle que soit sa nature, cédera volontiers face à une action coopérative et amicale. Tout le secret de la formule qui vous permet de transformer une défaite en un acquis repose sur votre habileté à maintenir une *attitude mentale positive* malgré votre défaite.

« Où et quand faire ce premier pas sont des problèmes qui semblent insurmontables à la personne qui vient de subir un échec ou une défaite, parce que souvent les blessures causées par la déception entaillent très profondément notre réserve de foi. Ainsi nous sont révélés les moyens par lesquels les pierres d'achoppement de l'échec peuvent être converties en tremplin pour de magnifiques réussites. Ceci est la *perle d'espoir* qui vous sera la plus utile dans les heures de plus profonde obscurité ».

Deuxième partie

Des principes de la personnalité

Demandez à n'importe quel gagnant le secret de sa réussite, et il est probable que vous recevrez une réponse du genre de celle-ci :

« Eh bien, j'avais les bonnes références — l'éducation, l'expérience et ainsi de suite. Je travaillais fort, je ne faisais pas trop d'erreurs, et je me suis trouvé au bon endroit au bon moment ».

Ceci est vrai, tant qu'il en est ainsi. La vraie vérité, toutefois, est que dans la plupart des cas ces gens modestes se sont forgé leur propre chance. Ils sont devenus indispensables à leur entreprise ou à leur clientèle parce qu'ils ont développé les bons attributs personnels. La direction et la clientèle les aiment, leur font confiance, se fient à eux et les paient bien pour le privilège de faire affaires avec eux.

Ce sont les gens qui prennent des initiatives, qui assument les rôles de leadership, qui se portent volontaires pour les missions difficiles ou impopulaires parce qu'ils savent que quelqu'un doit les accomplir. Ils sont eux-mêmes persuadés qu'ils feront le travail comme il faut, à temps et selon le budget. Et généralement, ils le font.

Les autres aiment et admirent ces gens qui réussissent. Ils semblent avoir une meilleure compréhension d'eux-mêmes que la plupart ; ils aiment les autres, mais travaillent également bien dans la solitude. Ils ont l'enthousiasme pour inspirer les autres, et la discipline personnelle qui les maintient à leur tâche jusqu'à ce qu'elle soit terminée.

Ces gagnants occupés semblent toujours trouver un peu de temps pour un ami ou un associé qui a besoin d'un conseil ou juste de quelqu'un à qui parler d'un problème particulièrement difficile. Ils sont généreux quand il s'agit de contribuer à une cause louable, et leurs propres finances semblent toujours en règle.

Peu importe le nombre d'heures qu'ils ont travaillé durant les quelques jours précédents, ces gens ne semblent jamais fatigués; s'ils ont des problèmes personnels, vous ne le savez jamais. On ne sait trop comment mais ils semblent toujours en forme mentalement et physiquement.

Dans cette partie, nous examinerons les principes personnels du succès: l'initiative, l'enthousiasme, une personnalité agréable, l'autodiscipline, planifier l'emploi de son temps et de son argent, et garder une bonne santé physique et mentale. Nous examinerons aussi la vie de certaines personnes qui ont réussi et qui sont particulièrement expertes dans l'application de ces principes.

Chapitre 6

L'initiative personnelle

W. Clement Stone et Napoleon Hill ont défini l'initiative comme « cette qualité tellement rare qui pousse — non, qui oblige — une personne à faire ce qui devrait être fait sans qu'on lui dise ». C'est, ont-ils dit, le pouvoir qui engage toute action et qui vous fait continuer jusqu'à ce que le travail soit terminé. L'initiative personnelle est la force agissante qui transforme vos buts et vos idées en réalité.

L'initiative personnelle est essentielle pour le succès dans tout domaine, que ce soit le domaine des affaires, du sport, de la politique, des spectacles ou du service public. Vous pouvez avoir les qualités requises, vous pouvez avoir fait les études nécessaires, vous pouvez avoir les meilleures idées du monde, vous pouvez même mettre en pratique tous les autres principes du succès, mais tant que vous n'aurez pas pris vous-même l'initiative, rien n'arrivera.

Des industries entières ont été mises sur pied par des entrepreneurs nantis de la bonne idée au bon moment, avec l'initiative personnelle de se lancer et de prendre le risque, et avec la résolution de durer quelle que soit l'importance des difficultés rencontrées. Nous avons vu des succès incroyables alors que tout semblait vraiment s'y opposer — McDonald's et Ray Kroc, Domino's Pizza et Tom Monaghan, Steven Jobs et Steven Wozniak avec l'Apple Computers, et Bill Gates avec Microsoft sont quelques exemples récents.

Mais le phénomène n'est pas nouveau. Beaucoup d'entreprises traditionnelles portent les noms de fondateurs qui ont révolutionné l'industrie ou en ont créé de nouvelles — Henry Ford et l'automobile, Thomas Edison et l'électricité, Weigley et le chewing-gum, et Marshall Field ainsi que Neiman Marcus dans la vente au détail. Toutefois, les entrepreneurs qui ont amélioré nos façons de vivre ont souvent été des gens ordinaires avec une ambition et une initiative extraordinaires.

Clarence Saunders était une personne de ce genre. Il était vendeur dans une épicerie à l'ancienne, plutôt «familiale», à Memphis au Tennessee, lorsqu'il eut l'idée de laisser les clients choisir tout seuls leurs articles sur les étagères tout comme ils choisissaient leur nourriture dans les restaurants alors nouveaux de style cafétéria.

Quand il parla de son idée à son patron, il fut chassé pour lui avoir fait perdre son temps avec des «idées folles». Sans se laisser décourager, il travailla quatre ans pour amasser assez de capitaux et se lancer en affaires lui-même. Son idée farfelue produisit la chaîne d'épiceries Piggly-Wiggly, et donna naissance au concept du supermarché moderne. Dans le processus, bien sûr, elle fit de Clarence Saunders un homme riche.

L'idée seule, toutefois, n'apporta pas le succès à monsieur Saunders. Les bars et les vestiaires sont pleins de gagneurs en puissance qui rêvent de grandeur, mais ne passent jamais à l'action. Clarence Saunders prit l'initiative; il s'engagea dans l'action, il persuada les autres d'investir dans son idée, et il persévéra jusqu'au succès.

Elisha Graves Otis avait une idée magnifique pour un système de freinage d'ascenseur, mais ce n'est pas l'idée toute seule qui a transformé la ligne d'horizon des villes de l'Amérique. Les visionnaires du milieu du XIXe siècle savaient que les villes ne pouvaient continuer de croître indéfiniment à l'horizontale, mais peu d'entre eux ont vu l'ascenseur comme une solution possible à leur problème. Otis a dû trouver un moyen de vaincre la suffisance de ceux qui étaient parfaitement heureux des choses telles qu'elles étaient.

Les monte-charges étaient déjà utilisés, mais la plupart des gens n'y montaient pas de peur que le câble ne rompe, et la hauteur des édifices était surtout limitée aux quatre ou cinq étages qu'une personne pouvait commodément monter.[*]

En 1852, Elisha Otis construisit un monte-charge pour la Yonkers Bedstead Manufacturing Company où il travaillait comme maître mécanicien et ajouta un mécanisme simple pour freiner. Cela n'était pas un début très brillant pour une idée qui allait transformer la silhouette des villes et changer à jamais la façon de vivre et de travailler de millions de personnes.

Elisha Otis vit toutefois les avantages que l'ascenseur offrait et un an après avoir trouvé son mécanisme de freinage, il lança sa propre entreprise et commença à fabriquer des ascenseurs. Elisha Otis prit l'initiative de monter à l'assaut de l'apathie publique à l'égard de son invention. Dans un des gestes de relations publiques des plus flamboyants de l'histoire des affaires en Amérique, il construisit une tour à la première exposition mondiale qui s'ouvrait à New York en 1853. Il se mit debout sur la plate-forme d'un ascenseur et se fit lui-même hisser bien haut au-dessus de la foule du Crystal Palace. Il ordonna qu'on coupe la corde et, avec le coup de hache d'un travailleur, Elisha Otis prit sa place dans l'histoire.

Le frein tint bon, et les milliers de gens qui avaient assisté au spectacle ainsi que les millions d'autres personnes qui en ont lu la nouvelle ont su que le premier ascenseur sécuritaire était arrivé. Malgré la publicité (le *Tribune* de New York utilisa les mots « sensationnel » et « audacieux » pour décrire l'initiative d'Otis), les constructeurs ne s'aperçurent toutefois pas immédiatement que les étages supérieurs pouvaient maintenant rapporter le prix fort au lieu d'être inutilisés ou de servir d'espace d'entreposage. Il

---

[*] « Business Leaders Who HGelped Build America Remain Largely Unknown », *Commerce Today*, published by the U.S. Department of Commerce (July 7, 1975), pp. 3-4.

119

fallut attendre trois ans pour que soit installé le premier ascenseur destiné aux personnes chez E. V. Haughwout's, un grand magasin de vaisselle et de verrerie de cinq étages sur Broadway à New York. Il fallut encore 11 ans avant que les ascenseurs ne soient installés dans les édifices à bureaux de New York, donnant naissance à l'âge des gratte-ciels.[*]

Maintenant, Otis Elevator fait partie de United Technologies, le conglomérat multinational situé à Hartford, au Connecticut; en 1985, ce conglomérat affichait un revenu après impôts de 636 millions de dollars sur des ventes de 14,99 milliards de dollars. Otis est un des noms les plus respectés dans l'industrie, et l'entreprise continue son travail de pionnier en matière d'idées nouvelles.

Dans une entrevue publiée dans le rapport annuel remis aux actionnaires de United Technologies, le président d'Otis, François Jaulin dit:

«Il y a 10 ans un ascenseur ne contenait aucun élément électronique. Aujourd'hui, l'électronique peut justifier jusqu'à un tiers du coût total d'un ascenseur. L'électronique est en train d'amorcer des changements révolutionnaires dans l'industrie de l'ascenseur. Mais nous ne voulons pas promouvoir l'électronique pour l'électronique. Cela coûte moins cher et c'est plus fiable que les dispositifs électromécaniques ainsi remplacés. Cela épargne de l'espace précieux dans la salle des machines et donne la flexibilité de s'adapter à un large éventail de besoins différents chez les clients. Otis a pris des mesures énergiques pour intégrer à la fois l'électricité et la microélectronique dans l'ensemble de sa gamme de produits».

Elisha Graves Otis n'aurait probablement pas compris ce dont François Jaulin parlait, mais il aurait sans doute été fier que les produits qui portent son nom s'améliorent sans cesse à mesure que la technologie avancée encourage de nouvelles initiatives dans l'industrie dont il avait jeté les fondations.

---

[*] *Stories Behind Everyday Things* (Pleasantville, N.Y.: The Reader's Digest Association, Inc., 1980), p. 133.

Dans un domaine où l'innovation est cruciale pour la survie, où une entreprise peut devancer d'un bond la concurrence par la force d'une seule idée, récemment Otto Clark donna au monde une leçon d'initiative personnelle.

Quand il commença à négocier avec le gouvernement chinois pour aider ce pays à fabriquer 200 000 photocopieurs qui se vendraient en gros environ 250 millions de dollars, peu de gens prirent Otto Clark au sérieux. Sa petite usine en Illinois n'avait même pas un modèle de son photocopieur en état de marche.

Quand les accords furent signés en 1982, Clark Copy International Corporation avait seulement 14 employés et était en affaires depuis moins de cinq ans. Les sceptiques qui avaient d'abord douté qu'Otto Clark puisse arriver à conclure le marché avec les Chinois commencèrent alors à remettre en question sa capacité à livrer la marchandise.

Otto Clark ignora ces critiques et se concentra sur la construction d'un produit de qualité et la mise sur pied d'une équipe de direction. Selon la directrice du personnel, Lin Stefurak, l'initiative et le style de leadership d'Otto Clark ont attiré d'autres gagnants vers l'entreprise dont la direction est maintenant composée de ce qu'elle appelle «ceux qui résolvent les problèmes de façon non traditionnelle».

Madame Stefurak dit qu'approximativement 4 000 photocopieurs Clark furent fabriqués et envoyés en Chine; dès 1984, l'entreprise avait tenu sa promesse de rendre les Chinois autosuffisants. Ce pays fabrique actuellement lui-même tous ses photocopieurs.

Cette culture animée de l'esprit d'entreprise que monsieur Clark nourrit dans son entreprise est un capital véritable dans un domaine qui doit son existence et beaucoup de ses percées dans les ventes et la technologie à l'initiative et la persévérance de ses premiers leaders. Le processus de photocopie à sec fut lui-même un progrès révolutionnaire; il est né du désir de l'avocat spécialiste en droit des brevets et inventions Chester F. Carlson de trouver une meilleure façon de faire des copies. À l'époque, au début des années

40 — le dernier cri de la technologie pour copieur selon les spécifications et les dessins brevetés était le procédé photostatique humide et salissant.

Dès 1944, Chester Carlson avait suffisamment développé le processus pour intéresser The Battelle Memorial Institute à continuer sa recherche; Battelle, à son tour, essaya d'attirer une entreprise manufacturière avec suffisamment de capital pour que le procédé puisse être commercialisé. La légende veut que le procédé fut offert à des douzaines d'entreprises de première importance, dont General Electric, Kodak, Harris-Seybold, IBM, RCA, A.B. Dick, et Bell & Howell.

Le résumé d'un article dans une revue professionnelle éveilla l'intérêt de Haloid Company, une petite manufacture de Rochester, dans l'État de New York, et une entente fut finalement conclue. Combiner l'idée de Chester Carlson aux talents de gestionnaire de Joseph C. Wilson, Jr., le président d'Haloid, eut pour résultat l'une des grandes histoires de réussite dans le monde des affaires du siècle.

La société Haloid, bien sûr, finit par devenir le géant Xerox Corporation, et le procédé de Chester Carlson qui avait été développé dans un laboratoire de cuisine a donné naissance à une industrie qui produit maintenant des ventes qui s'élèvent à des milliards de dollars à travers le monde.

L'initiative et l'innovation qui ont caractérisé le domaine de la copie continue de donner des résultats avec des générations avancées de machines meilleures et plus rapides dans une grande variété de styles et d'options. Les choix des acheteurs vont aujourd'hui des énormes machines à haute vitesse qui copient, collationnent et brochent en une opération, jusqu'aux imprimantes à laser, en passant par les petits copieurs bon marché et pas beaucoup plus gros qu'un attaché-case.

Lorsque vous prenez vraiment l'initiative, que ce soit pour introduire une idée nouvelle et révolutionnaire, pour trouver une façon plus rapide d'accomplir une tâche ordinaire ou pour arriver à organiser un peu mieux votre groupe, vous avez changé votre vie. Vous n'êtes plus l'un de ceux que l'on dirige, vous êtes l'un des dirigeants.

On a dit que personne ne peut véritablement motiver quelqu'un d'autre ; tout ce que vous pouvez faire c'est vous motiver vous-même et espérer que cela devienne contagieux. Alors que cet énoncé simpliste peut négliger la capacité du bon dirigeant à stimuler les autres pour un meilleur rendement, il met bien en évidence l'interdépendance entre l'initiative personnelle et le leadership. Tout comme le leadership ne peut s'épanouir sans l'initiative, l'initiative ne peut pas non plus accomplir grand-chose sans la coopération des autres. Dans la plupart des situations, le monde est simplement trop complexe et interdépendant pour que quelqu'un soit capable d'agir tout seul.

Il incombe au leader de montrer le chemin aux autres. Quand un jeune officier cadet demanda au sergent instructeur : «Pourquoi est-ce que les officiers sont toujours obligés de mener les hommes au combat ? », le vétéran grisonnant répondit : «Mon garçon, as-tu déjà essayé de faire avancer une ficelle en la poussant ? »

Un homme qui a passé sa vie à montrer le chemin aux autres, c'est Strom Thurmond, le doyen des sénateurs de la Caroline du Sud. Il a été éducateur, avocat, juge en tournée de tribunal itinérant, gouverneur, candidat présidentiel et, pendant plus de 30 ans, sénateur des États-Unis, ainsi que membre et président de plusieurs comités importants. Son service militaire durant la Seconde Guerre mondiale et son engagement dans la réserve lui ont valu 18 médailles, des décorations et des citations. Il participa au Débarquement, le jour J, avec la fameuse 82e division aéroportée. Dans son État natal, pas moins de sept édifices ou établissements portent son nom, et il y a une statue de lui grandeur nature sur la grand-place d'Edgefield où il est né.

Ses distinctions honorifiques et ses décorations couvrent les murs, du plancher jusqu'au plafond-cathédrale, dans son bureau spacieux en face du Capitole à Washington, D.C. Un mur est réservé aux décorations nationales, un aux décorations de l'État, un aux diplômes universitaires et aux titres honorifiques, un aux services communautaires et un autre — son mur présidentiel — à des photographies de Strom Thurmond avec les différents présidents auprès desquels il a servi durant près de trois décennies au Sénat, et à Franklin D. Roosevelt qu'il a soutenu comme démocrate au congrès de 1932.

Il y a 30 ans, alors qu'il était nouvellement sénateur, Strom Thurmond se donna 12 règles de leadership qu'il suit encore aujourd'hui:

1. Un leader doit être honnête. L'honnêteté est l'essentiel de la personnalité. Quelqu'un qui n'est pas honnête ne peut demeurer longtemps leader. Bien sûr, ceci suppose de dire la vérité. Les gens apprendront rapidement si oui ou non ils peuvent se fier à ce que vous dites.

2. Il doit avoir la compétence. Certains héritent de plus de compétences que d'autres, mais l'homme moyen peut se former et se développer au point d'acquérir une compétence qui peut devenir largement supérieure à la moyenne.

3. Il doit apprendre à penser, à prendre des décisions rapidement et avec justesse; à tirer des conclusions sensées, puisque le bon jugement est au cœur de la compétence et de la réussite.

4. Il doit travailler dur. Peu importe l'honnêteté et la compétence d'un homme, s'il ne consent pas à travailler, il n'ira pas bien loin. Le type qui fait des heures supplémentaires quand les autres s'amusent est habituellement celui qui prend de l'avance.

5. Il doit être courtois. Je ne connais aucune autre qualité qui ne rapporte autant que la simple courtoisie et la simple bonté. Hormis la malhonnêteté, il n'y a pas un défaut qui fera plus de tort à un homme que le manque de courtoisie.

6. Il doit être courageux, soutenir ce qui est bon selon les normes chrétiennes, ou il est certain de se retrouver de l'autre côté avec ceux qui défendent des intérêts égoïstes.

7. Il doit aimer les gens et vouloir être à leur service. Il doit consentir à faire des sacrifices pour les aider.

8. Il doit être de bonne humeur, optimiste, et inspirer confiance aux autres.

9. Il doit apprendre à reconnaître et à utiliser les compétences des autres personnes. Le temps et l'énergie d'un homme sont certainement limités s'il restreint ses activités à lui-même et à ses propres compétences.

10. Il doit apprendre à organiser. Les grands leaders de ce pays qui ont atteint des records de réussite remarquables ont été ceux qui savaient organiser. Ceci exige d'être capable de voir loin, de planifier et d'exécuter des projets.

11. Il doit être agressif, mais pas au point d'être offensant. Quand ils sont agressifs, les hommes compétents qui ont une vision sont rarement arrêtés par les obstacles et les difficultés qui peuvent sembler insurmontables à ceux qui le sont moins.

12. Il doit placer sa foi en Dieu. Tout homme qui fut grand et le demeurât a eu confiance en Dieu. Et il s'ensuit qu'un leader converse intimement avec Dieu par la prière quotidienne et lit régulièrement les Saintes Écritures. Quand il examine une affaire, il se demande souvent: «Qu'est-ce qui est bien? Qu'est-ce que Dieu veut que je fasse?» Une décision n'est pas trop difficile à prendre quand on est sérieusement en train d'essayer de suivre Dieu.

Strom Thurmond attribue la philosophie qu'il a de la vie et du leadership à ses parents. «C'est ma mère qui a eu la plus grande influence sur ma vie en matière de religion et de spiritualité», dit-il. «Elle était une chrétienne dévote, bénie en tout. Mon père, J. William Thurmond, qui était juge, m'a plus influencé dans ma vie publique et dans mes ambitions politiques. Il m'a appris le droit — j'ai passé les examens du barreau sans jamais avoir étudié en faculté de droit et je suis arrivé premier ex aequo avec un étudiant de Harvard — mais il m'a aussi inculqué cette simple vérité que tout peut être accompli grâce à l'honnêteté, à la lucidité et au travail soutenu ».

Pendant les années 60 et 70, il semblait que bon nombre des valeurs fondamentales du leadership résumées par Strom Thurmond étaient tombées en disgrâce auprès des dirigeants américains. Cela peut avoir été, comme certains écrivains l'ont suggéré, le résultat du désenchantement général du pays après le Viêt-nam et le scandale Watergate, où se trouvaient impliqués les modèles militaires et politiques sur lesquels reposaient nos concepts de leadership. Ou cela peut être attribuable au fait que les dirigeants motivés par les résultats financiers et toujours aux aguets d'une combine rapide devinrent plus des surveillants et des administrateurs que des leaders.

Peu importe la raison, il semble qu'il y ait aujourd'hui un regain d'intérêt populaire pour le bon vieux leadership. Les mots ont changé pour convenir à l'époque, et la façon de s'y prendre a été modifiée pour attirer une classe de travailleurs plus instruite et plus complexe, mais les fondements sont les mêmes. Les bons leaders se fixent des normes élevées pour eux-mêmes et incitent les autres à suivre leur exemple.

L'auteur Tom Peters, dans son best-seller *A Passion for Excellence*, appelle cela le leadership par l'entraînement et par l'enseignement.* Il écrit:

« Un bon rendement vient des gens qui, à tous les niveaux, prêtent la plus grande attention à leur entourage, communiquent des valeurs fondamentales qui ne peuvent être mises en doute, et développent patiemment les compétences qui vont leur permettre d'apporter une contribution soutenue à leurs organisations. *En un mot, cela donne au directeur désintéressé et à l'esprit analytique un nouveau rôle d'entraîneur consciencieux et enthousiaste.*

---

* Tom Peters and Nancy Austin, *A Passion For Excellence* (New York: Random House, 1985), pp. 325-27.
  La Passion de l'excellence / Trad. Dominique Dill — Inter éditions, 1985 — 440 p. 22 x 15 cm

« L'entraînement est un leadership de contact qui rassemble des gens dont les antécédents, les talents, les expériences et les intérêts sont différents, qui les encourage à atteindre un niveau de responsabilité et de rendement continu, et les traite comme des partenaires et des collaborateurs de plein droit. L'entraînement n'a rien à voir avec la mémorisation des techniques ou l'élaboration de la stratégie parfaite. Il s'agit de vraiment prêter attention aux gens — de réellement croire en eux, de réellement s'en préoccuper, de réellement les faire participer. L'entraîneur des New Orleans Saints Bum Phillips fait remarquer : « La chose principale est d'amener les gens à jouer. Lorsque vous croyez que c'est votre système qui gagne, vous vous exposez à une sacrée grosse surprise. La victoire vient plutôt des efforts que font les joueurs ».

« Entraîner, c'est en grande partie faciliter, ce qui signifie littéralement « rendre facile » — pas moins exigeant, ni moins intéressant, ni moins intense mais moins décourageant, moins bridé par des complications et des contrôles excessifs. Un entraîneur qui « rend facile » travaille sans relâche à libérer l'équipe des restrictions qui sont inutiles pour la performance, même si c'est l'équipe qui se les impose ».

Les bons entraîneurs/leaders sont de bons professeurs, dit Tom Peters en citant un sondage fait par The Center for Creative Leadership à Greensboro, en Caroline du Nord. Lorsque le Centre a demandé à des directeurs couronnés de succès de parler de leurs meilleurs professeurs, dans la plupart des cas, il s'agissait d'anciens patrons. « Les caractéristiques suivantes », écrit Tom Peters, « furent celles qu'on a le plus mentionnées en parlant de ces directeurs comme professeurs.

- « Ils ont conseillé. *Ils ont donné aux jeunes dirigeants des conseils constructifs et du feedback. Ils ont d'abord essayé leurs idées sur les jeunes dirigeants.*

- « Ils ont excellé. *Que ce soit en finance, en production ou en marketing, ces directeurs ont été les meilleurs dans un des secteurs de leurs affaires.*

- « Ils ont assuré la visibilité. *Ils font en sorte que le travail et les réalisations des jeunes dirigeants soient vus. Ils leur ont ouvert les portes.*

- « Ils ont laissé toute latitude. *Ils ont donné aux jeunes dirigeants la liberté d'essayer, le courage de se tromper. Ils les ont fait participer aux travaux importants.*

- « Ils ont été très exigeants. *Ils ont remis en question ; ils ont exigé l'excellence* ».

John Sculley, président-directeur général de Apple Computer qui a célébré son dixième anniversaire en 1987, dit que les leaders d'aujourd'hui devront « trouver de nouveaux modèles à suivre pour savoir comment nous voulons mener nos affaires. Pour les entreprises et les industries plus traditionnelles », dit-il, « cela veut dire que les gens ont dû repenser la façon dont ils dirigeraient leurs affaires.

« En affaires, la plupart d'entre nous — et j'en fais moi-même partie parce que la plus grande contribution de ma carrière a été dans une industrie traditionnelle qui exigeait beaucoup de travailleurs et de capital (c'est seulement durant les dernières années que je suis passé à l'industrie de haute technologie) — ont utilisé les anciens modèles de l'Église catholique, avec sa hiérarchie de structures et de procédés, et ses nombreux niveaux d'organisation où l'autorité allait incontestablement du haut vers le bas. Un autre vieux modèle était l'organisation militaire ; même le vocabulaire des militaires s'est infiltré dans les documents stratégiques ; plans d'attaque et programmes de défense pendant que nous tentons de déjouer les manœuvres des concurrents.

« Ces modèles », dit John Sculley, « peuvent être inappropriés au moment où nous entrons dans l'ère de l'information. Chez Apple, nous sommes en train d'expérimenter de nouveaux modèles qui ressemblent plus à celui des équipes sportives ; le leader n'est plus un dirigeant absolu qui d'en haut détermine ce qui se passera, mais le leader devient un *entraîneur*. Le leader devient responsable de la création d'un milieu dans lequel les gens peuvent trouver une qualité de vie qui peut être agréable.

«Pourquoi travailler serait-il une expérience ennuyeuse? Chez Apple, l'âge moyen de nos employés est de 29 ans seulement; dans beaucoup d'entreprises, 29 ans serait le nombre d'années de service. Aujourd'hui, les jeunes gens cherchent un peu plus qu'un bon salaire ou qu'un avancement de carrière. Ils cherchent une qualité de vie — un milieu où ils peuvent se développer et avoir du plaisir à travailler. Ils s'attendent à ce que la haute direction leur fournisse ce genre de culture d'entreprise, tout autant que les gens des entreprises traditionnelles s'attendent à recevoir des pensions de retraite.

«En fait, chez Apple, nous n'avons pas de régime de retraite — le seul qui est assez vieux là-bas pour s'inquiéter de la retraite, c'est probablement moi. Au lieu de cela, nous avons pour nos employés le programme d'option d'achat d'actions le plus complet de toutes les entreprises du Fortune 500, parce que la propriété signifie beaucoup pour les jeunes. Ils veulent s'acheter la possibilité de jouer un véritable rôle dans l'entreprise. La raison pour laquelle les jeunes viennent dans une entreprise comme Apple est parce qu'ils croient que c'est possible, particulièrement pour des gens de leur âge, de faire des choses qui n'ont jamais été faites auparavant.

Leurs leaders, dit John Sculley, *«doivent les stimuler grâce à une vision suffisamment excitante pour être suivie!»* John Sculley connaît particulièrement bien la difficulté de faire des changements de culture et de milieu — son passage de Pepsi sur la côte est à Apple dans la Silicon Valley est beaucoup plus que 4 828 km, ajoute-t-il — et il est profondément au courant de la difficulté d'être un leader dans une société de plus en plus technologique.

«Dans une entreprise comme Apple», dit-il, «nous avons trouvé que nous devons être en communication constante. Je passe beaucoup de temps à circuler et à simplement parler aux ingénieurs, à écouter ce qui leur passe par la tête, et à essayer de leur faire comprendre que ce que nous tentons vraiment de faire, c'est d'être plus à l'écoute du marché. Parfois quand je leur parle, je vois des regards vitreux, alors je sais que je ne me fais pas comprendre; je suis certain que la même chose leur arrive parfois lorsqu'ils me parlent. Au moins, nous sommes face à face quand nous nous parlons.

«Peut-être que c'est là une des grandes différences entre les nouvelles entreprises et ce que nous avons connu par le passé. Les vieilles façons de s'adresser à l'organisation passaient par les memorandums ou les grands discours publics de toutes sortes. De nos jours, cela ne suffit plus. Vous devez sortir de votre bureau et vous promener pour écouter, parler, et échanger des idées avec les gens. Si vous ne le faites pas, vous pouvez vous retrouver avec de sérieux ennuis, en particulier dans une industrie comme la nôtre, y compris dans tout le domaine de la haute technologie où les choses se passent si rapidement que si vous manquez un détail, vous pouvez perdre votre entreprise tout entière».

Une des remarques peut-être des plus intéressantes sur le leadership vient de Warren Bennis, un professeur de gestion et d'organisation à l'université Southern California. Après avoir interrogé et observé quelques 90 leaders du monde des affaires, de la fonction publique, des arts et du sport, Warren Bennis conclut: «les leaders qui n'ont pas de succès se ressemblent tous; chaque leader qui a du succès est un leader qui réussit d'une façon bien à lui».[*]

Warren Bennis a dit au *Chicago Tribune* qu'il a été dérouté par leur diversité. «Je faisais face à l'inverse de ce que j'appelle le syndrome Anna Karina», dit-il, faisant référence à la sagesse de Tolstoï en ce qui concerne la famille.

L'ancien président de l'université de Cincinnati qui a été consultant auprès des quatre derniers présidents des États-Unis a toutefois bel et bien trouvé certaines ressemblances parmi les leaders. Le seul trait commun à tous est ce que lui et les autres appellent la «vision».

«Il me serait difficile d'exagérer ce trait commun qui les différencie des autres», dit-il à *Tribune*. «C'est comme s'ils attiraient les gens à eux, mais ce n'est pas forcément la

---

[*] Stevenson Swanson, «Leading question: What kind of people do others follow?» Chicago Tribune (November 29, 1984), pp. 1, 3.

qualité à laquelle nous pensons lorsque nous parlons de charisme. L'intensité avec laquelle ils parlent de leur vision est comme celle d'un rayon laser. Lorsqu'ils parlent d'autres choses, ils peuvent être aussi ennuyeux que n'importe qui ».

Warren Bennis a trouvé que ses sujets étaient capables de communiquer leurs idées aux autres. L'habileté de Ronald Reagan lui a valu d'être surnommé le grand communicateur, mais c'est une habileté que Jimmy Carter n'a jamais maîtrisée, dit Bennis. Un de ses sujets, la secrétaire au Commerce de Jimmy Carter, Juanita Kreps, lui a dit qu'elle ne savait pas ce que Jimmy Carter essayait d'accomplir en tant que président. « C'était comme regarder l'envers d'une tapisserie », dit-elle à Warren Bennis. « Tout était flou et indistinct ».

« Les bons leaders sont aussi persévérants. L'amiral Hyman Rickover a dit à Warren Bennis que le sous-marin nucléaire n'aurait jamais été construit s'il n'en avait pas maintenu l'idée. L'effort demandait patience et courage », selon les mots de l'admiral, parce que l'idée semblait en premier lieu absurde, comme semblent l'être tant d'idées pourtant réalisables. Selon les mots de Woody Allen, le « philosophe favori en matière de gestion » de Warren Bennis, si vous voulez avoir du succès dans la vie, montrez-vous seulement 80 % du temps ».

La quatrième qualité pour les leaders selon Warren Bennis « est plus difficile à définir mais se résume pour l'essentiel à un solide respect de soi, grâce auquel se développe un fructueux respect des autres. Ils ont découvert, généralement à un âge précoce, quelles étaient leurs forces et comment les nourrir.

« De tels leaders sont souvent capables d'amener les autres à donner ce qu'ils ont de meilleur. Ils voient les talents cachés et les encouragent, ils écoutent leurs subordonnés, et ils se rendent compte qu'une personne incompétente pour un travail donné ne l'est pas forcément pour tout autre travail. Un cadre d'IBM fut surpris de ne pas être mis à la porte pour une décision qui avait coûté 10 millions de dollars à l'entreprise. « Vous licenciez ? » lui a dit son supérieur. « Nous venons tout juste d'investir 10 millions de dollars pour vous former » ».

Warren Bennis insiste sur le fait que tous ses sujets étaient des leaders, pas des directeurs. Il a défini la différence au cours d'un séminaire parrainé par le National College of Education : « Un directeur est quelqu'un qui fait bien les choses ; mais un leader est quelqu'un qui fait la bonne chose ».

L'amiral Grace Hopper l'a résumé plus brièvement. Dans une récente interview à la télévision, la femme la plus élevée en grade de la Marine a dit à Morley Safer de l'émission *60 Minutes*, « Pour les choses, vous êtes directeur. Pour les gens, vous êtes *leader* ».

Le vieux dicton selon lequel « plus ça change, plus c'est pareil », semble s'appliquer avec justesse au leadership. La technologie peut changer notre monde, et nos coutumes peuvent évoluer conformément à nos façons de faire des affaires, mais les leaders qui peuvent obtenir des résultats grâce aux gens seront toujours à la mode. Observez les vies et les carrières des personnes qui ont eu du succès dans n'importe quel domaine et vous verrez que quand la situation a rendu l'action nécessaire, ils ont pris l'initiative d'agir. Ils ont fait le travail sans qu'on le leur dise.

Chapitre 7

L'enthousiasme

L a plupart des auteurs de livres de motivation vous di-sent que vous devez être enthousiaste si vous voulez avoir du succès. Toutefois, ils sont peu nombreux à consa-crer plus d'un paragraphe ou deux à ce sujet, et à peu près aucun ne donne de conseils pratiques sur *la façon* d'être enthousiaste. Ce livre est une exception. Nous allons vous dire pourquoi vous avez besoin d'enthousiasme et com-ment lui donner naissance.

Qu'est-ce que l'enthousiasme et comment l'attirons-nous? Le mot lui-même prend son origine dans la Grèce ancienne; traduit sans trop de rigueur, il signifie «inspiré par Dieu». La définition plus moderne du dictionnaire Webster est «forte exaltation à l'égard d'une cause ou d'un sujet; zèle ou intérêt ardent; ferveur».

Ralph Waldo Emerson a dit, à propos de l'enthou-siasme: «Chaque mouvement qui fut grand et impérieux dans les annales du monde est le triomphe de l'enthou-siasme. Rien de grand n'a jamais été accompli sans lui».

Comment réussissez-vous à éprouver un tel sentiment pour les tâches monotones qui font partie de chaque em-ploi, de chaque profession, de chaque carrière, et comment le maintenez-vous? Comment communiquez-vous l'en-thousiasme aux autres lorsque vous ne vous sentez pas toujours enthousiaste vous-même?

Cela commence avec la définition de votre propre objectif. Vos buts doivent être si fermement ancrés qu'ils font partie de votre psyché, votre âme même. À moins que vous n'ayez le courage de vos convictions, il est impossible de vendre avec enthousiasme vos idées, vos produits ou vos services aux autres. Le «Dieu en vous» est votre croyance en vous-même et en ce que vous faites.

L'enthousiasme de Lee Iacocca pour Chrysler se fait sentir dans ses annonces publicitaires à la télévision parce qu'il croit aux produits de son entreprise et en ce qu'il dit à leur sujet. Malgré sa résistance initiale à l'idée de faire des annonces publicitaires, lorsque l'agence de publicité de Chrysler, Kenyon & Eckhardt, ajouta à la fin d'une annonce quelques secondes pendant lesquelles Lee Iacocca était en train de parler à ses concessionnaires, les publicitaires ont aimé le résultat.

L'agence l'a finalement remporté et Lee Iacocca devint parmi les présentateurs de produits à la télévision l'un des plus célèbres et l'un de ceux qui a eu le plus de succès. Les annonces publicitaires se firent plus agressives jusqu'à ce qu'elles évoluent, comme le rapporte Lee Iacocca dans sa biographie, concernant: «la réplique maintenant fameuse où je pointe du doigt la caméra et je dis: «Si vous pouvez trouver une meilleure voiture, achetez-la». En passant, cette voiture, c'était la mienne, ce qui explique pourquoi je pouvais livrer le message avec une telle conviction».[*]

Il n'y a pas de limite à ce qui peut être accompli avec l'enthousiasme. W. Clement Stone aime raconter l'histoire de Leo Fox, un homme dont l'enthousiasme sans fin semblait attirer les autres à lui comme un aimant attire la limaille de fer.

«J'ai rencontré Leo pour la première fois durant la Dépression quand il a répondu à mon annonce dans le journal. Il était tellement enthousiaste que je l'ai embauché sur-le-champ comme vendeur. Je n'ai découvert que longtemps après qu'il était tellement fauché que sa femme ne

---

[*]   Lee Iacocca with William Novak, *Iacocca, an Autobiographgy* (New York: Bantam Books, 1984), pp 269-70
Iacocca / Trad. Patrick Berthon — Laffont, 1985. 380 p. ; 24 x 16 cm (Vécu)

quittait pas leur chambre lorsqu'il était sorti, de peur que le concierge ne ferme à clé et ne la laisse dehors jusqu'à ce qu'une partie des arrérages de loyer soit payée. Leo utilisa les revenus de sa première journée de travail pour payer les arrérages de loyer, et fut obligé de se lever de bonne heure le lendemain matin pour vendre suffisamment afin de rapporter le petit-déjeuner à sa famille.

« Leo travaillait pour moi depuis seulement quelques semaines lorsqu'un vendeur de son ancien employeur vint me voir. Il avait rencontré Leo dans la rue, et Leo avait semblé tellement heureux et prospère qu'il se demandait si j'avais encore une possibilité d'embauche. Bien sûr, j'en avais une.

« Durant les quelques mois qui ont suivi, j'ai embauché cinq autres vendeurs de l'ancien employeur de Leo. Ils l'avaient aussi rencontré dans la rue et lui avaient demandé où il travaillait, et eux aussi avaient postulé un emploi.

« Leo Fox est un homme pour qui j'ai beaucoup d'admiration. Il avait un problème personnel qui a ruiné beaucoup d'hommes ; il était alcoolique. C'est pourquoi, m'a-t-il dit, il a « été chassé de la maison » par son père, John Fox, propriétaire et président de First National Casualty Company dont le siège social est à Fond du Lac, au Wisconsin. Un an environ après s'être joint à moi, Leo me parla de son problème et dit : « je m'en vais à l'institut Keely à Dwight, en Illinois, et je vais gagner cette bataille contre moi-même ». Il est en effet allé à Dwight — et il est bel et bien sorti vainqueur de son combat.

« Lors d'une sortie ou d'un congrès, si quelqu'un demande : « Est-ce que vous prendrez un verre avec moi ? Leo est enthousiaste. « Avec plaisir », dit-il. Quand on prend les commandes, il ne se justifie pas. Il est fier de dire : « Pour moi ça sera un café bien chaud ». Il n'a pas pris d'alcool depuis le jour où il est allé à l'institut Keeley.

« Leo et sa famille se rendirent à Fond du Lac pour voir ses parents avant de partir en Pennsylvanie où il allait devenir mon directeur des ventes. Lorsque son père a vu ce que Leo avait fait pour s'améliorer, il lui a dit : « Si tu es assez bon pour être directeur des ventes pour monsieur Stone en Pennsylvanie, alors tu es assez homme pour devenir président de First National».

Leo accepta le travail avec son père et finit par devenir président. Plus tard, c'est par l'entremise de Leo que j'ai eu l'occasion d'acheter la First National Casualty Company. Aujourd'hui Leo est un homme riche qui a réussi. J'ai souvent raconté son histoire, et elle a été une source d'inspiration pour des milliers de personnes».

W. Clement Stone se souvient aussi d'une conversation qu'il a eue avec Norman Vincent Peale au sujet de l'enthousiasme. «Clem», me dit Norman Vincent Peale, plus que personne d'autre à ma connaissance, tu as cet enthousiasme réel et vrai qui est du genre à ne jamais accepter une défaite pour réponse. Quel est le secret de ton enthousiasme quand il s'applique aux problèmes — qu'ils soient professionnels ou personnels?»

«En toute humilité, après ce généreux compliment, je répondis: «Comme tu le sais, les émotions ne sont pas toujours immédiatement l'objet d'un raisonnement, mais elles sont toujours immédiatement l'objet de l'action — mentale ou physique. De plus, la répétition de la même pensée ou de la même action physique devient une habitude qui, lorsqu'elle est répétée fréquemment, devient un réflexe automatique» (voir chapitre 18).

Pour être enthousiaste, vous devez agir avec enthousiasme, dit W. Clement Stone. Si vous *agissez* avec enthousiasme, vos émotions suivront et assez rapidement, vous vous *sentirez* enthousiaste. Il offre les conseils spécifiques suivants tirés de sa propre expérience:

1. Parlez fort! Ceci vous aidera tout particulièrement si vous êtes bouleversé ou si vous avez des «papillons dans l'estomac» lorsque vous vous trouvez face à un auditoire.

2. Parlez rapidement! Votre esprit fonctionne plus rapidement que vous.

3. Insistez! Mettez l'accent sur les mots qui sont importants pour vous ou vos auditeurs, un mot comme *vous* par exemple.

4. Hésitez! Parlez rapidement, mais hésitez là où il y aurait un point, une virgule ou un autre signe de ponctuation dans l'écrit. Lorsque vous utilisez l'effet dramatique du silence, la personne qui écoute a le temps de saisir les idées que vous venez d'exprimer. L'hésitation après un mot que vous voulez souligner en accentue l'intensité.

5. Gardez un sourire dans la voix! Ceci élimine le ton brusque lorsque vous parlez fort et rapidement. Vous pouvez mettre un sourire dans votre voix si votre visage est souriant, si vos yeux sont rieurs.

6. Modulez! Ceci est important si vous devez parler pendant un bon moment. Rappelez-vous, vous pouvez moduler la hauteur et le volume. Vous pouvez parler fort et, par intermittence, ramener la voix au niveau de la conversation et baisser le ton si vous le désirez.

W. Clement Stone fait remarquer qu'il y a une différence entre avoir de l'enthousiasme et être enthousiaste. «L'enthousiasme», dit-il, «est une attitude mentale positive — une force intérieure d'une intense émotion qui vous *pousse*, une puissance qui vous incite à la création ou à l'expression. Cela suppose toujours que vous poursuivez un objectif ou une cause avec dévotion.

«Être *enthousiaste* vient de l'*extérieur* et vous pousse à l'expression de l'action. Lorsque vous agissez avec enthousiasme, vous accentuez le pouvoir de suggestion et d'auto-suggestion. Ainsi, le vendeur ou le directeur commercial, le conférencier, le ministre, l'avocat, le professeur ou le dirigeant qui agit avec enthousiasme en parlant d'une manière enthousiaste et sincère développe un enthousiasme authentique.

«La petite différence qui fait une grosse différence est *l'attitude*, spécialement lorsqu'il s'agit de l'enthousiasme».

Vous avez probablement vu la magie de l'enthousiasme agir chez les gens que vous connaissez, chez vos amis, vos collègues de travail. Lorsqu'ils parlent de quelque chose en quoi ils croient — d'une chose à laquelle ils croient réellement — ils manifestent une intensité inégalée dans tout ce qu'ils font d'autre. Ils s'animent, leurs voix deviennent plus fortes, et il est difficile de résister à leur vivacité. Vous commencez à vous apercevoir qu'au niveau de l'émotion, vous prenez leur parti même si vous savez qu'intellectuellement, vous n'êtes pas d'accord.

La ferveur qui est alimentée par un feu intérieur dévorant est contagieuse et peut tout conquérir. Napoleon Hill et W. Clement Stone ont comparé l'enthousiasme au moteur d'une automobile; il est, disent-ils, la force motrice vitale.

Si vous combinez enthousiasme et travail, ce dernier ne semblera pas difficile ou monotone. L'enthousiasme donnera tellement d'énergie à votre corps que vous pourrez vous passer de la moitié de votre temps de sommeil habituel et que vous pourrez faire le double de votre travail normal sans vous fatiguer. L'enthousiasme recharge votre corps et vous aide à développer le genre de personnalité dynamique qui attire les autres vers vous. Il est tout simplement impossible de ne pas aimer une personne enthousiaste.

Certaines personnes jouissent d'un enthousiasme naturel. Mary Kay Ash, fondatrice de Mary Kay Cosmetics, se considère comme une telle personne. Elle dit qu'elle a découvert qu'elle pouvait vendre rien qu'avec son enthousiasme alors qu'elle était jeune épouse et mère au foyer.

Un jour, se souvient-elle, une femme du nom de Ida Blake vint à sa porte vendre le *Child Psychology Bookshelf*, une série de livres pour enfants. «Si vous aviez un problème avec votre enfant», dit Mary Kay Ash, «vous n'aviez tout simplement qu'à chercher dans la table des matières du livre et il y avait là une histoire qui correspondait à la situation. En tant que jeune mère en train d'essayer d'apprendre à ses enfants la différence entre le bien et le mal, j'ai bien pensé que c'était là les meilleurs livres que j'avais jamais vus!

«Lorsque la vendeuse m'a dit combien ils coûtaient, j'en ai presque pleuré. Je ne pouvais tout simplement pas me les offrir. Ayant senti mon intérêt, elle me les laissa à la maison pour le week-end, et j'en ai lu chaque page. Lorsqu'elle est revenue les chercher, j'avais le cœur brisé. Je lui dis que j'allais faire des économies et qu'un jour, je les achèterais ces livres, parce qu'ils étaient ce que j'avais vu de mieux.

«Lorsqu'elle a vu combien j'étais passionnée, elle a dit, «Eh bien, Mary Kay, tu sais, si tu vends 10 séries de livres pour moi, je t'en donnerai une série». Alors ça, c'était tout à fait extraordinaire! J'ai commencé à appeler mes amis et les parents de mes nouveaux élèves de catéchisme de l'église baptiste Tabernacle. Je n'avais même pas de livres à leur montrer, j'avais seulement mon enthousiasme».

En un jour et demi, Mary Kay Ash vendit les 10 séries, et Ida Blake engagea Mary Kay comme vendeuse. Mary Kay continua jusqu'à ce qu'elle fasse de la gamme de cosmétiques qui porte son nom une marque connue dans le monde entier, et cela lui rapporta des millions de dollars.

La chanson de la compagnie veut tout dire: «J'ai attrapé l'enthousiasme de Mary Kay» (sur l'air d'un vieil hymne populaire). «Cela fait tellement partie de notre entreprise qu'on la chante partout», dit Mary Kay Ash.

Même si vous n'êtes pas enthousiaste de naissance, selon W. Clement Stone et Napoleon Hill, l'enthousiasme est facile à développer. Ils recommandent de commencer par vendre un produit ou un service que vous aimez vraiment. Même si l'argent ou les circonstances peuvent vous amener à faire quelque chose que vous n'aimez pas particulièrement pendant un certain temps, rien ni personne ne peut vous empêcher de décider pour vous-même ce que sera votre objectif principal dans la vie.

Personne ne peut vous empêcher d'élaborer des plans pour que votre but devienne réalité, pas plus que personne ne peut vous empêcher de le faire avec enthousiasme.

Ils ont une formule simple pour développer l'enthousiasme qui est :

- Associez-vous à d'autres personnes qui sont enthousiastes et optimistes.

- Travaillez à bâtir un succès financier. L'enthousiasme vient avec lui.

- Maîtrisez les principes du succès et appliquez-les dans votre vie quotidienne.

- Prenez soin de votre santé. Il est difficile d'être enthousiaste lorsque vous êtes malade physiquement.

- Maintenez une attitude mentale positive. Si vous vous sentez positif en faisant ce que vous faites, les autres comprendront votre enthousiasme.

- Aidez les autres. Que ce soit aider les autres par l'entremise du produit ou du service que vous vendez ou par votre propre bonté et votre propre générosité, aider les autres vous aidera à nourrir votre enthousiasme.

Vous habiller pour réussir vous aidera aussi à maintenir votre enthousiasme. Beaucoup de livres ont été écrits, et plusieurs carrières ont été bâties sur le concept de « s'habiller pour réussir », alors nous ne traiterons pas ici ce sujet en profondeur. Nous désirons simplement faire remarquer que vous vous sentez mieux et que vous êtes plus enthousiaste lorsque vous *savez* que vous faites un bon effet et que vous êtes habillé de façon convenable pour la situation. À l'opposé, si vous ne pensez pas que vous avez l'air prospère et professionnel, il vous est difficile de paraître enthousiaste.

Pendant que vous travaillez à développer votre propre enthousiasme, il est aussi important de vous rappeler que ce n'est pas tant *ce que* vous dites que *comment vous le dites*. Votre ton et votre manière créent une impression durable chez les autres. Naturellement, ce que vous dites doit refléter ce que vous croyez ou les autres vont s'en apercevoir tout de suite. Un tricheur est facilement identifié. Vous devez être sincère dans votre objectif, honnête et consciencieux, si vous voulez laisser une impression favorable qui durera longtemps.

Vous ne pouvez vous permettre d'exprimer, soit par vos paroles soit par vos actes, des choses auxquelles vous ne croyez pas. Si vous le faites, vous perdrez rapidement la capacité d'influencer les autres.

Comme Napoleon Hill l'a écrit il y a plusieurs années : «Je ne crois pas que je puisse me permettre de tromper qui que ce soit à propos de quoi que ce soit, mais je sais que je ne peux pas me permettre d'essayer de me tromper moi-même. Faire cela détruirait le pouvoir de ma plume et rendrait mes paroles inefficaces. C'est seulement quand j'écris avec le feu de l'enthousiasme qui flambe dans mon cœur que mes écrits créent une impression favorable chez les autres ; c'est seulement quand je parle d'un cœur qui déborde de foi en mon message que je puis amener l'auditoire à accepter ce message ».[*]

Grant G. Gard, un vendeur chevronné de près de 40 ans d'expérience qui forme à la vente et donne des conférences croit que l'enthousiasme est à la base de toute réussite dans le domaine de la vente. Dans *Championship Selling*, il écrit :

«Vous pouvez éveiller votre enthousiasme et le maintenir éveillé. Beaucoup trop de vendeurs dépendent de quelqu'un d'autre — le conjoint, le directeur commercial, d'autres vendeurs — pour éveiller et fournir l'enthousiasme nécessaire pour vendre avec succès. Dans l'ensemble, j'ai trouvé que les vendeurs peuvent stimuler leur enthousiasme (1) en sachant tout ce qu'il y a à savoir à propos du produit, qu'il est ce qu'il y a de mieux et qu'il est de bonne qualité, et (2) en étant certain que l'acheteur bénéficiera grandement de leur produit. Votre produit de première qualité et les nombreux avantages qu'il apporte devraient vous faire brûler d'enthousiasme. L'enthousiasme vend ! Il vous vend vous, et il vend votre produit. Si vous

---

[*]   «Napoleon Hill Revisited : On Enthusiasm », *PMA Adviser* (August 1983), p. 6.

n'êtes pas honnête et sincèrement emballé par votre produit et les avantages qu'il apporte à l'utilisateur, arrêtez de vendre immédiatement! Vous n'aurez jamais beaucoup de succès dans la vente. Un vendeur sans enthousiasme est seulement quelqu'un qui remplit des bons de commande».

Grant G. Gard continue pour expliquer qu'il ne parle pas de «parler fort, de crier à tue-tête, ou de faire des grands gestes et de sauter partout. Je parle de croire réellement, sincèrement et scrupuleusement au produit que vous vendez, ainsi que du désir ardemment ressenti de transmettre ce sentiment à votre acheteur potentiel afin qu'il puisse en apprécier les avantages. Le vendeur qui est passionné vend. L'enthousiasme est le plus grand pouvoir dont vous disposez pour vous amener vers de plus grandes réalisations. Vous devez l'avoir avant de pouvoir le donner, mais lorsque vous l'avez, tout le monde l'a également autour de vous».*

Oral Roberts et Billy Graham ont électrisé leurs auditoires partout dans le monde, réunissant les convertis en nombres incroyables. Mais enlevez l'enthousiasme de leur ministère et ils perdraient leur efficacité.

Clarence Darrow fut sans doute l'un des plus grands avocats que ce pays nous ait jamais donné, et une bonne partie de sa réussite était attribuable à sa grande capacité de s'exprimer avec enthousiasme et d'éveiller l'enthousiasme chez ceux qui l'écoutaient — que ce soit la cour ou les jurés. Il ne connaissait pas plus la loi que n'importe quel autre des avocats de son époque.

Quelqu'un a dit une fois: «Il y a des réjouissances au ciel et des grincements de dents en enfer lorsque Dieu libère sur terre un homme qui a la capacité d'utiliser sans limite la foi et l'enthousiasme». Si vous avez le courage de vos convictions et l'habitude de penser positivement, l'enthousiasme s'ensuivra.

---

* Grant G. Gard, *Championship Selling* (Englewood Cliffs, N.J.: Prentice-Hall., 1984), p. 26.

Vous devenez enthousiaste en agissant avec enthousiasme dans vos pensés, vos paroles et vos actions. Un des plus grands vendeurs d'assurance-vie au monde avait l'habitude de s'envoyer tous les jours un télégramme afin qu'il arrive chaque matin pendant qu'il prenait son petit-déjeuner. Il lui disait combien d'assurances il allait vendre ce jour-là — et c'est ce qu'il vendait. Il dépassait parfois, et même de loin, le but qu'il s'était fixé.

Les télégrammes étaient signés: *Docteur enthousiasme.*

Vous pouvez penser que l'idée est un peu idiote, mais cette habitude ridicule en fit l'un des meilleurs vendeurs pour une des plus grosses compagnies d'assurances au pays. Cela avait fonctionné pour lui.

Nous avons tous à développer nos propres façons de susciter l'enthousiasme en nous, mais il n'y a pas meilleur point de départ que de croire en vous-même, en votre entreprise et en votre produit. Si vous faites cela, et si vous agissez avec enthousiasme et que vous vous concentrez sur des pensées positives, un enthousiasme honnête, sincère et contagieux va s'en suivre — et la réussite suivra l'enthousiasme. Comme l'avait une fois observé le président de IBM, Thomas J. Watson junior: «Les plus grandes réussites de l'homme sont le résultat de la transmission des idées et de l'enthousiasme».

Chapitre 8

Une personnalité agréable

Les gens aiment faire affaire avec des gens qu'ils aiment bien. Cela est un fait. Si la qualité, le service et le prix sont comparables, c'est dans la nature humaine que de choisir d'acheter à des personnes que nous aimons bien, d'embaucher des gens avec des personnalités semblables à la nôtre, ou de choisir de travailler pour des gens agréables. Parfois, même s'il y a des différences marquantes entre les produits, les services, les emplois que nous envisageons, nous trouvons un raisonnement qui nous permet de justifier pourquoi acheter plutôt à une personne qu'à une autre ou pourquoi accepter un emploi plutôt qu'un autre alors que c'est simplement parce que nous aimons bien les gens concernés.

Est-ce possible d'amener les autres à vous aimer? Pariez que ça l'est. Il y a un vieux film idiot que l'on voit à la télévision de temps à autre dans lequel une mère enseigne à sa fille que le secret d'un mariage heureux est de dresser son mari de la même façon qu'un chiot. La mère va jusqu'à donner à sa fille un manuel sur le dressage des chiens pour lui servir de guide.

Ce n'est qu'à la toute fin du film que la fille se rend compte qu'en réalité elle se dressait elle-même lorsqu'elle croyait dresser son mari. Pour lui apprendre à être fidèle, elle devait d'abord prouver sa propre fidélité. Pour recevoir de l'amour, elle devait en donner.

Alors que le film n'a pas gagné d'Oscar, son message vaut d'être remarqué: pour entraîner les autres à nous aimer, nous devons d'abord nous entraîner nous-mêmes à être aimables.

Tout cela commence avec le caractère. Votre personnalité est ce que les autres pensent que vous êtes, dit-on, alors que votre caractère est ce que vous êtes réellement. Mais il est difficile de séparer la personnalité du caractère parce qu'ils se reflètent mutuellement.

Vous pouvez être capable de masquer vos vrais sentiments pendant un certain temps, mais la plupart des gens peuvent vite reconnaître quelqu'un qui simule. Si votre motivation à amener les autres à vous aimer est strictement égoïste, si vous êtes simplement en train d'essayer d'utiliser votre personnalité pour tirer avantage des autres, votre vrai caractère finira presque toujours par être révélé.

De la même façon si, dans votre for intérieur, vous êtes une personne positive et agréable, les autres seront vraiment attirés vers vous. Si vous pouvez sincèrement susciter des sentiments d'enthousiasme, de joie et de bonté, les gens réagiront de la même manière. Il est très difficile de ne pas aimer une personne enthousiaste, pleine d'entrain et de prévenance.

Ces traits de personnalité positifs, nous en faisons preuve à un degré qui peut varier grandement d'un individu à l'autre, mais nous les avons tous, ou du moins nous avons la possibilité de les développer. Si nous les favorisons au lieu de les réprimer, nous pouvons plus facilement faire jouer — sur demande — les traits de personnalité qui nous aideront à nous assurer le succès dans n'importe quelle situation.

Dans leur livre *Modern Persuasion Strategies: The Hidden Advantage in Selling*, Donald J. Moine et John H. Herd font référence à ce qu'ils appellent «marcher de pair», ce qui veut dire révéler les traits de votre propre personnalité qui sont semblables à ceux que montre une personne que vous tentez d'influencer. Marcher de pair, disent-ils, est «une façon subtile de jumeler ou de refléter les aspects clés des comportements préférés de quelqu'un d'autre».[*]

Alors qu'ils sont en train de nous donner des conseils pour la vente — une profession où une personnalité agréable est cruciale pour la réussite à long terme — le concept sera efficace dans n'importe quelle situation. Ce que messieurs Moine et Herd suggèrent n'est pas une façon artificielle de cirer les bottes de quelqu'un, ce que la plupart d'entre nous trouvent forcément détestable, mais plutôt une forme authentique d'identification à quelqu'un d'autre, une façon de lui emboîter le pas.

Certains le font naturellement alors que d'autres doivent travailler pour y arriver, mais le résultat final demeure le même. «Vous marchez de pair», disent les auteurs, lorsque le prospect a la sensation que vous et lui (ou elle) pensez de même et voyez les problèmes de la même façon. Quand cela arrive, le prospect s'identifie à vous et trouve facile et naturel d'être de votre avis. Vous ressemblez à des jumeaux au niveau des émotions. Qui se ressemble s'assemble, et c'est pour cela que marcher de pair fonctionne».

Une autre raison qui fait que marcher de pair fonctionne est que la vente, comme la plupart des autres relations entre individus, relève des émotions. Les gens n'achètent pas vos produits, vos idées, ou ne financent pas vos projets seulement à partir de leur bonne vieille capacité de raisonner. Ils réagissent avec émotion à un appel *émotionnel* bien pensé, logique et persuasif. Peu importe le degré de complexité des prospects actuels, messieurs Moine et Herd croient que la vente est toujours plus émotionnelle qu'objective.

Pendant qu'ils faisaient la recherche pour leur livre, les auteurs ont étudié 100 des plus grands producteurs de ventes du pays qui disent qu'ils «ne peuvent pas décrire sciemment comment leur propre magie intervient dans leurs ventes». Après les avoir étudiés quand ils étaient en action, avoir revu leurs vidéocassettes et avoir essayé de

---

****Philip M. Albert, «Something New in Selling», a review of *Modern Persuasion Strategies: The Hidden Advantage in Selling*, by Donald J. Moine and John H. Herd, *PMA Adviser* (January 1986), p. 3.

nouvelles pistes dans ce domaine, messieurs Moine et Herd ont réalisé que ces supervendeurs s'identifiaient si naturellement aux gens que les prospects les aimaient instantanément, et achetaient leurs produits et leurs services. Dans certaines entreprises enseigner les techniques pour marcher de pair ont eu pour résultat une augmentation des ventes qui va jusqu'à 232 % en l'espace d'un an.

Alors qu'il vous est possible de faire en sorte que les aspects de votre personnalité compatibles avec ceux de quelqu'un d'autre concordent, ceci ne signifie pas devenir un caméléon tellement capable d'imiter les autres que vous en arriviez à perdre de vue votre propre identité. Le style de W. Clement Stone et sa perspicacité font partie de sa personnalité. D'autres peuvent préférer une approche plus en douceur. Peu importe ce qui vous rend unique, utilisez ces traits de caractère à votre avantage.

Mettez en valeur ces aspects de votre personnalité que vous aimez en vous et que les autres trouvent attirants. Parce que nous sommes tous des individus complexes avec un éventail complet d'émotions positives et négatives, il serait complètement irréaliste de s'attendre à ce que tous ceux que vous rencontrez aiment chacun des aspects de votre personnalité. Mais, en dirigeant vos pensées, vous pouvez contrôler le genre de personne que vous désirez devenir; une personne qui pense positivement devient une personne positive, quelqu'un que les autres aiment avoir auprès d'eux.

Quand vous avez affaire aux autres, recherchez les points communs. Identifiez les sujets qui vous intéressent tous deux, et non seulement ceux que *vous* aimez ou que vous connaissez tout particulièrement. Quand vous parlez avec quelqu'un d'autre, ne faites pas que parler chacun votre tour, *écoutez* ce que dit l'interlocuteur.

Pour emprunter une autre technique du domaine de la vente, permettez à la personne de parler en posant des questions profondes, des questions ouvertes. Le supervendeur Hank Trisler dit dans son livre *No Bull Selling*: «Un vendeur devrait parler 20 % du temps et écouter 80 % du temps, et ce 20 % devrait se composer de questions pour amener le client à parler plus. La façon la plus rapide d'établir un lien est d'amener l'autre gars à parler de lui. Plus vous me laissez parler de moi, plus je vous aime», dit-il.

Hank Trisler raconte comment une jeune femme qu'il a rencontrée une fois l'avait tellement ravi avec l'intérêt qu'elle lui accordait à lui et à son travail qu'au bout de deux heures et quart en sa compagnie, «j'en étais arrivé à la conclusion qu'elle était une des personnes dont la conversation relevait du plus grand art et dénotait le plus d'intelligence et de perspicacité. Avant la fin du dîner et après avoir parlé de tout et de rien, j'étais prêt à m'engager pour la vie. J'étais amoureux».[*]

L'histoire de Hank Trisler illustre le vieil axiome: lorsque vous ne trouvez rien à dire, demandez à l'autre gars de vous parler de lui. Il nourrira la conversation à coup sûr.

La façon dont les gens réagissent face à vous est souvent établie dès les premières minutes de votre rencontre. Comme le veut le dicton, la première impression peut être bonne ou mauvaise, mais vous n'avez jamais une deuxième chance de créer une première impression. Pour souligner l'importance d'une première impression, le responsable de la formation des vendeurs, Lloyd Purves, suggère de vous souvenir des gens que vous avez rencontrés.

Combien parmi ceux qui vous ont donné l'impression d'arriver comme un chien dans un jeu de quilles, avez-vous encore comme amis? Combien de noms avez-vous retenu parmi ces gens-là? De quoi vous rappelez-vous à leur sujet, à part le fait qu'ils vous contrariaient ou vous ennuyaient?

Dans son livre, *Secrets of Personal Command Power*, Lloyd Purves dit que créer une première impression forte commence en sachant que les gens vont vous traiter de la façon dont *vous vous attendez* à être traité. «Ceci», dit-il, «est toujours vrai dès le premier contact. Si vous vous

---

[*]   Hank trisler, *No bull Selling* (New York: Bantam Books, 1985. Frederick Fell edition published in 1983), pp. 10-11.

présentez avec confiance et assurance, et que vous commencez immédiatement à vous faire valoir, on vous accordera le respect et l'attention réservés à n'importe quel leader ».*

Lloyd Purves vous recommande, lorsqu'on vous présente à n'importe quel groupe de personnes, de commencer par serrer la main à tout le monde en répétant chaque nom à voix haute, en vous penchant légèrement vers chaque personne qu'on vous présente et en vous présentant vous-même. Lorsque vous rencontrez le groupe pour la première fois, vous pouvez aussi diriger la conversation en demandant aux membres du groupe de vous parler d'eux, de leurs intérêts, de ce qu'ils aiment ou n'aiment pas. Ceci vous donne un avantage pour vous affirmer par la suite parce que vous aurez des renseignements sur les membres du groupe. Ce procédé fonctionne tout aussi bien pour les situations à deux.

Ne vous sentez pas obligé d'écouter des personnes qui ont peu à dire mais qui sont de vrais moulins à paroles. Ils vous font perdre du temps. Ne vous laissez pas piéger par eux, conseille Lloyd Purves. Passez plutôt votre temps avec des gens à qui il est important que vous donniez une première impression forte.

C'est aussi une bonne idée de vous renseigner sur n'importe quel groupe que vous rencontrez pour la première fois. Préparez une première rencontre de la même manière qu'une entrevue pour un emploi. Lisez tout ce que vous pouvez trouver sur l'organisation, et renseignez-vous sur ses objectifs, ses programmes et sa raison d'être.

Si vous rendez visite à un prospect important pour une vente, sachez-en assez à propos de l'entreprise pour ajuster votre message selon votre interlocuteur. Même si ceci peut sembler très élémentaire, il est surprenant de voir combien peu de gens investissent le temps et les efforts nécessaires pour se préparer à l'avance. Beaucoup de ven-

---

*   LLoyd Purves, *Secrets of Personal Command Power* (West Nyack, Y.Y.: Parker Publishing, Inc., 1981), pp. 83-84.

deurs utilisent une approche standard pour toutes les situations, s'attendant à ce que le prospect leur apprenne des choses sur l'entreprise.

Un télévendeur que nous connaissons a fait un fiasco d'envergure lors d'une présentation importante à un groupe de dirigeants d'un cabinet de comptables parce qu'il faisait constamment référence à « l'équipe des vendeurs de l'entreprise », et à la façon dont ses spécialistes en télémarketing pourraient ajouter leurs efforts aux leurs. En discutant de la présentation après le départ du vendeur, les membres du groupe se sont rendu compte qu'individuellement, ils en étaient tous arrivés à la conclusion que le vendeur n'avait même pas pris le temps d'apprendre que la société n'avait pas de vendeurs. C'est une société où les partenaires sont responsables des relations avec les clients. Il faudrait simplement trop de temps pour mettre l'agence de télémarketing au courant. Les dirigeants n'étaient pas plus intéressés que ça à montrer au vendeur comment vendre son produit. La société finit par retenir les services d'une autre agence de télémarketing dont le vendeur a prouvé qu'il comprenait la culture de cette société et qui a démontré comment ses services viendraient compléter leurs efforts. Une bonne préparation vaut son pesant d'or lorsqu'il s'agit de faire une première impression que l'on veut bonne.

Votre façon de vous habiller a aussi un impact significatif sur la façon dont les autres vous perçoivent. Si vous êtes intéressé à en apprendre plus sur le sujet, nombre de bons livres sur la manière de s'habiller pour réussir sont disponibles, mais une bonne règle générale serait de vous assurer que vous êtes habillé d'une façon qui convient à la situation. Même si une invitation à certains événements indique la façon de s'habiller, on ne dit pas tout. « Tenue sport » peut vouloir dire jeans et shorts pour les gens d'une agence de publicité alors que les mêmes mots signifient veston sport ou blazer et pantalon pour une réunion d'avocats. Si vous n'êtes pas certain, demandez. Rien ne vous fait vous sentir plus mal à l'aise que d'être trop bien ou pas assez bien habillé pour la circonstance.

La même chose vaut pour les vêtements au travail. Ce qui est acceptable dans une entreprise peut être entièrement inapproprié pour une autre. Si vous voulez vous intégrer à la culture de n'importe quelle organisation, observez la façon de s'habiller du président et suivez son exemple. Si c'est un entrepreneur qui évite la cravate et préfère les baskets aux chaussures de ville, allez-y quand même prudemment. Il peut penser que cela lui convient de s'habiller ainsi pour aller au bureau, qu'il n'en est pas de même pour ses vendeurs qui rendent visite à des compagnies conservatrices pour une vente. Le vice-président aux finances n'inspirerait pas tellement confiance aux banquiers s'il se présentait à un dîner d'affaires en jeans au lieu de porter un complet à rayures très fines. Le genre de travail que vous faites et le type de personnes que vous êtes porté à rencontrer durant le cours normal des affaires devraient aussi influencer votre façon de vous habiller. Encore une fois la clé, c'est ce qui est convenable.

Qu'on le veuille ou non, la qualité de la voix est un autre facteur qui influence grandement la façon dont les gens vous perçoivent. Pour inspirer la confiance, vous devez la projeter dans vos manières, dans votre façon de vous habiller — et dans votre voix. Si vous parlez doucement au point de paraître timide, vous pouvez attirer la pitié, mais il est peu probable que vous inspiriez le respect.

Exercez votre voix de la même manière que vos autres muscles. Enregistrez votre voix afin de pouvoir vous entendre comme les autres vous entendent. Si la qualité de votre voix et vos inflexions ou certains traits particuliers sont véritablement une source de problèmes pour vous, munissez-vous d'un caméscope et filmez-vous. Installez le caméscope sur un trépied, mettez-le en marche et enregistrez votre présentation. Quand vous vous regardez par la suite, soyez extrêmement critique sur chacun de vos mouvements et travaillez sur vos faiblesses jusqu'à ce que vous soyez satisfait du résultat.

Cette technique fonctionne particulièrement bien pour préparer une présentation ou un discours debout face à un groupe, situation qui peut vous rendre plus mal à l'aise qu'une rencontre avec une ou deux personnes. L'impression que vous donnez au cours de telles situations sera entièrement régie par la façon dont vous projetez votre personnalité. Répétez votre présentation face à la caméra, regardez la cassette vidéo, et prenez note des aspects qui nécessitent des corrections. Observez les expressions de votre visage, vos gestes et la qualité de votre voix. Il y a trois règles pour qu'une présentation soit réussie, selon un professeur de communication orale: répétez, répétez, répétez. Si vous savez ce que vous allez dire, comment vous allez le dire et comment l'auditoire vous perçoit, la confiance que vous ressentez sera évidente pour les autres.

Une des personnalités les plus puissantes que ce pays ait jamais connue fut Lyndon Johnson. Peu de gens pouvaient résister à son formidable talent de persuasion que ce soit au téléphone ou en personne, pourtant à la télévision, il ressemblait à un péquenaud sans humour. Il n'a jamais semblé faire d'effort pour résoudre le problème qui était amplifié par la caméra et qui était le manque d'animation ou d'expression quand il parlait à la télévision. Si vous êtes dynamique sur la cassette vidéo, vous pouvez être certain que vous serez dynamique en situation réelle. Utilisez à votre avantage cet outil, ainsi que la connaissance qu'il vous apporte.

Le pouvoir d'une personnalité agréable est très évident quand il s'agit de gens que l'on voit beaucoup, comme en politique, au gouvernement, ou à la télévision, mais il fonctionne également dans presque tous les domaines professionnels. Demandez à n'importe quel membre de «la brigade de Carlos».

Carlos Karas est le parton d'un garage Texaco au 9503 Westheimer Road dans le sud-ouest de Houston. Si vous allez faire un tour dans le coin, vous pourrez observer quasiment à tout moment comment se fait l'accueil chez Carlos. Un client se présente avec une tondeuse qui ne démarre pas, de toute évidence il est irrité par cet inconvénient; il s'en retourne avec un grand sourire aux lèvres. Carlos a rapidement réparé la tondeuse récalcitrante. «C'est gratuit», dit-il, et il salue le client en ajoutant la petite phrase qui est sa devise : « Revenez faire un brin de conversation un de ces jours ». Voici un autre « exemple d'accueil », celui d'une femme dont l'automobile est réparée après les deux tentatives sans succès d'un concurrent.

« Ça ne vous coûtera pas un sou », lui dit Carlos quand elle vient chercher sa voiture. « La prochaine fois que vous avez besoin d'essence, ou que vous avez un problème, venez chez Carlos ». Après le départ de la cliente, Carlos dit : « Ça, elle ne l'oubliera jamais. Des choses comme ça favorisent les affaires. C'est ainsi que je fais de la publicité. Elle reviendra. J'en suis sûr, elle reviendra ».

Le représentant en marketing de Texaco, Chuck Campbell, qui a trouvé le nom de *brigade de Carlos*, dit que ce qui distingue Carlos Karas des autres dans le domaine des stations-service, c'est son caractère chaleureux et son amabilité.

Lorsque monsieur Karas ouvrit sa station en 1972, il commença par offrir « le meilleur service des environs. Je voulais qu'ils se sentent comme s'ils recevaient quelque chose de spécial qu'ils ne pouvaient avoir nulle part ailleurs. Alors, c'est ce que je leur ai donné ».

« De façon plus précise, ce qu'il leur a donné — et continue de leur donner — c'est un service extraordinaire, c'est quasiment comme s'ils les dorlotaient », dit le *Texaco Marketer*. « Les pare-brises des automobiles sont nettoyés par des pompistes enthousiastes, le niveau d'huile est toujours vérifié, et on vérifie la pression des pneus s'il n'y a pas de voiture en attente ».[*] Carlos Karas garantit que tout travail sera terminé en 24 heures ; on reconduit à la maison les clients qui apportent leur voiture, et on va les chercher lorsque le travail est terminé.

Mais le vrai secret du succès de Carlos est son irrésistible personnalité. Il est simplement un homme d'affaires bon, brave, honnête et amical que ses clients aiment et retournent voir. Sa prévenance à l'égard des autres l'a ré-

---

[*]   « The Winning Ways of Carlos Karas Recruit Ranks of Loyal Fans ». *Texaco Marketer* (2/86), p. 4.

compensé dernièrement lorsqu'il a fait un prêt à l'un de ses clients qui connaissait des moments difficiles. Le client était chauffeur pour une entreprise de camionnage. « Non seulement m'a-t-il rendu mon argent », dit Carlos, « mais il a convaincu son patron d'approvisionner tous ses camions ici ». Toute l'entreprise a été « Carlos-isée ».

Vous pouvez vous aussi devenir comme Carlos, dit W. Clement Stone, si vous voulez vraiment l'être. Il offre les conseils suivants pour développer une personnalité agréable :

- Commencez par faire l'inventaire des traits de votre personnalité. Identifiez-en le plus possible — bons et mauvais. Demandez-vous : Est-ce que les gens m'aiment en général ? Pourquoi ou pourquoi pas ?

- Décidez ce que vous et les autres n'aimez pas à propos de vous-même et comment vous envisagez de changer ces traits. Utilisez les principes de la force cosmique de l'habitude et de l'attitude mentale positive pour remplacer les caractéristiques négatives par des caractéristiques positives.

- Prêtez l'oreille à vos propres conversations. Donnez-vous aux autres la possibilité de parler ou monopolisez-vous l'entretien ?

- Soyez prévenant à l'égard des autres. Soyez réellement intéressé à eux en tant que personnes. Soyez naturellement curieux à l'égard des autres pour apprendre comment ils fonctionnent. Vous vous apercevrez probablement qu'une fois que vous les connaîtrez, vous les aimerez. Plus encore, ils vous aimeront, eux aussi.

- Souvenez-vous, si vous voulez donner une bonne impression, soyez attentif. Faites en sorte que la personne à qui vous parlez se sente la personne la plus importante au monde.

- Regardez franchement votre interlocuteur. Si vous avez de la difficulté à regarder les gens dans les yeux, regardez leur front. Ils ne s'apercevront pas de la différence et verront que votre attention est soutenue.

- Hochez la tête de temps à autre même si vous n'êtes pas d'accord. Ceci encourage l'interlocuteur à être plus expressif; vous pouvez faire valoir votre point de vue lorsqu'il a terminé.

- N'interrompez pas. Tout le monde a le droit d'avoir son opinion. Écoutez le point de vue de celui qui parle avant de donner le vôtre.

- Respectez la dignité de l'autre. N'essayez pas de vous faire valoir aux dépens de quelqu'un.

- Ne minimisez pas les réalisations et les capacités des autres. Rendez à César, ce qui appartient à César.

- Ne vous vantez pas de vos propres réalisations. Les actions parlent toujours plus fort que les mots.

- Donnez aux autres la chance d'être sous les feux de la rampe. C'est chacun son tour; soyez modeste quand arrive le vôtre.

- Soyez magnanime dans la victoire et courtois dans la défaite.

- N'utilisez pas la flatterie pour vous insinuer dans les bonnes grâces des autres.

- Respectez les autres en tant qu'êtres à part entière et attendez-vous à être respecté en retour.

- N'essayez pas d'impressionner les autres par votre intelligence. Utilisez les mots pour communiquer, non pour faire preuve de supériorité.

- Soyez discret en ce qui concerne les sujets que vous choisissez d'aborder. Ne discutez pas de sujets controversés comme la religion, la politique et la race dans des lieux et à des moments qui ne conviennent pas.

- Évitez de faire des commérages ou n'acquiescez pas si quelqu'un en fait. Si vous n'avez pas envie de défendre la personne que l'on calomnie, changez de sujet ou éloignez-vous. Tenez toujours pour acquis qu'il y a deux versions pour une histoire; vous êtes en train d'en entendre seulement une.

- N'ennuyez pas les autres avec vos histoires de malchance, vos problèmes ou vos intérêts personnels.

- Ne laissez pas les autres vous mettre en colère. Si vous perdez le contrôle quand une autre personne vous a énervé, c'est à elle que vous avez donné le contrôle de vos réactions. Faites en sorte que cela ne se produise pas.

- Toujours, toujours suivre la règle d'or. Si vous traitez les autres comme vous aimeriez qu'on vous traite, vous n'aurez jamais à vous inquiéter de savoir si oui ou non les gens vous aiment. Votre plus gros problème sera de trouver autant de temps que vos amis aimeraient en passer avec vous.

Une mise en garde peut être appropriée pour clore ce chapitre. Une personnalité agréable peut vous apporter certaines, et même toutes, les choses que vous voulez, pendant un certain temps. Mais à la longue, il doit y avoir de la substance. Vous ne pouvez pas toujours vous en tirer simplement parce qu'on vous aime.

Votre personnalité peut vous aider à obtenir l'emploi, mais il est important de savoir à quel moment arrêter de se vendre et commencer à se mettre au travail. La personnalité seule n'est pas suffisante. Au bout du compte, il vous faudra livrer la marchandise.

Chapitre 9

L'autodiscipline

Dans la philosophie du succès promulguée par Napo-leon Hill et W. Clement Stone, l'autodiscipline pour-rait être décrite comme ce qui contrebalance l'enthou-siasme. Comme Hugh Stevenson Tigner l'a fait remarquer un jour: «L'enthousiasme exagère toujours l'importance des choses et néglige leurs défauts». L'autodiscipline est le principe qui canalise votre enthousiasme dans la bonne direction. Sans elle, disait Napoleon Hill, l'enthousiasme ressemble à l'éclair de la tempête qu'on n'a pas su maîtriser; il peut frapper n'importe où et il peut être destructeur.

En des termes plus simples, l'autodiscipline, c'est prendre le contrôle — de votre esprit, de vos habitudes et de vos émotions. Tant que vous n'avez pas maîtrisé l'auto-discipline, vous ne pouvez pas être un leader pour les autres ni réussir grand-chose. Comme disait William Ha-zlitt: «Ceux qui peuvent se commander eux-mêmes peu-vent commander les autres».

Comme beaucoup d'autres principes du succès, l'au-todiscipline est quelque chose qui doit être pratiqué cons-tamment. Elle n'est jamais complètement acquise; elle de-vient seulement plus facile avec l'entraînement. Si vous vous forcez à faire un nombre déterminé de visites à la clientèle chaque jour, quel que soit le temps, que cela vous tente ou pas; si vous vous forcez à respecter des échéances de travail; si vous vous forcez à continuer un projet jusqu'à ce qu'il soit terminé; si vous remplacez les habitudes néga-tives par des habitudes positives et que vous en êtes cons-cient, vous êtes sur la bonne voie pour développer l'auto-discipline.

Examinez la vie des gens qui réussissent très bien en affaires ou dans leur profession et vous vous rendrez compte qu'ils ont la discipline nécessaire pour accomplir ce qui doit être fait et mener un travail à bonne fin. Ils se concentrent sur leurs objectifs avec une intensité telle que les choses sans importance sont écartées et qu'il leur est possible de se consacrer à leur tâche et de persévérer jusqu'à la réussite.

J. Peter Grace, président-directeur général de W. R., & Grace Co., avait près de 70 ans lorsque le président Reagan lui demanda de présider un comité dont le but était d'éliminer le gaspillage au gouvernement, une affectation qu'il accepta avec un plaisir évident. Mais ce travail bénévole signifiait que pour reprendre le contrôle de l'énorme budget fédéral, il lui faudrait tenir compte du temps que cela prendrait, et qu'il aurait à jongler avec un emploi du temps déjà incroyablement surchargé. Non seulement réussit-il à produire son rapport dans les délais prescrits, mais il réussit à trouver le temps de faire deux annonces publicitaires à la télévision et une tournée électorale dans tout le pays pour rallier les électeurs à sa cause.

Au même moment, il était occupé à réorienter l'entreprise. Au début de l'année 1986, il acheta à German Flick une participation de 26 % dans son entreprise pour la somme de 598 millions de dollars, vendit plus tard le contrôle majoritaire de Grace dans les magasins d'articles de sport Herman's pour la somme de 227 millions de dollars et généra également encore 500 millions de dollars en argent liquide, en vendant d'autres affaires dans le commerce de détail et dans la restauration.

Au moment où nous écrivons ces lignes, Peter Grace cherche à former une co-entreprise avec un grand producteur étranger de cacao pour renforcer la position de Grace dans le secteur du cacao.

Dans un article sur la façon spectaculaire dont Peter Grace a réorganisé son entreprise, le chroniqueur aux affaires Maxwell Newton écrivait: «Alors Peter Grace a payé 598 millions de dollars aux Allemands, et a réuni quelque chose comme un milliard de dollars en argent liquide suite aux transactions spectaculaires et diverses qu'il a effectuées. À 74 ans, Peter Grace a transformé son entreprise avec une vigueur et un enthousiasme qui feraient l'envie d'hommes qui ont la moitié de son âge. Pourvu d'une insondable source d'énergie, il est père de neuf enfants qui ont à leur tour donné naissance à 16 petits-enfants. Une vie remarquable».[*]

La façon dont Peter Grace avait malmené le budget lui valut beaucoup de publicité — de la bonne, et de la moins bonne — mais il était déjà légendaire dans les cercles d'affaires pour sa résistance étonnante et sa discipline personnelle. Lorsqu'on lui demanda quels principes du succès il met personnellement en pratique et admire chez les autres, il répondit sans hésiter: «L'engagement complet. Vous devez consentir tous les sacrifices nécessaires pour mener à bien un projet. Si vous n'êtes pas discipliné, vous ne pouvez pas le faire. Si vous voulez prendre un cocktail ou regarder la télé, vous ne pouvez faire ce qui doit être fait. Ce n'est pas cela, la discipline».

Peter Grace ne boit pas d'alcool, ne fume pas et ne regarde pas la télé, préférant consacrer son énergie aux choses plus importantes de la vie. Sa journée commence habituellement à 6 h du matin, et il ne perd pas une minute depuis le lever jusqu'au coucher. Il prend son bain la veille au soir pour gagner du temps et pendant le voyage en automobile de sa maison de Long Island jusqu'à son bureau de Manhattan, il dicte son courrier à l'une de ses six ou sept secrétaires. Il prend le déjeuner à son bureau en lisant son courrier et sur le chemin du retour, dicte souvent d'autres lettres et des notes de service ou discute sur l'un des deux téléphones de sa voiture. Après le dîner avec sa femme, il passe habituellement encore quatre heures à examiner des rapports et d'autres dossiers de travail avant d'avoir terminé sa journée.

---

[*]   Maxwell Newton, Your Business, «Peter Grace at 72; amazing career continues», New York *Post* (May 15, 1986), p. 58.

Pour faire lui-même l'inspection de ses activités très étendues, Peter Grace voyage constamment dans son «bureau volant», un avion équipé de bureaux, de téléphones, de télécopieurs, avec un personnel complet. Pour s'assurer d'être à l'heure, il porte deux montres. Celle de son poignet gauche marque toujours l'heure normale de l'est, celle du droit, l'heure locale de l'endroit où il se trouve à ce moment-là.

Peter Grace a élevé l'autodiscipline à une forme d'art que la plupart d'entre nous ne peuvent qu'admirer.

Dans son best-seller, *Creating Wealth*, Robert G. Allen écrit, «Dans les vestiaires et les salles à manger on parlera du succès, et de gagner le gros lot, et de la chance. «Un jour, je miserai gagnant». «Un jour, je deviendrai riche». Pas la moindre pensée pour les années de préparation qui font partie de la plupart des succès. Les sacrifices. La planification. La coordination. Les nuits blanches. Le prix à payer».[*]

Quand il était jeune homme, Don Miller ne semblait pas de l'étoffe dont on fait le succès. Étudiant peu brillant durant son adolescence à St-Petersburg, en Floride, Don Miller fut mis à la porte durant sa première année à l'université Florida State. Deux ans plus tard, à l'âge de 22 ans, il était directeur adjoint à l'hôtel Lake Tahoe Sahara et n'avait aucun projet en particulier. Puis l'Oncle Sam l'a appelé, et Don Miller découvrit qu'il partait pour le Viêt-nam.

Cela fut le tournant de sa vie. Comme pilote d'hélicoptère, il apprit la discipline et l'indépendance, leçons qui lui servirent lorsqu'il revint aux États-Unis. Quand la société commerciale qui lui avait promis un pont d'or disparut durant la récession de 1974, il accepta la perte sans se laisser abattre et reprit la route à la recherche d'un nouvel Eldorado.

Avec un emprunt de 6 000 dollars, Don Miller et sa femme Lea Anna ouvrirent RainSoft of Denver, une entre-

---

[*]   Robert G. Allen, *Creating Wealth* (New York: Simon and Schuster, 1983), p. 51.

prise d'épuration d'eau. Leur bureau était une table de jeu dans leur sous-sol. Ils ne connaissaient rien en matière de prospection, alors ils ont commencé avec les A dans les pages blanches de l'annuaire téléphonique et ils ont téléphoné. Leur première cliente a été Karen Abbot, et cela fut le commencement d'une franchise qui affiche aujourd'hui des ventes de plus de 3 millions de dollars. La table de jeu a depuis longtemps cédé la place à des bureaux spacieux, et à l'équipe du mari et de la femme s'est ajouté un personnel de 110 employés. Avec leurs deux franchises, ils font plus d'affaires que n'importe lequel des 300 autres concessionnaires de la société commerciale.

« Personne n'étudie au collège et à l'université pour se dire : « Bigre, je suis impatient d'aller vendre des systèmes de traitement d'eau » », dit Miller. En vérité, beaucoup auraient fait la grimace rien qu'à l'idée, mais Don Miller releva le défi avec la même discipline et le même enthousiasme que ceux qu'il avait mis dans ses missions de vie ou de mort au Viêt-nam.

Cette même autodiscipline le garde encore au bureau 12 ou 15 heures par jour, et l'aide constamment à se développer et à apprendre. Par exemple, il a appris à se fixer un objectif lorsqu'il s'est rendu compte que lui-même devrait suivre le conseil qu'il venait de donner à un employé en train de se débattre parce qu'il ne s'était pas donné d'objectifs personnels. Ce soir-là, Don Miller se fixa l'objectif immédiat d'augmenter ses ventes d'unités de 20 à 30. La société atteignit le but tout de suite; Don Miller visa ensuite 50. Puis 100. Maintenant c'est 250 et plus.

L'ascension de Don Miller de la pauvreté vers la richesse nous montre que l'autodiscipline est nécessaire pour continuer, quelle que soit l'ampleur des difficultés que l'on rencontre. L'autodiscipline n'est pas un principe du succès qui est acquis et mis de côté jusqu'à ce qu'on en ait besoin. C'est une habitude qui est développée par la pratique constante de telle sorte que vous soyez prêt à en tirer avantage lorsque la bonne occasion se présente.

C'est peut-être feu Albert E. N. Gray qui en a le mieux parlé dans une allocution au congrès annuel de la National Association of Life Underwriters à Philadelphie. Il a dit:

« Le dénominateur commun du succès — le secret du succès de tout homme qui a déjà réussi — réside dans le fait qu'il a pris l'habitude de faire les choses que les ratés n'aiment pas faire.

« C'est tout à fait aussi vrai et tout à fait aussi simple que cela en a l'air. Vous pouvez le regarder en pleine lumière, lui faire passer l'épreuve décisive et dans tous les sens, le déformer, mais lorsque vous en aurez terminé, cela sera toujours le dénominateur commun du succès, que cela vous plaise ou non.

« Les choses que les ratés n'aiment pas faire sont justement les choses que vous et moi et les autres êtres humains, y compris les hommes qui ont réussi, n'aiment tout naturellement pas faire.

En d'autres mots, nous devons nous rendre compte dès le début que le succès est quelque chose qu'une minorité d'hommes atteignent, et qu'il n'est donc pas naturel et qu'il ne sera pas atteint en suivant notre penchant naturel pour ce que nous aimons et en nous éloignant de ce que nous n'aimons pas, ni en étant guidé par nos préférences naturelles et nos préjugés ».[*]

Jack et Gary Kinder, deux frères qui sont à la tête d'une agence de consultant en assurances immensément prospère à Dallas, ont poussé un peu plus loin l'idée d'Albert Gray. Dans une vidéo de formation pour leurs vendeurs, ils disent: « Toute résolution ou toute décision que vous prenez est seulement une promesse faite à vous-même et ne vaut rien tant que vous n'avez pas pris l'habitude de la respecter et de passer à l'action. Et cette habitude ne se forgera pas d'elle-même. Et vous n'y arriverez que si vous la rattachez dès le début à un objectif précis qui peut être

---

[*]   Albert E.N. Gray, « The Common Denominator of Success », an address delivered at the National Association of Life Underwriters Convention in 1940. Reprinted and distributed in pamphlet form by the NALU.

atteint grâce à elle. En d'autres mots, toute résolution ou toute décision prise aujourd'hui doit être prise demain, et le jour suivant, et encore le jour suivant et ainsi de suite. Et on ne doit pas seulement prendre une décision chaque jour, on doit passer à l'action chaque jour, parce que si une journée vous ne décidez pas ou n'agissez pas, vous devez retourner au point de départ et tout recommencer encore une fois. Mais si chaque matin, vous continuez le processus de décision et d'action quotidiennes, vous finirez par vous réveiller un bon matin en vous sentant un homme différent dans un monde différent, et vous vous demanderez ce qui est advenu de vous et du monde dans lequel vous aviez l'habitude de vivre ».

Ce genre de détermination et d'engagement nécessite une grande dose d'autodiscipline et de persévérance. Comment développez-vous un tel dynamisme personnel ? Wally Armbruster croit que cela vient du fait de n'avoir qu'un seul concurrent : vous-même. Pendant la majeure partie de sa carrière, Wally Armbruster a été, à St-Louis, le directeur général de la création pour le bureau d'une des plus grosses agences de publicité au monde. Durant ces années, il reçut plusieurs prix pour la création dans le domaine de la publicité, dont sa nomination parmi les 100 Outstanding Creative People in America à deux reprises. Dans son livre, *Where have all the Salesmen gone ?*, Wally Arbruster dit : « Il n'y a rien qu'un seul grand concurrent, je l'admire tellement que je lui ai écrit un hommage — qui est accroché au mur chez moi pour me rappeler qu'il est là ».

L'hommage se lit en partie comme suit : *Pour moi, le grand concurrent existe à l'intérieur de moi-même. Vous ne pouvez trouver le vôtre qu'à l'intérieur de vous-même.*

La différence entre ce concurrent et les autres est que vous ne pouvez jamais le battre. Il est toujours une fraction de seconde en avance. Pendant que vous devenez plus fort, il en est de même pour lui ; à chaque fois que vous atteignez un nouveau niveau d'excellence, il vous en montre un autre que vous n'aviez jamais vu auparavant. Chaque fois, il vous met au défi de donner davantage, d'essayer plus fort, de viser plus haut, de creuser plus profond, de toujours faire mieux qu'auparavant.

Il n'y a pas de score parfait, pas même pour lui.

Le grand concurrent est si exigeant qu'il peut parfois être déprimant, ou pour le moins emmerdeur. Mais il est la seule chose qui rend la partie valable. On éprouve un plaisir fantastique à être en compétition avec lui.

Mais si jamais je le bats, je saurai que j'ai perdu.

Wally Armbruster relate ce qui s'est passé le jour où il a dirigé Joe Namath dans une vidéo publicitaire.

« Il avait déjà mémorisé le scénario lorsque nous sommes arrivés au studio à New York. Nous eûmes quelques séances de répétition et je lui donnai quelques indications — et nous fîmes Prise 1. Prise 2. Prise 3. Prise 4. À chaque fois, je suggérais un changement ici ou là et son jeu s'améliorait. Comme acteur, Joe était un diable de bon stratège. Après sept prises, j'ai décidé que c'était ce que je pouvais lui demander de mieux, vu les circonstances.

« J'ai dit : « C'est dans la boîte, Joe. Merci ».

« Il a dit : « Wally, est-ce que je peux en faire encore quelques-unes ? Je ne suis pas tout à fait satisfait ».

« Dans la régie, je fis remarquer à son manager que j'étais impressionné par sa détermination à bien faire les choses, surtout que je prenais Joe Namath pour un fichu coureur de jupons — plein de talent mais plus intéressé aux femmes et à la vie nocturne qu'au travail.

« Ha ! » dit le manager, « comment diable croyez-vous que Joe a appris à aussi bien lancer le ballon au football américain ? Seulement avec du talent ?

Voyez-vous, chaque jour il a lancé des centaines de passes dans un panier, tout seul, jusqu'à ce qu'il le fasse bien et soit satisfait » ».

Qui est le grand concurrent de Joe Namath, c'est l'évidence même dit Wally Armbruster, ainsi que celui de Pete Rose, et de Jonas Salk. Et de Mère Teresa ?[*]

---

[*]   Wally Armbruster, *Where have all the Salesmen gone?* (St. Louis: Piraeus Press, 1982), pp. 68-70.

George Washingon Carver a été le plus grand scientifique dans le domaine de l'agriculture que ce pays ait jamais connu. On lui reconnaît avoir à lui seul transformé le mode d'agriculture dans le Sud. Lorsqu'en 1985, il est arrivé au Tuskegee Alabama Normal And Industrial School, beaucoup de terres avaient été épuisées par des années de plantations de coton. La rotation des cultures pour renouveler les minéraux essentiels était inconnue à l'époque; les fermiers essouchaient simplement plus de terrains et laissaient le sol improductif s'éroder. C'était un cycle sans fin. Sans végétation, de plus en plus de terre arable était emportée.

Monsieur Carver savait que la cacahuète et la patate douce prenaient leur nourriture de l'atmosphère et qu'elles remplaçaient le nitrogène et les autres minéraux essentiels qui rendraient la terre à nouveau fertile. Le problème était qu'il n'y avait pas de marché pour ces produits. Les cacahuètes étaient considérées à peu près sans valeur sauf pour nourrir les animaux de cirque, et les patates douces se gâtaient trop rapidement.

Monsieur Carver entreprit de changer les choses. Il fit de la farine, de l'alcool, du vinaigre et du sirop à partir de la patate douce; et des colorants, des teintures, du fromage, de la sauce Worcestershire et de la crème de beauté à partir de la cacahuète. En tout, il fit 118 choses différentes avec les patates douces et trouva 300 utilisations aux cacahuètes.[*]

Quand les United Peanut Associations of America ont tenu leur congrès en 1919 à Montgomery, en Alabama, la seule culture commerciale qui devançait les cacahuètes était le coton. Leur production représentait un chiffre d'affaires de 80 millions de dollars aux États-Unis mais la plupart des producteurs de cacahuètes ne savaient même pas que c'était monsieur Carver qui leur avait apporté la prospérité.

---

[*] From *George Washington Carver* by Anne Terry White (New York: Random House, 1953).

Pour eux, il était seulement un vieil homme de couleur excentrique qui s'amusait à faire de la recherche agricole à l'institut Tuskegee. Néanmoins, un membre du groupe insista pour qu'ils en apprennent le plus possible à propos de leur produit afin de pouvoir éduquer le public américain. Ils ont invité monsieur Carver à venir parler de ses expériences à leur réunion.

Lorsqu'il est arrivé à l'hôtel, le portier ne voulut pas le laisser entrer parce qu'il était Noir. Mais monsieur Carver était habitué à de tels affronts. Il était venu dans le Sud pour aider son peuple et s'était promis qu'il ferait honneur à sa race quelle que soit l'humiliation personnelle qu'il devrait endurer.

Les producteurs de cacahuètes furent tellement impressionnés par ses découvertes qu'un membre de l'association — un sénateur — l'invita à Washington pour parler à la commission des finances de la Chambre des Représentants. Afin d'avoir l'occasion de présenter le résultat de ses recherches au comité, monsieur Carver fit tout le voyage de nuit en train, assis bien droit sur un banc de bois dans un wagon réservé aux Noirs car la ségrégation était en vigueur.

L'autodiscipline qui a permis à monsieur Carver d'ignorer les préjugés et de travailler sans relâche en vue d'atteindre ses objectifs lui a valu le respect de beaucoup des grands hommes de son temps. Thomas Edison envoya un adjoint à Tuskegee pour persuader monsieur Carver de venir travailler dans les laboratoires Edison à un salaire très élevé. D'autres offres suivirent. On dit qu'Henry Ford a considéré George Washington Carver comme le plus grand scientifique du monde. Toutefois, la réponse demeurait toujours la même. Monsieur Carver refusait les offres et retournait les chèques. Il voulait seulement aider son peuple et montrer à l'Amérique qu'un homme noir pouvait faire absolument tout ce que pouvait faire un homme blanc.

Un musée en l'honneur de son travail fut ouvert à Tuskegee, 18 écoles portent son nom; et à la résidence de Theodore Roosevelt à New York, devant un groupe de 200 invités, lors d'un dîner d'honneur, on présenta la Roosevelt

Medal pour services exceptionnels dans le domaine de la science à un homme qui, alors qu'il était bébé, avait été échangé à Moses Carver contre un cheval de course de 300 dollars.

« L'autodiscipline nous permet de trouver encore plus de détermination et de continuer lorsque la route est difficile et que l'échec semble nous attendre au tournant ». écrivit Napoleon Hill.

« Il y a deux moments dans votre vie au cours desquels vos habitudes d'autodiscipline doivent être affinées au plus haut point pour vous préserver de la ruine. L'un est lorsque vous êtes frappé par l'échec ou la défaite, et l'autre est quand vous commencez à atteindre les plus hauts niveaux du succès.

L'autodiscipline enseigne que le silence est souvent approprié et vous donne plus d'avantages que les paroles sous le coup de la colère, de la haine, de la jalousie, de l'avarice, de l'intolérance ou de la peur. Elle est le moyen grâce auxquel vous développez et vous maintenez cette habitude inestimable de penser aux effets possibles de vos paroles avant de parler ».[*]

---

[*] « Napoleon Hill Revisited: On Self-Discipline », *PMA Adviser* (July 1985), p. 6.

Chapitre 10

Planifier l'emploi de son temps et de son argent

Le nombre de livres écrits par les experts et traitant d'à peu près toutes les nuances de la gestion du temps et de l'argent rempliraient sans doute une bibliothèque considérable. Nous n'essaierons pas d'entrer par le menu détail dans tous les aspects de ces domaines plutôt complexes. Nous allons plutôt examiner ce principe comme le fait W. Clement Stone: du point de vue de la gestion du temps et de l'argent comme agent de motivation — comment ils peuvent vous aider à vous motiver vous-mêmes et à stimuler les autres.

Il est tout à fait évident qu'à la fois le temps et l'argent sont des facteurs très importants pour déterminer comment vous vous sentez par rapport à vous-même. Lorsque vous dépensez votre temps sagement et que vous faites un budget avec soin, vous vous sentez bien. À l'inverse, si vous tombez dans le «pattern» de perdre votre temps ou de gaspiller votre argent, vous amorcez une spirale vers le bas qui se manifeste au pire par un sentiment d'inutilité et au mieux par l'impression tenace que vous auriez pu faire mieux avec votre vie si seulement vous aviez été plus prudent dans la gestion de vos ressources.

Comme la plupart des autres principes du succès, planifier l'emploi de son temps et de son argent est une habitude qui augmente de façon exponentielle avec l'usage. Alors que vous devenez meilleur pour organiser votre temps, vous accomplissez beaucoup plus parce que non seulement vous utilisez le temps plus sagement mais aussi plus efficacement. Vous trouvez des façons plus rapides, plus efficaces de faire les travaux de routines, et vous devenez meilleur pour établir des priorités. Vous vous apercevrez que vous pouvez rapidement régler des choses qui auparavant semblaient ennuyeuses et prendre du temps; vous pouvez ensuite vous mettre aux travaux plus intéressants qui présentent aussi un plus grand défi. Dans le bénévolat, il y a un vieux dicton qui dit: «Si vous voulez que quelque chose soit fait, trouvez quelqu'un qui est occupé».

On ne sait trop comment ils font mais ceux qui sont surchargés de travail semblent être capables d'en faire plus que ceux qui disposent de beaucoup de temps. Ils ont appris que se mettre à l'action rend plus faciles même les travaux les plus redoutés. Une fois que vous commencez un travail, il ne semble jamais aussi difficile qu'il semblait lorsque vous étiez là à ne rien faire d'autre que de vous inquiéter à propos de ce travail. Le conseil motivant de W. Clement Stone «Faites-le maintenant!» est encore plus profitable quand il s'applique à la gestion du temps. La procrastination amène à douter de soi, à s'inquiéter inutilement, et à plus de procrastination.

La gestion attentive de l'argent est aussi très motivante. Augmenter votre valeur nette, accumuler la richesse pour ce que vous pouvez en faire afin d'aider les autres, et pour les avantages qu'elle peut vous offrir à vous et à votre famille, sont des objectifs valables. Toutefois, le plus grand avantage de faire un budget avec votre revenu et vos dépenses est que cela libère votre esprit et vous permet de vous concentrer sur vos objectifs. Si vous savez que les dépenses sont couvertes et que vous n'avez pas à vous inquiéter de payer les factures, vous pouvez consacrer tout votre temps et toute votre énergie à atteindre vos objectifs. Et les atteindre devient plus facile. Vous vous sentez tout simplement mieux et vous avez plus de succès; vous attirez les autres à vous parce qu'ils aiment faire affaire avec les gens qui ont du succès.

Il y a aussi une tranquillité de l'esprit qui vient avec la sécurité financière qui vous permet de décider de votre propre trajectoire dans la vie. Un portefeuille d'investissements qui se porte bien élimine beaucoup de «mais si» associés aux inquiétudes financières. Vous n'avez plus à vous préoccuper de la dépense imprévue qui pourrait saborder vos prévisions financières en ce qui concerne les affaires ou votre budget familial; vous ne vous inquiétez pas non plus de perdre un client important, ou même de perdre votre travail. Vous pouvez prendre des décisions de carrière ou d'affaires basées sur le mérite plutôt que sur les opportunités, et vous pouvez prendre un risque sur une idée qui a un grand potentiel si vous savez que vous êtes à l'abri du désastre. Une réserve d'argent considérable est la meilleure police d'assurance pour la carrière et pour les affaires.

Même si organiser le temps et faire un budget sont étroitement liés (comme l'a dit Baron Lytton, «Le temps, c'est de l'argent»), pour les fins de la discussion, examinons-les séparément.

Le pasteur protestant britannique du XVIIIe siècle Legh Richmond a déjà noté: «Il y a un temps pour venir au monde, et un temps pour mourir, dit Salomon, et c'est le témoignage d'un homme vraiment sage; mais il y a un intervalle entre ces deux moments qui est d'une importance infinie».

L'affirmation du pasteur Richmond est un euphémisme qui souligne ironiquement le fait que le temps nous appartient et que nous pouvons l'utiliser à notre guise; mais que le temps gaspillé ne peut jamais être retrouvé. Il s'envole pour toujours. C'est peut-être pour cette raison qu'on a écrit tant de choses négatives à son sujet. Nous en sommes venus à voir le temps un peu comme un tyran implacable. Walter John de la Mare a représenté le temps comme «la rivière silencieuse de l'âge qui se précipite»; un proverbe anglais dit: «Le temps et la marée n'attendent personne».

Une meilleure définition vient d'un philosophe italien qui a comparé le temps à une «propriété». Un bulletin publié par la Banque royale du Canada dit, en commentant cette comparaison: «C'est une propriété d'une envergure considérable». Si vous considérez que la durée de vie moyenne est de 71 ans, cela donne 25 915 jours ou 621 960 heures, selon les calculs de la banque. «Tenant pour acquis qu'une grande partie doit être consacrée aux nécessités de la vie comme dormir, manger et gagner sa vie, on se retrouve néanmoins avec une somme considérable de temps dont on peut dire qu'il nous appartient.

«Toutefois, le parallèle avec une propriété s'arrête là. Si nous devions gaspiller un héritage financier, il y aurait toujours la possibilité d'en remplacer au moins une partie. Même si nous vivons jusqu'à 100 ans, chacun de nous a reçu une partie de temps absolument fixe, et il n'y a aucune chance d'en obtenir plus en suppliant, en empruntant ou en volant».[*]

Pour la plupart d'entre nous, les 24 heures qui nous sont imparties chaque jour peuvent se diviser en trois parties:

- Du temps pour dormir,
- Du temps pour travailler, et
- Du temps de loisirs.

Il n'y a pas grand-chose que vous pouvez ou devriez faire pour modifier le temps de sommeil. Il y en a parmi nous qui en ont besoin de plus et d'autres qui en demandent moins mais en moyenne, c'est avec six ou huit heures par nuit que quelqu'un se porte le mieux. (On verra cela plus en détail au chapitre 11: «Garder une bonne santé physique et mentale»).

En ce qui concerne le temps productif au travail, il y a plusieurs variables qui influencent notre efficacité. Déléguer est peut-être la technique de gestion du temps la plus difficile pour la plupart d'entre nous. Nous commençons nos carrières comme des «faiseurs» responsables d'accomplir un travail ou de terminer un projet nous-mêmes. Le résultat en est que nous développons une manière de faire les choses que nous pensons correcte, et nous avons de la difficulté à accepter qu'il puisse exister plusieurs façons de

---

[*]   «Making the Most of Time», *The Royal Bank Letter* (The Royal Bank of Canada), Vol. 67, No. 1 (January/February 1986), p. 1.

faire la même chose. Il est naturel de croire que nous pouvons faire le travail mieux que quiconque.

Le problème est que lorsque vous êtes promu à des niveaux plus élevés, vous avez de moins en moins de temps pour faire le vrai « travail ». Votre temps est pris par la planification, les réunions, l'administration et les conseils à donner à vos employés. À moins d'apprendre à déléguer efficacement, votre efficience sera réduite de façon draconienne. Vous finirez par en arriver au point où il ne sera pas possible pour vous de faire — ou même de vérifier — tout le travail de vos employés. Vous devez embaucher les bonnes personnes, vous fier à elles pour bien faire le travail et créer une atmosphère de confiance mutuelle où ils se sentent libres de venir vous trouver s'ils ont des problèmes — pas pour une réponse, mais pour discuter des choix possibles. Votre sagesse et votre expérience devraient être utiles pour les aider à prendre une décision, non pour que vous la preniez à leur place. Si vous trouvez la solution à tous leurs problèmes, vous les privez d'une occasion de se développer et de prendre de la maturité en tant que dirigeants.

Naturellement, il y a des questions de politique, de dépenses importantes et ainsi de suite, qui nécessitent votre approbation comme directeur, mais si vous encouragez les employés à venir vous voir avec des recommandations plutôt que des questions, vous les encouragez à penser tout seuls — et vous disposez mieux aussi de votre propre temps. S'ils ont déjà réfléchi aux choix possibles, vous pouvez rapidement en arriver à une décision, et vous ne perdez pas votre temps à explorer des moyens de résoudre des problèmes qu'ils auraient déjà dû analyser. Nous connaissons un dirigeant qui répond toujours de la même manière quand les gens l'abordent avec des problèmes. « Je ne m'intéresse pas aux problèmes », dit-il, « je m'intéresse aux solutions ».

Si vous lisez ces lignes au moment où vous ne faites que débuter dans votre carrière, vous pouvez être en train de penser : *C'est bien beau tout cela, mais je n'ai personne à qui déléguer quoi que ce soit, je dois tout faire moi-même.* Cela est toutefois rarement le cas. Vous n'avez peut-être pas d'employés qui sont directement sous vos ordres, mais vous êtes en relation avec des pairs, des directeurs et avec d'autres services dont les efforts devraient être le complément des vôtres, et vice versa. Si vous leur demandez de l'aide dans un domaine dont ils sont responsables, vous augmentez votre temps. Vous vous libérez pour accomplir plus de ces choses que vous savez faire

Si vous êtes par exemple un vendeur sur le terrain, vous *êtes*, pour la clientèle et pour les consommateurs, la société commerciale et la société le sait. La comptabilité, le crédit et la livraison, les relations avec la clientèle, la publicité, les relations publiques et d'autres supports sont au service de ce client. Demandez à ces services le soutien ou les idées qui pourraient vous aider dans votre effort de vente. Si le service des relations publiques vous aide en plaçant un article dans une publication commerciale à propos de quelque chose de nouveau et de différent que votre client fait avec votre produit ou avec votre service, cela peut être une aide valable pour la vente. Et *cela est* une forme de délégation; cela revient à augmenter votre capacité en travaillant avec les autres et grâce aux autres.

Si votre travail est spécialisé à un point tel qu'il se fait complètement en vase clos, prenez de l'expérience en gestion et en coordination en étant bénévole dans des comités et des groupes de travail auprès des syndicats et des associations professionnelles de votre domaine. Pour la plupart, de tels groupes sont malheureusement très à court de personnel et accueilleraient avec joie quelqu'un qui veut travailler. Non seulement vous acquerrez de l'expérience valable en gestion, mais vous augmenterez aussi votre visibilité. Les gens à l'intérieur et à l'extérieur de l'entreprise reconnaîtront votre talent et votre énergie.

Un autre problème courant dans la gestion du temps est de se laisser piéger par l'activité. Nous pensons que si nous sommes constamment occupés, nous allons produire beaucoup. Le défaut évident de cette hypothèse est que l'activité ne produit pas obligatoirement des résultats. Peter A. Turla et Kathleen L. Hawkins, dans leur livre, *Time Management Made Easy*, rapprochent cela de la différence entre chasser des éléphants et écraser des fourmis. « Une clé importante de la gestion du temps », disent-ils, « est de faire de la chasse aux éléphants votre plus grande priorité. Ceci veut dire vous occuper de vos grands objectifs, de ceux qui rapportent le plus chaque jour et réduire le temps que vous passez à écraser des fourmis, ces détails banals qui prennent tellement de temps.

« Il y aura toujours des fourmis et des éléphants dans nos vies. Malheureusement, beaucoup de gens vont finir par écraser des fourmis toute leur vie, alors qu'ils ont un cœur de chasseur d'éléphants. Mener une carrière d'écraseur de fourmis est le danger qui nous guette ».[*]

Bien sûr, le choix des objectifs est au cœur de l'approche de ces auteurs. Vous devez tout d'abord identifier vos éléphants avant de pouvoir les chasser. Si vous avez identifié vos grands objectifs dans la vie, alors il ne vous reste plus qu'à décider si oui ou non cette activité vous aide à atteindre votre but. Si elle vous aide, elle vaut que vous y consacriez du temps ; sinon, il est temps de réévaluer ce que vous faites de votre temps.

Pour illustrer la chose, les auteurs invoquent la règle du 80/20, qui dit en gros que 20 % de vos efforts génèrent 80 % de vos résultats. Le principe vaut pour pratiquement toutes les activités. Quand, par exemple, vous faites le ménage, vous savez que 20 % de la maison accumule 80 % de la saleté, alors nettoyez fréquemment les endroits où vous passez souvent et laissez le reste attendre un peu plus longtemps.

La même chose est vraie pour la vente. Si votre situation ressemble à tout le reste, 80 % de vos ventes viennent de 20 % de vos clients. Passez votre temps dans les secteurs qui vous offrent le plus haut retour sur investissement, nous conseillent Peter Turla et Katleen Hawkins. Vous pourriez appliquer la règle du 80/20 à pratiquement tous les domaines du monde des affaires. 20 % de vos employés

---

[*] Peter A. Turla and Kathleen L. Hawkins, M.A., *Time Management Made Easy* (New York : E.P.Dutton, Inc., 1983), pp. 15-16.

font probablement 80 % du travail; reconnaissez leur mérite et récompensez-les en conséquence. Non seulement ceci motive le 20 % à atteindre de plus hauts niveaux de rendement, mais il se pourrait que la majorité s'aperçoive que ceci est la voie du succès. Vous voyez ce que je veux dire!

La clé, bien sûr, est que toutes les techniques de gestion du temps vous aident à planifier. Peu importe le système que vous utilisez, le résultat final est que c'est vous seul qui déterminez comment vous allez investir votre temps. En établissant des priorités et en fixant des délais d'exécution, vous déterminez combien de temps et à quel moment vous allez l'investir dans chaque activité donnée.

Le contrôle commence avec la planification. Mais le problème avec la plupart des plans est que nous les formulons, les mettons de côté, et les oublions jusqu'à ce qu'il soit temps de les mettre à jour l'année suivante. Cela n'est évidemment pas la bonne façon d'utiliser des plans.

Le consultant en gestion du temps, Alan Lakein, fait un parallèle entre la planification et la photographie pour expliquer la différence entre un professionnel et un amateur. Un photographe amateur prend quelques photos, attend anxieusement le résultat et se retrouve déçu lorsque seulement une ou deux photos de la pellicule donnent les résultats espérés.

D'un autre côté, le professionnel utilise plusieurs pellicules, jette les photos dont l'exposition ou la composition laisse à désirer et finit avec quelques photos qui lui plaisent. Le professionnel peut en vérité avoir plus de mauvaises photos que l'amateur, dit Alan Lakein, mais il en a pris tellement qu'il en trouve certaines qui lui plaisent beaucoup. Le professionnel amène le processus un pas plus loin, en travaillant dans la chambre noire pour faire ressortir le meilleur des meilleurs négatifs. En jouant avec les temps d'exposition, en recadrant etc., en faisant meilleur tirage de sa dernière sélection, il finit par obtenir une photo qui gagne un prix.

La même sorte de disparité existe entre celui qui planifie le temps occasionnellement et celui qui le planifie sérieusement. Alan Lakein dit: «Le planificateur de temps occasionnel fait une tentative plutôt floue en direction de son objectif, et peut même rater complètement la cible. Il est mal à l'aise avec les résultats; ils semblent à peine valoir l'effort. Il conclut, et à bon droit, qu'il n'est pas un très bon planificateur, et il abandonne.

«D'un autre côté, le planificateur sérieux prendra de nombreuses et fréquentes photos de ses plans. Ce qui commence comme une jungle embrouillée de conflits assez mal définis en arrive petit à petit à se préciser. Une tentative folle qui ne représente pas vraiment un objectif souhaité est éliminée. Les aspects les plus importants du projet sont affinés et étudiés en détail de telle sorte qu'ils prennent de plus en plus de signification.

«Il vérifie au fil des jours comment il donne suite à ses plans. Il cherche les problèmes, les hypothèses erronées, les accrocs et les difficultés, et il apporte les corrections là où il faut. Comme le photographe professionnel, il apporte des réajustements et s'améliore toujours plus».[*]

Une dernière pensée sur l'importance de répartir votre temps de travail vient de W. Clement Stone. Il se souvient que lorsqu'il commençait tout juste à vendre de l'assurance, on lui avait dit de bien «essayer de vendre à tous les gens qu'il allait rencontrer».

«Alors je ne lâchais aucun des prospects», dit-il. «Parfois je l'avais à l'usure, mais quand je quittais son lieu de travail, moi aussi j'étais crevé. Il me semblait qu'en vendant un service à coût modique comme je le faisais, il était impératif que ma moyenne de ventes par heure d'efforts soit plus élevée.

«J'ai décidé de *ne pas* vendre à tous les gens que j'allais voir, *si la vente allait prendre plus de temps que je ne m'étais fixé*. J'essayais de rendre le prospect heureux et je m'em-

---

[*]   Alan Lakein, *How to Gert Control of Your Time and Your Life* (New York: New American Library, 1973), pp. 26-27.

pressais de partir, même si je savais qu'en restant avec lui je pourrais faire la vente.

« Des choses merveilleuses se sont produites. J'ai augmenté ma moyenne de ventes quotidiennes d'une façon remarquable. Qui plus est, en plusieurs occasions, le prospect croyait que j'allais argumenter mais je le quittais d'une manière si agréable qu'il arrivait à la porte voisine où j'étais en train de vendre et disait: «Vous ne pouvez pas me faire ça. Tout autre agent d'assurance aurait continué. Revenez et remplissez-moi ce contrat». Au lieu d'être fatigué après avoir tenté de vendre, je me sentais plein d'enthousiasme et d'énergie pour faire ma présentation au prospect suivant.

« Les principes que j'ai appris sont simples: la fatigue ne contribue pas à vous faire mieux travailler. Ne réduisez pas trop votre énergie au point de vider vos batteries. Le niveau d'activité du système nerveux est élevé lorsque le corps se recharge par le repos. *Le temps est, pour toute activité humaine, l'un des ingrédients les plus importants dans n'importe quelle formule du succès. Économisez votre temps. Investissez-le sagement* ».*

Tout comme vous devriez choisir avec soin ce à quoi vous passez votre temps, vous devriez également être sélectif par rapport aux personnes pour qui vous travaillez et celles à qui vous accordez du temps. Choisissez une entreprise dont la culture et le style s'harmonisent à vos propres objectifs et à votre personnalité. Si vous aimez et respectez votre entreprise ainsi que les gens avec qui vous travaillez, vous obtiendrez beaucoup plus de succès que si vous alliez travailler dans un emploi que vous n'aimez pas ou pour une entreprise dont les affaires vous semblent sans rapport avec vous.

Si vous êtes un type animé de l'esprit d'entreprise qui préfère s'occuper de ses propres affaires, choisissez un produit que vous appréciez et travaillez avec le genre de clients

---

*   W. Clement Stone, *The Success System That Never Fails* (New York: Pocket Books division of Simon & Schuster, Inc., 1962), pp. 18-19.
Passeport pour la réussite — Godefroy C.H. 1983, 245 p. 15 x 21 cm

et de consommateurs que vous aimez. Embauchez des employés qui partagent vos buts et votre style de travail. Choisissez vos associés, vos relations d'affaires et vos amis — ne les laissez pas vous choisir. Soyez «pro-actif», et non réactif!

Alors qu'il serait impossible de surestimer l'importance de gérer le temps de travail investi dans la poursuite de vos buts et de vos objectifs, il ne faut pas sous-estimer la façon dont vous investissez votre temps de loisirs car il pourrait bien avoir une plus grande influence sur votre carrière et sur votre succès final que le temps investi au travail.

Si vous dormez six ou huit heures par jour et si vous travaillez huit ou dix heures, cela vous laisse encore six ou dix heures chaque jour pour faire ce que vous voulez.

Le temps de loisirs ressemble beaucoup au revenu excédentaire, ce qui reste une fois que vous avez payé toutes vos dépenses pour vivre. Si vous investissez sagement le revenu dont vous pouvez disposer, il croîtra et rapportera des dividendes; la même chose est vraie pour le temps. Il vous rapportera des dividendes beaucoup plus grands que l'argent — si vous l'investissez sagement.

Napoleon Hill a dit qu'Andrew Carnegie a attribué chaque promotion qu'il ait jamais reçue, alors qu'il était salarié, aux choses qu'il faisait pendant son temps libre. Quand il ne travaillait pas, il faisait des choses pour lesquelles il n'était pas payé — et ce sont celles-là qui le menèrent à l'énorme succès qu'il a connu.

Alors qu'il est important de se reposer et de se détendre, il est également important de vouer une partie de son temps de loisirs à des activités de croissance personnelle. Regarder une partie de football à la télé sera loin de vous donner satisfaction ou de vous préparer au succès autant que peut le faire la lecture d'un bon livre de croissance personnelle, un travail pour un diplôme dans un lycée, un établissement d'enseignement secondaire ou une université, ou la participation à un séminaire. Vous devriez passer au minimum une heure ou deux par jour à faire les choses qui vous feront gravir l'échelon suivant sur l'échelle de la réussite.

W. Clement Stone vous recommande aussi de consacrer quotidiennement entre une demi-heure et une heure de votre temps à la pensée créatrice. Trouvez un endroit tranquille où vous pouvez être seul avec vos pensées, utilisez les techniques de relaxation mentionnées plus loin dans ce livre, et pensez à vos objectifs et à vos désirs ; établissez le contact avec votre moi intérieur. Développez votre habileté à utiliser le pouvoir de votre inconscient pour résoudre les problèmes, pour visualiser les objectifs et pour vous consacrer à nouveau à des habitudes de succès. À un âge où la plupart des hommes de sa condition et aussi riches que lui se contenteraient de revivre leurs jours de gloire, W. Clement Stone est souvent dans son cabinet de travail jusqu'aux petites heures du matin en train de penser aux trajectoires futures des intérêts des nombreuses affaires et des organismes humanitaires qu'il dirige, et de les planifier.

Quoi que vous entrepreniez, il pense que vous n'atteindrez jamais le succès si vous ne consentez pas à passer une partie de votre temps «libre» à la recherche de la productivité et de la créativité. Cela prend plus de huit heures par jour.

La plupart des gens qui réussissent emploient aussi une partie de leur temps de loisirs à apporter leur soutien à des associations professionnelles, des syndicats, et des bonnes œuvres ou des associations civiques. La raison peut provenir en partie d'un sens du devoir — rendre quelque chose au domaine des affaires ou à la profession qui a été bon pour eux, ou partager leur savoir avec des gens plus jeunes pour les aider à avancer dans leur carrière ; c'est en partie la satisfaction qui provient d'aider ceux qui sont moins chanceux. Mais le grand avantage d'une telle implication est qu'elle apporte une variété et un changement dans la routine habituelle et elle peut, de par sa nature même, vous remonter le moral et vous redonner de l'énergie.

L'argent peut jouer divers rôles dans votre formule personnelle du succès. Au début de notre carrière, la plupart d'entre nous nous débattons pour joindre les deux bouts et avoir un peu de luxe pour nous-mêmes et pour notre famille; chaque promotion est appréciée plus pour le revenu supplémentaire qu'elle signifie que pour le standing et le poste qu'elle offre. Par la suite, lorsque nos besoins élémentaires ont été satisfaits, nous commençons à nous concentrer sur l'investissement et l'accumulation de la richesse pour l'éducation de nos enfants, pour notre retraite, et pour bâtir un héritage que nous léguerons à nos héritiers. Avec le temps, si nous accumulons assez de richesse — aux dires des gens très prospères que nous avons interrogés — l'argent devient surtout un moyen pour mesurer le succès. Nous atteignons un point, disent-ils, où l'argent n'est plus motivant à moins qu'il s'agisse d'un montant suffisant pour changer notre style de vie de manière significative.

Comme nous l'avons indiqué plus tôt, être prudent en faisant un budget apporte la sécurité et une vision où l'objectivité et l'absence de passion nous permettent de prendre des décisions intelligentes pour nos affaires et notre carrière.

Alors que les experts ont des méthodes qui peuvent varier pour accumuler la richesse, la plupart d'entre eux sont d'accord pour reconnaître les éléments essentiels qui constituent la bonne approche fondamentale. La première règle est que la gestion de l'argent prend du temps. Même les activités les plus élémentaires comme planifier vos achats et vos dépenses quotidiennes, payer les factures, tenir les registres et votre chéquier à jour — prennent du temps. Les transactions qui vous engagent plus — acheter une maison ou une propriété à revenus et gérer des investissements — sont encore plus complexes et demandent plus de temps. Le consultant financier Allan Willey estime que 10 à 20 % du temps que vous passez à gagner votre argent doit être passé à le gérer, et ceci s'applique, dit-il, à tous ceux de la famille qui gagnent un revenu.[*]

---

[*]   Allan D. Willey, *Making the Most of What you've Got* (Eugene, Oregon: Harvest House Publishers, 1982), p. 55.

Bien sûr, il y a ensuite les impôts. Comme le disait un humoriste: «Les seules certitudes dans la vie sont la mort et les impôts; la différence principale entre les deux est que la mort n'empire pas quand le Congrès est en séance».

Cet énoncé souligne le fait que les lois sur la fiscalité sont devenues tellement complexes et ont tant changé et si rapidement ces dernières années, que l'homme moyen ne peut absolument pas être à la fine pointe des détails de la loi sur l'impôt. Même si vous vous tenez au courant en lisant les comptes rendus des changements à la loi et aux règlements dans les journaux et les revues, même si vous achetez et si vous étudiez les manuels et les guides d'aide, vous ne serez pas mis dans le secret des décisions internes et des interprétations du fisc. À moins de produire simplement une déclaration de revenus normale (formule 1040 A), vous aurez probablement besoin d'un bon conseiller fiscal. Ils valent leur pesant d'or, et ils vous épargneront généralement beaucoup plus en impôts qu'ils ne vous coûtent en honoraires.

Même si vous produisez une déclaration 1040 A, vous payez probablement trop d'impôts, et vous avez besoin d'un conseiller fiscal pour vous suggérer des stratégies d'investissement qui vont vous permettre d'ajouter des déductions et d'épargner plus. Un fiscaliste efficace surveillera vos intérêts; il essaie légalement de réduire les impôts qu'on vous demande de payer. Après tout, quand c'est vous seul contre le fisc et ses milliers d'employés, vous avez besoin de toute l'aide professionnelle que vous pouvez trouver. Il y a un avantage supplémentaire au fait d'avoir un conseiller fiscal; si jamais le fisc vérifie votre déclaration de revenus, votre conseiller fiscal se présente à vos côtés pour agir en qualité d'avocat, expliquer votre position, et protéger vos intérêts. Vous ne devriez pas plus vous mettre à la place de votre propre conseiller fiscal qu'à celle de votre avocat personnel.

Et rappelez-vous, ce que vous épargnez en impôts peut être utilisé comme fonds d'investissement. En réduisant légalement vos impôts, vous vous accordez une augmentation de revenu.

Comme dans tous les autres aspects de votre formule du succès, si vous voulez atteindre l'indépendance financière, vous devez d'abord vous fixer des buts personnels. Vous devriez décider combien vous pouvez épargner et investir. Vous connaissez votre situation financière mieux que quiconque ; vous seul pouvez décider du montant et de la nature de vos investissements. Les conseillers financiers admettent tous cependant que vous n'accumulerez jamais de grandes richesses si vous ne mettez pas autant d'application dans vos efforts pour atteindre vos objectifs financiers que dans votre travail pour réaliser vos objectifs de carrière.

L'auteur et conseiller fiscal de renommée nationale Venita Van Caspel dit dans son livre, *Money Dynamics for the New Economy*, qu'après avoir recherché les raisons des échecs financiers, elle en a trouvé six.

La première est la procrastination, habituellement attribuable à de piètres habitudes de dépenser qu'on acquiert tôt dans la vie. «Ne remettez pas au lendemain quand il s'agit de votre avenir financier», insiste-t-elle, «que le «faites-le maintenant» devienne votre slogan pour le reste de votre vie».

La deuxième raison de l'échec, dit-elle, est de ne pas se fixer d'objectif. La différence entre les gens qui réussissent et les autres est qu'ils savent où ils vont. «Ils ont tous un but», écrit-elle. «Si quoique ce soit les fait dévier de leur but, ou si quelque chose ne fonctionne pas comme ils s'y attendaient, ils se secouent simplement et se remettent tout de suite dans la direction de leur objectif».

La troisième est que les gens ignorent comment atteindre un objectif financier. En grande partie, Venita Van Caspel blâme un système d'enseignement qui se concentre sur la formation professionnelle mais qui est déficient lorsqu'il s'agit d'enseigner la gestion de l'argent. Ici, le message est: si vous ne savez pas comment gérer l'argent, vous devriez l'apprendre.

Norman Vincent Peale dit: «Si vous ne gérez pas votre argent, c'est lui qui vous gérera».

La quatrième est que les gens omettent d'apprendre et d'appliquer les lois de la fiscalité. «Apprenez les règles du jeu de l'argent et de l'impôt», dit-elle. «Vous êtes en train de jouer le jeu sérieux de la survie financière».

La cinquième raison devrait vous inciter à acheter une bonne assurance-vie.

En sixième et en dernier lieu, Venita Van Caspel dit que les gens n'arrivent pas à acquérir une indépendance financière parce qu'ils n'arrivent pas à développer une mentalité de gagnants. «La ligne de démarcation entre le succès et l'échec est souvent très mince. Elle peut être franchie si le désir peut être stimulé, si un guide compétent est disponible, et si l'encouragement et la motivation sont présents. Il y a plusieurs parties vitales dans la psychologie du gagnant, mais certaines des plus importantes pour l'indépendance financière sont l'attitude, l'effort, l'absence de préjugés, la persévérance, l'enthousiasme, l'habileté de prendre une décision et l'autodiscipline».[*]

Il semble que pour obtenir le succès, la moitié de la bataille est d'arriver à réaliser qu'il n'y a pas de voie facile qui mène au sommet. Planifier l'emploi de son temps et de son argent est difficile et nécessite d'énormes doses d'autodiscipline et de travail ardu. Mais les deux sont nécessaires. Toutefois, si vous considérez ce qui se passera si vous ne le faites pas, le prix à payer n'est pas si élevé.

---

[*] Venita Van Caspel, *Money Dynamics for the New Economy* (New York: Simon and Schuster, 1986), pp. 27-30.

Chapitre 11

Garder une bonne santé physique et mentale

Il y a plusieurs années, Napoleon Hill fit remarquer l'inter-dépendance du corps et de l'esprit. Vous ne pouvez pas avoir un corps sain sans un esprit sain; vous ne pouvez pas non plus maintenir une attitude mentale saine ou penser juste si votre corps ne va pas bien. Alors que ses observations passèrent relativement inaperçues, sauf parmi ses loyaux adeptes personnels, l'intérêt grandissant des derniè-res années pour la médecine holistique valide nombre de ses croyances. L'importance qu'on accorde aujourd'hui à la médecine préventive et à l'attention soutenue aux besoins tant de l'esprit que du corps lui aurait sans aucun doute beaucoup plu.

Napoleon Hill souligna aussi l'importance d'une vie dont le rythme est en harmonie avec notre environnement. «Nous sommes nés dans un monde d'arbres et de monta-gnes et de cieux illuminés par les clairs de lune, peuplé par toutes les formes d'êtres vivants, et sujet aux mêmes lois naturelles que celles qui gouvernent toutes choses, même le plus petit grain de blé», dit-il. «Comprendre ceci nous permettra de nager dans la rivière de la vie et de ne pas épuiser nos forces à nous battre contre elle.[*]

«Les vagues de l'océan, le passage des différentes sai-sons, et la montée et le déclin de la lune nous montrent

---

[*]   «Napoleon Hill Revisited: On Maintaining Sound Physical and Mental Health», *PMA Adviser* (October 1984), p. 6.

qu'il y a des rythmes dans la vie. Il y a un rythme dans notre propre vie depuis la naissance en passant par l'enfance et l'adolescence jusqu'à la pleine maturité et la vieillesse, et finalement la naissance d'une nouvelle génération.

« Rien dans la vie n'est statique ou à l'abri du changement. Il semble y avoir dans la vie un mouvement constant, comme la vague, qui est en réalité une progression de formes rythmiques. Revoyez votre propre vie. Votre vie a-t-elle un rythme ? Faites-vous suivre le travail par le jeu, l'effort mental par l'effort physique, la nourriture par le jeûne, le sérieux par l'humour ? »

Dans leur livre, *Quantum Fitness: Breakthrough to Excellence*, le docteur Irving Dardik et le psychologue Denis Waitley indiquent qu'être réellement en forme est plus que seulement faire de l'exercice, bien manger ou se sentir bien ; c'est une combinaison d'états de bien-être physique, nutritionnel et mental. Ils divisent l'approche holistique de la santé en quatre composantes :

- La force quantique (le pouvoir de l'esprit),
- La nutrition quantique,
- L'exercice quantique, et
- Le bond en avant (comment commander votre potentiel intérieur).

Ils comparent aussi la physique du corps humain à celle de l'ordre de l'univers. « Comme un atome invisible », écrivent-ils, « vous aussi êtes un microcosme de l'univers, composé de beaucoup de systèmes différents ». En organisant votre univers mental personnel et votre univers physique de la bonne manière, promettent-ils, vous pouvez amener vos systèmes-clés dans un « équilibre dynamique. C'est cet équilibre qui vous permettra de vous brancher sur le potentiel illimité de l'énergie individuelle que vous seul possédez ».[*]

---

[*] Dr Irving Dardik and Denis Waitley, Ph.D., *Quantum Fitness: Breakthrough to Excellence* (New York : Pocket Books, 1984), from « Building Blocks to True Fitness ». PMA Adviser (October 1984), p. 4.

L'attitude mentale positive et tout ce que cela suppose est peut-être la seule plus importante qualité nécessaire pour une bonne santé mentale. Deux des forces les plus destructrices dans l'esprit humain sont la peur et son double qui lui ressemble, l'anxiété. Elles tuent l'enthousiasme, détruisent la foi, aveuglent la vision et détruisent l'harmonie et la tranquillité de l'esprit — toutes des qualités nécessaires pour une attitude mentale positive.

Larry Wilson, président de la Wilson Learning Corporation établie à Minneapolis et qui forme 185 000 hommes et femmes par année, a une approche inhabituelle pour faire face à l'anxiété. Il dit aux dirigeants d'imaginer la pire chose qui pourrait arriver dans n'importe quelle situation donnée et de décider ensuite s'ils pourraient vivre avec les conséquences.

La façon dont cela fonctionne ressemble un peu à ceci : imaginez-vous pris dans un embouteillage et en retard pour un important rendez-vous d'affaires. Il n'y a aucune façon d'échapper à la circulation, ni de rejoindre le client par téléphone. Votre anxiété monte peu à peu et vous commencez à penser, « Qu'est-ce qui arrivera si je manque ce rendez-vous ? Mon client sera très fâché. S'il est aussi fâché que ça, il ne voudra probablement jamais me voir. S'il ne me rencontre pas, jamais je n'aurai la commande. Si je n'ai pas la commande, je vais réellement avoir de gros problèmes avec mon patron. Il pourrait même me mettre à la porte. Si je suis mis à la porte, je vais mourir de faim ».

Alors, vous êtes réellement en train de vous dire que si vous êtes en retard pour un rendez-vous, vous allez mourir. Bien sûr, cela est ridicule. Vous n'allez pas mourir. Vous pouvez expliquer ce qui s'est passé, et très vraisemblablement le client va comprendre. Il lui est probablement arrivé la même chose à un moment ou à un autre. S'il ne veut absolument pas coopérer, vous n'allez pas perdre votre emploi à cause d'un rendez-vous manqué. Vous allez vous trouver un autre prospect. Alors pourquoi vous inquiéter à propos de quelque chose que vous ne pouvez pas contrôler ?

Combien de gens connaissez-vous qui ont une crise cardiaque *avant* d'en arriver à ce simple constat? Lorsque leur vie est vraiment en danger, ils réalisent combien ils ont été idiots de s'inquiéter de toutes ces petites choses insignifiantes. Ils deviennent tout à coup des experts du stress, quelque chose qu'ils auraient dû faire bien longtemps avant que le problème n'ait d'aussi sérieuses conséquences.

Il y a deux genres de stress, selon le psychologue clinicien William D. Brown, docteur en psychologie. Dans son livre, *Welcome Stress! It can help you be your best*, il écrit:

«*Eustress* (de la racine grecque *eu* qui signifie «bon») est un genre de stress. Quand vous choisissez la bonne voie qui est plus difficile au lieu de la mauvaise qui est plus facile, quand vous vivez à la hauteur de ce que vous voulez être plutôt que de vous laisser aller à ce que vous pourriez devenir, alors le stress en vous devient de l'eustress.

«Le stress converti en énergie positive est du stress qui vous aide à être le meilleur possible. C'est ce qui vous a permis d'accomplir beaucoup par le passé, d'avoir atteint ces objectifs élevés que vous vous étiez fixés, et qui a contribué à votre réputation de personne fiable, même si parfois vous n'aviez pas envie de respecter vos engagements. Eustress est un stress que l'on convertit et utilise positivement et d'une manière responsable. C'est un aboutissement souhaitable du stress.

«L'opposé de eustress est *détresse* (qui vient de la racine latine *dis* qui signifie «mauvais»). Le stress devient détresse lorsque vous mentez pour la première fois, quand vous trichez ou quand vous luttez pour oublier que vous avez fait quelque chose de mal ou d'illégal, même si les autres ne peuvent jamais l'apprendre.

«Le stress qui devient détresse est celui qui vous sert au moment de votre vie où vous vous montrez sous votre plus mauvais jour. Ceci se produit lorsque vous ne réussissez pas à être la personne que vous pourriez être ou que vous vous arrêtez à des pensées dont vous savez qu'elles vous causeront seulement des difficultés par la suite. C'est de la détresse lorsque vous vous permettez d'aller vers le bas, en choisissant d'être négatif. La pensée négative semble n'avoir jamais besoin de preuves à l'appui comme c'est le cas pour la pensée positive, alors il est beaucoup plus facile d'être pessimiste que d'être optimiste ».[*]

William Brown indique également que ne pas avoir assez de stress est tout aussi possible qu'en avoir trop. Si vous n'avez pas de stress dans votre vie, vous perdez rapidement votre motivation. Combien morne serait la vie si vous n'aviez rien à faire, ou si votre travail n'offrait aucun défi, aucune échéance, aucune pression du tout. La solution est d'équilibrer la quantité de stress que vous vous imposez pour trouver le rythme qui est si important dans votre vie.

Le stress est en grande partie imposé par soi-même. Par exemple, vous vous imposez un stress inutile lorsque vous essayez d'en faire plus qu'il est humainement possible dans le délai accordé, et aussi lorsque vous avez des objectifs contradictoires — comme le directeur qui est déchiré entre la nécessité de couper les coûts en éliminant les emplois et le fait de savoir qu'il va causer du tort à la vie et à la carrière de ses employés s'il les congédie.

Comment affrontez-vous de telles situations? En évitant d'intérioriser les problèmes. Le directeur qui sait qu'il doit congédier des employés s'en occupe positivement; il essaie de trouver à ces gens d'autres opportunités à l'intérieur de l'organisation ou dans une autre entreprise. Si cela n'est pas possible, il les traite avec autant de compassion et de générosité qu'il le peut vu les circonstances. Toutefois, une fois la décision prise, il ne se tourmente plus à ce sujet. Il continue sa vie, sachant qu'il a traité ses employés avec équité et qu'il a fait de son mieux.

William Brown dit qu'une des meilleures façons de passer de détresse à eustress est de refuser de jouer le jeu de "si seulement". « Dire "si seulement"... nous permet de

---

[*]   William D. Brown, Ph.D., *Welcome Stress! It can help you be your best* (Minneapolis: CompCare Publications, 1983), p. 6.

nous prélasser dans le grand luxe de ce qui aurait pu arriver si seulement nous avions investi dans **IBM** à la fin des années 50, acheté une maison il y a des années quand les prix étaient beaucoup plus bas, ou saisi une quelconque autre occasion ratée.

« Substituer "et pourtant"... à "si seulement"... donne une chance de répondre à n'importe quelle obligation, parce que l'accent est mis sur ce qui peut être fait *maintenant* à l'opposé de ce qui aurait pu exister. Dans un ouvrage profond, *Reality Therapy*, William Glasser met l'accent sur commencer là où vous êtes et avec ce que vous avez. Au lieu de retourner dans le passé et de perdre du temps à vous demander comment vous en êtes arrivé là, l'approche thérapeutique de William Glasser est de vous confronter à votre situation actuelle, de vous aider à voir vos choix de façon réaliste, et ensuite de vous soutenir dans le choix d'une voie tracée à la lumière de ces possibilités. Peu importe ce qui s'est passé dans votre vie, quand vous vous reprenez en main et qu'à partir d'où vous êtes vous continuez au lieu de croupir devant une erreur ou une faute appartenant au passé, la détresse peut être contournée ». [*]

Dr Estelle R. Ramey, une endocrinologue connue dans tout le pays, a longtemps étudié les effets du stress sur l'espérance de vie des humains ainsi que sur celle des rats de laboratoire. Ce qu'elle a trouvé chez les deux espèces est que ceux qui contrôlent leur vie vivent plus longtemps. Ceux dont les situations sont contrôlées par quelqu'un d'autre sont beaucoup plus aptes à succomber à une mort provoquée par le stress.

Dans une entrevue avec le *Chicago Tribune*, le docteur Ramey disait, « contrairement à ce que tout le monde croit ou aimerait croire, les hommes et les femmes qui ont réussi, qui sont en haut de l'échelle, qui font les meilleurs revenus, vivent plus longtemps que quiconque. Les gens au sommet ont le contrôle de leur vie et les gens qui contrôlent vivent plus longtemps.

---

[*]   Ibid., pp. 163-64.

« Ce n'est pas le travail ardu. Ce n'est pas la compétition. Ce n'est même pas d'avoir à compter tout cet argent. Ce qui tue c'est de ne pas avoir le contrôle de votre vie ». Le docteur Ramey croit que les cadres moyens sont le plus exposés aux problèmes du stress parce qu'ils n'ont pas autant le contrôle de leur vie que les directeurs généraux.

« Les cadres moyens sont ceux qui se tuent eux-mêmes », a dit le docteur Ramey. « Ils sont hautement sujets à des problèmes cardiovasculaires. Ils sont ceux qui souffrent de stress parce que leur vie n'offre rien de prévisible ni de sûr ».[*]

Le docteur Ramey a trouvé les mêmes caractéristiques chez les rats. « Lorsque les animaux savent à quoi s'attendre », disait-elle, « ils sont capables de supporter le stress. Lorsqu'ils ne peuvent rien prévoir et qu'ils n'ont aucun contrôle, ils commencent à faire des hémorragies internes et ils meurent ».

Charles Mayo, qui a bâti avec son frère la fameuse clinique Mayo à Rochester, au Minnesota, a dit: « L'inquiétude affecte la circulation — le cœur, les glandes, tout le système nerveux. Je n'ai jamais connu un homme qui est mort d'un surcroît de travail, mais j'en ai connu beaucoup qui sont morts à cause du doute ».

Mais le meilleur conseil à propos de choses que vous ne pouvez contrôler vient peut-être de l'auteur Alice Caldwell Rice. Elle a dit: « Ça ne sert pas à grand-chose d'ouvrir votre parapluie avant qu'il ne pleuve ».

La relaxation et le repos sont essentiels à la bonne santé; si l'inquiétude vous empêche de vous reposer ou de vous détendre, elle peut être doublement dommageable. Si vous avez de la difficulté à vous détendre, rappelez-vous que l'esprit conscient est un mécanisme de sélection. Nous choisissons les choses sur lesquelles nous nous concentrons. Si nous concentrons nos pensées et nos énergies sur

---

[*]   Carol Kleiman, « It's not being on top that's unhealthy — it's being in the middle, Chicago Tribune (May 7, 1984), Section 3, p. 3.

un passe-temps ou une distraction, nous oublions les inquiétudes du moment et nous nous relaxons.

Napoleon Hill suggérait d'essayer divers passe-temps, d'en essayer plusieurs. La nature, l'artisanat, les bonnes lectures, la musique et la compagnie d'autres personnes peuvent vous aider à réorienter vos intérêts vers quelque chose d'autre que les problèmes avec lesquels vous vous débattiez. Et là encore, c'est une question d'équilibre et de rythme. Si votre travail nécessite une bonne quantité d'efforts physiques, vos passe-temps devraient être calmes et vous détendre; si vous faites du travail de bureau, vous devriez vous assurer que vos passe-temps comportent de l'activité physique. Le golf, le tennis, le jogging ou seulement faire de longues marches peuvent vous fournir une partie de l'exercice dont votre corps a besoin tout en vous distrayant.

Le docteur Herbert Benson, maître de conférences en médecine au Harvard Medical School et auteur du best-seller *The Relaxation Response*, fut parmi les premiers à présenter au public les effets positifs de la méditation. Il ajouta 10 ans plus tard une autre dimension — «le facteur de la foi». Dans *Beyond the Relaxation Response*, il présente ses arguments en faveur d'une forte croyance en quelque chose; que ce soit un système religieux traditionnel, la foi en soi-même ou encore un état atteint pendant qu'on fait de l'exercice, cela peut diminuer la tension et l'anxiété, abaisser la pression sanguine, enlever la douleur, vaincre l'insomnie, abaisser le taux de cholestérol et réduire le stress d'une façon mesurable.

Le docteur Benson, directeur du service de médecine comportementale et de l'Hypertension Section de l'hôpital Beth Israel de Boston, n'est pas une sorte de mystique qui croit que la foi peut tout vaincre. Il croit que la foi devrait être utilisée de concert avec des soins médicaux appropriés. Mais la foi peut guérir et cela peut être prouvé scientifiquement, dit-il.

Ses études l'ont convaincu que la foi contribue fortement au développement du potentiel intérieur d'une personne.

Dans *Beyond the Relaxation Response*, le docteur Benson décrit en détail ses études sur les moines tibétains de l'Himalaya qui sont reconnus pour accomplir des exploits remarquables avec leurs corps grâce à la méditation. Il écrit: « Si vous croyez réellement en votre philosophie personnelle ou si vous avez foi en votre religion — si vous êtes engagé de corps et d'esprit dans votre vision du monde — vous pouvez très bien être capable, dans votre corps comme dans votre esprit, d'exploits que beaucoup de gens peuvent à peine imaginer ».[*] Il ne prône pas la croyance en aucun système ou en aucune idée en particulier; il dit que c'est l'acte lui-même de croire qui a un pouvoir de guérison.

L'approche du docteur Benson est de laisser le corps et l'esprit travailler ensemble — sans l'aide de médicaments — pour bloquer les actions du système nerveux qui causent le stress, la tension et l'insomnie. Il n'y a pas d'effets secondaires à la méditation, dit-il, sauf la paix et la tranquillité. Voici son approche point par point pour que votre croyance vous aide à demeurer en santé:

1. Si vous vous sentez malade, n'hésitez pas à aller chez le médecin.

2. Trouvez un médecin qui vous est d'un grand soutien et en qui vous avez confiance.

3. Voyez un médecin qui met l'accent sur le positif.

4. Ne vous attendez pas à une ordonnance lorsque vous allez voir le médecin.

5. Si on vous prescrit des médicaments ou une intervention chirurgicale, trouvez pourquoi.

6. Réagissez en utilisant régulièrement la relaxation.

Pour associer le facteur de la croyance à la réaction par la relaxation, il suggère les techniques suivantes:

• Trouvez une courte phrase ou un mot qui reflète votre système de croyance fondamental. Ceci peut être une phrase religieuse comme «Je vous salue Marie, pleine

---

[*]   Herbert Benson, M.D., with William Proctor, *Beyond the Relaxation Response* (New York: Times Books, 1984), p. 8.

de grâce», ou «*Make a joyful noise unto the Lord*»*. Si vous n'avez pas de convictions religieuses, choisissez un mot neutre comme *un*.

- Prenez une position confortable. Asseyez-vous les jambes croisées ou dans toute autre position qui vous détend, mais pas au point de vous endormir — à moins, bien sûr, que vous ne méditiez pour vaincre l'insomnie.

- Fermez les yeux. Ne grimacez pas, ne faites aucun effort; laissez seulement vos yeux se refermer tout naturellement.

- Détendez vos muscles. Commencez avec les pieds et remontez petit à petit jusqu'au cou et aux épaules, étirez et détendez vos bras.

- Prenez conscience de votre respiration, et commencez à utiliser le mot qui est le siège de votre foi et qui vous permet de vous concentrer. Respirez lentement et naturellement. Inspirez, et pendant que vous expirez, répétez silencieusement le mot ou la phrase qui vous permet de vous concentrer.

- Maintenez une attitude passive. Pendant que vous êtes assis tranquillement, répétant votre mot ou votre phrase, d'autres pensées vont commencer à vous venir à l'esprit. Si vous êtes distrait, ne luttez pas. Dites seulement: «Eh bien», et retournez à votre phrase.

- Continuez pendant une période de temps déterminée. Le docteur Benson recommande 10 à 20 minutes. N'utilisez pas la sonnerie du réveil ou toute autre chose qui vous ferait sursauter, gardez plutôt l'heure à portée de votre vue et jetez-y un coup d'œil de temps à autre.

- Pratiquez la technique deux fois par jour. Le moment exact n'en tient qu'à vous, dit le docteur, mais c'est quand l'estomac est vide que la technique semble le

---

* N.d.T. Traduction libre: Qu'un chant d'allégresse s'élève vers le Seigneur.

mieux fonctionner. La plupart des gens utilisent la méthode avant le petit-déjeuner et avant le dîner.

Un autre aspect important du maintien d'une bonne santé est, bien sûr, la nutrition. Il est évident que l'alimentation aura un effet spectaculaire sur votre santé physique, mais c'est seulement durant ces dernières années que la thérapie nutritionnelle a été utilisée par les psychiatres pour traiter les désordres mentaux.

Selon le docteur Stuart M. Berger, cela commença avec le docteur Linus Pauling, deux fois gagnant du prix Nobel, qui expliqua deux concepts importants: «D'abord, qu'un changement dans le comportement et dans la santé mentale peut résulter d'un changement de concentrations des substances variées qui sont normalement présentes dans le cerveau; et ensuite, l'idée que des substances dans notre environnement peuvent avoir un effet profond sur la santé mentale et sur le comportement».[*]

Le docteur Berger fait remarquer que les déficiences nutritutionnelles peuvent affecter chaque tissu et chaque organe du corps, y compris le cerveau. Si le corps est assez longtemps mal nourri, cela peut mener à un métabolisme impropre et finalement à un état de maladie dégénérative.

«Lorsque le métabolisme du cerveau devient désordonné à cause de déficiences nutritionnelles, cela peut changer les perceptions sensuelles du cerveau, et il en résulte des humeurs et des comportements changeants», dit-il.

«La consommation forte d'hydrates de carbone raffinés (farines et sucres), un manque de variété dans l'alimentation, un stress émotionnel ou physique prolongé, l'habitude de consommer alcool et tabac, tout cela mène aux déficiences nutritionnelles».

Le docteur Berger dit que toute substance qui est ingérée dans le corps fréquemment — y compris la nourriture — peut mener à la dépendance. Il cite le docteur

---

[*]   Ibid., pp. 106-17.

Theron Randolph, «le père de notre compréhension moderne des allergies à la nourriture», qui croit que «les symptômes que l'on avait jadis diagnostiqués comme psychosomatiques sont en fait environ 70 % du temps causés par une réaction mal adaptée aux aliments, aux produits chimiques et aux produits d'inhalation». Selon le docteur Randolph: «Si le corps est exposé assez souvent à la même nourriture, il réagit en reconnaissant la substance comme «étrangère» et le système immunitaire du corps prépare une attaque pour repousser l'envahisseur qui, à son tour, produit des symptômes désagréables (le retrait)».

Commentant une étude menée par le docteur John Crayton de l'université du centre médical de Chicago portant sur les effets des allergies occasionnées par la nourriture sur le cerveau, le docteur Berger dit que le docteur Crayton a trouvé qu'il y avait «une relation significative entre des aliments ingérés et un comportement subséquent». Les deux aliments utilisés étaient le lait et le blé.

«Un autre facteur dans le déséquilibre chimique du corps qui peut affecter les humeurs et le comportement», dit le docteur Berger, «c'est les "messagers" biochimiques connus sous le nom de neurotransmetteurs, et s'il se produit un changement dans l'un d'eux, il y a un changement analogue dans la façon dont une personne pense et se sent».

Ici encore, les experts semblent dire que dans toutes choses — y compris l'alimentation — la variété semble être l'approche souhaitable. Les docteurs Dardik et Vaitley recommandent beaucoup de variété dans l'alimentation. Ils conseillent d'éviter les grandes quantités de viandes et de gras, et de leur préféré plutôt le poisson, la volaille, les légumes, les fruits et les céréales.

Dans *Quantum Fitness*, ils discutent des recherches récentes sur les effets des rythmes du corps et de la théorie de la «balle de set», les deux semblant influencer de façon significative le poids du corps. Pour les chercheurs, disent-ils, le résultat évident est de découvrir que les gens fonctionnent plus efficacement avec des repas plus légers et plus fréquents qu'avec les petits-déjeuners, les déjeuners et les dîners traditionnels.

Les docteurs Dardik et Waitley prônent quatre repas par jour, chacun égal en calories. Ils disent qu'un tel régime provoque une digestion plus rapide, plus facile, un taux de sucre plus stable dans le sang, un appétit modéré et un niveau d'énergie élevé et constant qui résulte d'une diminution du stockage de gras.

En ce qui concerne la théorie de la balle de set, ils disent qu'on a trouvé des preuves significatives qui indiquent que nos corps arrivent à un niveau de gras qui est psychologiquement agréable. Même si nous réduisons notre absorption de calories, le métabolisme de notre corps diminue pour nous maintenir à notre « équilibre en gras », et il en résulte peu de changement de poids, si changement il y a. L'arme la plus efficace pour changer votre propre balle de set, disent-ils, est l'exercice. Et sans tenir compte de la théorie de la balle de set, nous pouvons et nous devrions demeurer responsables d'un choix d'aliments qui maximalise la santé, la performance et la longévité.

Peter M. Miller, fondateur de l'institut de santé Hilton Head, est d'accord avec la proposition des quatre repas. Il écrit, dans *The Hilton Head Executive Stamina Program:* « Votre corps a besoin de son carburant à doses modérées durant toute la journée pour maintenir l'énergie des substances nutritives à leur niveau optimal dans vos cellules. Si vous ne faites habituellement qu'avaler une tasse de café et un jus de fruit au petit-déjeuner et que vous ne prenez pas de déjeuner avant 14 heures, *vous fonctionnez bien en-dessous de votre niveau le plus élevé de résistance pendant plus de la moitié de la journée.* Votre esprit et votre corps ne peuvent pas fonctionner sans carburant.[*]

« En répartissant votre ingestion de nourriture au long de la journée », dit-il, « vous brûlez également les calories plus efficacement que vous ne le feriez en vous nourrissant

---

[*]   Stuart M. Berger, M.D., « Nutrition's the key to mental health », New York *Post* (August 26, 1986), p. 18.

de toute autre manière. Les études que j'ai faites sur le métabolisme pour aider les gens à perdre du poids ont vérifié ce fait maintes et maintes fois. La raison repose sur un phénomène appelé *thermogénèse du régime alimentaire*. Quand vous prenez un repas, votre corps commence à brûler des calories à un rythme plus élevé que la normale. La nourriture en fait stimule le processus naturel de votre corps de brûler des calories. Bien sûr, si vous mangez plus que votre corps n'est capable de brûler vous allez engraisser, mais si vous mangez quatre repas de quantité modérée par jour, *votre métabolisme déclenchera une augmentation du taux de calories brûlées pendant deux ou quatre heures après chaque repas*».

Le docteur Miller recommande aussi une alimentation à basse teneur en protéines et en matières grasses et élevée en carbohydrates tels que les légumes, les céréales, les pâtes alimentaires, le pain, les pommes de terre et les fruits. Tout comme de nos jours la plupart des experts en santé, il recommande aussi beaucoup de fibres dans l'alimentation, telles que les céréales, le pain au blé entier, les pommes de terre, les fruits et les légumes à teneur élevée en fibres comme les brocolis, les carottes, les haricots, les oranges, les fraises, et ainsi de suite.

Il déconseille fortement de manger quoi que ce soit qui contient du sucre raffiné, mais pour les fanatiques du chocolat qui n'abandonneront jamais définitivement les sucreries, il dit que si vous vous en tenez à deux petits passe-droits par semaine, votre système peut l'absorber.

Le docteur Miller n'y va pas de main morte non plus avec la caféine, l'alcool et le sel. Il conseille de boire davantage de liquide comme de l'eau ou des boissons sans caféine et d'éviter les stimulants.

Le nombre de livres qui traitent de nutrition et de diète atteint sans doute les milliers; il se passe peu de jours sans que ne soit présentée un nouveau régime à la mode. Bien sûr, il serait impossible ici d'approfondir entièrement le sujet. Il suffit de dire que toute diète devrait être envisagée avec les conseils de votre médecin, et que vous devriez faire preuve de bon sens dans vos habitudes alimentaires. Si vous voulez en savoir plus sur la façon dont votre alimentation affecte votre rendement et votre santé physique et mentale, les deux livres cités ici, *Quantum Fitness* et *The Hilton Head Executive Stamina Program* sont deux des meilleurs qu'il nous a été donné de lire.

Les deux livres offrent aussi de bons conseils à propos de l'exercice physique. Les docteurs Dardik et Waitley font entièrement le tour du sujet, depuis le jogging traditionnel et les pompes jusqu'aux exercices jamais vus d'étirement et d'endurance utilisés par les entraîneurs olympiques. L'approche du docteur Miller est conçue pour les dirigeants occupés qui passent beaucoup de temps en position assise; beaucoup de ses exercices, qui sont illustrés, peuvent être faits au bureau.

Que vous suiviez leurs suggestions ou tout autre programme de sources différentes, la chose importante est qu'il vous faut parvenir à équilibrer votre vie par l'exercice. Adoptez un programme d'exercices qui convient à votre âge, à votre taille, à votre poids et à votre style de vie, puis respectez-le. L'exercice peut ajouter jusqu'à deux années à votre vie si vous en faites avec modération, aux dires d'une recherche dont les résultats ont paru dans le *New England Journal of Medecine*, et ont été cités dans le magazine *Newsweek*.

La recherche, commencée au milieu des années 60, incluait 17 000 anciens étudiants de Harvard âgés entre 35 et 74 ans. Le docteur Ralph S. Paffenbarger, junior, et ses collègues de l'école de médecine de l'université Stanford ont demandé aux participants de compléter des questionnaires détaillés sur leur état général de santé et sur leurs habitudes de vie. Un suivi de recherche datant de 1978 montra que les hommes qui brûlaient au moins 2 000 calories par semaine en faisant de l'exercice «avaient un taux de mortalité d'un quart à un tiers moins élevé que ceux qui brûlaient moins de calories.

«Le niveau d'activité qui prolonge la vie cité dans le rapport est l'équivalent de cinq heures de marche rapide, environ quatre heures de jogging, ou un peu plus de trois heures de squash. Plus d'exercice signifiait plus de chance de vivre longtemps — jusqu'à un certain point. Un programme qui faisait brûler plus de 3 500 calories avait tendance à causer des lésions qui annulaient la plupart des bénéfices obtenus par l'exercice ».*

La recherche, dont *Newsweek* dit qu'elle était la première à indiquer un effet favorable pour lutter contre la mortalité causée par toutes sortes de maladies, montrait que l'exercice aidait même s'il y avait des antécédents de mort à un jeune âge dans la famille. Même parmi les fumeurs, l'exercice réduisait la mortalité d'environ 30 %. L'exercice est effectivement bon pour vous physiquement, et vous vous sentez bien mieux lorsque vous êtes en forme.

Aucune discussion sur le maintien d'une bonne santé physique et mentale ne serait complète si on ne mentionnait pas les effets nocifs de l'alcool, du tabac et des narcotiques. Chaque société décide ce qu'elle permettra et ce qu'elle ne permettra pas ; chaque individu doit décider pour lui-même si oui ou non il en prendra.

Alcool et tabac sont parfaitement légaux dans notre société, et plusieurs croient qu'il n'est pas nocif de fumer et de boire avec modération. La société est toutefois devenue de moins en moins tolérante et exerce une pression grandissante pour bannir la cigarette et réduire la consommation d'alcool. La clameur publique contre les drogues illégales en a aussi forcé plusieurs à sonder leur conscience à propos des stimulants légaux qu'ils ingèrent.

Le soutien populaire pour éliminer la cocaïne et d'autres drogues nocives aura, nous l'espérons, un effet positif sur les attitudes en public. Il est maintenant socialement acceptable de dire non à l'usage de tout stimulant, et nous pourrions voir le jour où les drogues ne seront plus un problème dans ce pays. Quoi qu'il arrive, dans la société ou au Congrès où à la Maison Blanche, ces choses-là n'ont

---

* Peter M. Miller, Ph.D., *The Hilton Head Executive Stamina Program* (New York : Rawson Associates, 1986), pp. 45-56.

simplement aucune place dans la vie d'un gagnant. Tout ce qui vous permet de planer artificiellement est éphémère et ne peut se comparer avec le niveau que vous pouvez atteindre en prenant soin du plus grand cadeau que vous avez — un esprit et un corps en santé. Comme le veut le vieux proverbe arabe : « Celui qui a la santé, a l'espoir ; celui qui a l'espoir, a tout ».

Troisième partie

Des principes de la fraternité

Vous n'avez pas à voyager loin aux États-Unis pour vous rendre compte qu'il est exact que « 90 % des gens dans ce pays vivent sur 10 % de sa superficie ». Des nombres incroyables de personnes sont entassés dans des espaces urbains relativement petits. Roulez sur n'importe quel périphérique autour de Los Angeles ou sur le New Jersey Turnpike en allant de New York à Philadelphie, et il est difficile de dire où se termine une ville et où commence la suivante. Pourtant, là-bas, dans le « vaste cœur » du pays, des kilomètres et des kilomètres de grands espaces s'étirent à l'infini.

Une telle concentration n'est pas vraiment nécessaire dans la société technologique actuelle. Nous ne dépendons plus des centres de navigation sur les côtes ou des centres de transport du Midwest pour faire parvenir les marchandises aux marchés ou les produits aux consommateurs. Des réseaux étendus de transport et de distribution, des ordinateurs portatifs et des services abordables de télécommunication sont à la disposition de pratiquement tout le monde. Nous pourrions vivre ou travailler n'importe où.

Cependant nous choisissons de nous rassembler. Peut-être que cela relève de nos instincts tribaux, mais cela met en évidence que nous croyons pouvoir accomplir beaucoup plus en travaillant ensemble que ce que n'importe lequel d'entre nous pourrait accomplir séparément.

Comme le veut le vieil adage, « Il n'y personne parmi nous qui soit plus malin que nous tous ». Même si on a beaucoup parler de l'introspection passive et de l'air calme et pensif, il n'y a rien de tel que le «rush» qui accompagne le succès d'un cerveau collectif. Lorsque deux ou plusieurs personnes sur la même longueur d'onde se connectent dans un esprit de parfaite harmonie pour travailler à la réalisation d'un objectif commun, la puissance générée n'est rien de moins qu'impressionnante.

L'autre principe de la fraternité — le travail en équipe — est devenu de plus en plus important dans le monde complexe et interdépendant d'aujourd'hui. Ces temps-ci, ce n'est pas seulement en politique qu'on trouve de drôles d'alliances; quelques-unes des unions les plus invraisemblables ont eu lieu dans l'arène des affaires. Des cœntreprises, des alliances stratégiques et des partenariats se forment régulièrement dans le but de donner un effet de levier à des membres disparates d'une équipe à la poursuite d'un objectif provisoirement partagé.

Beaucoup d'alliances dans l'investissement de risque et d'associations stratégiques incluent la durée de vie du partenariat dans le contrat. De telles ententes reconnaissent de façon réaliste qu'une équipe peut bien être une unité qui change continuellement, mais qui — au moins provisoirement — est beaucoup plus forte que la somme de ses parties individuelles.

La troisième partie de ce livre analyse les principes du cerveau collectif et du travail en équipe, et illustre comment vous pouvez appliquer ces principes dans votre propre vie.

Chapitre 12

Le cerveau collectif

Le concept existe depuis longtemps. Napoleon Hill écrivait qu'Andrew Carnegie inventa le terme *cerveau collectif* pour décrire un groupe de dirigeants importants qui unissaient leurs talents pour former un tout dont la somme de production totale excédait de loin la somme de l'apport de chacun de ses membres pris un par un — une sorte de synergie intellectuelle. Andrew Carnegie avait la réputation de ne pas connaître grand-chose de la partie technique de la sidérurgie ; sa plus grande force était son habileté à faire travailler les autres ensemble et en parfaite harmonie en vue d'atteindre un objectif commun. Ce talent a fait de lui un homme très riche.

Napoleon Hill valorisait tellement le concept de cerveau collectif qu'il commence son livre : *Les Lois du succès*, par un long exposé sur le sujet. Selon lui, une grande partie du gigantesque succès d'Henry Ford provint de la façon astucieuse dont il appliquait le principe du cerveau collectif, on a pu voir en voir un bel exemple dans une salle de tribunal à Chicago.

Il raconte que durant la Première Guerre mondiale, un article du *Chicago Tribune* qui qualifiait Henry Ford de « pacifiste ignorant, ignoramus » incita celui-ci à poursuivre le journal pour propos diffamatoires.

Les avocats du *Tribune*, appuyant leur défense sur la maxime selon laquelle la vérité ne peut être une calomnie, tentèrent de prouver qu'Henry Ford était vraiment une personne ignorante. Ils le bombardèrent de questions sur des sujets qui allaient de l'histoire à la technique. Henry Ford répondit patiemment à leurs questions pendant plus d'une heure.

Finalement, exaspéré par ce qu'il considérait une question particulièrement idiote, Henry Ford rétorqua. «Si je désirais réellement répondre à la question stupide que vous venez de me poser ou à tout autre que vous m'avez posée, laissez-moi vous rappeler que j'ai une rangée de boutons sur mon bureau et qu'en appuyant sur le bon bouton, je pourrais faire appel à des hommes qui sauraient me donner la bonne réponse à toutes les questions que vous avez posées et à plusieurs que vous n'avez pas l'intelligence de me poser. Maintenant, seriez-vous assez aimable de me dire pourquoi je devrais me tracasser pour me remplir l'esprit avec une série de détails inutiles, pour répondre à n'importe quelle question idiote que quiconque peut poser, quand j'ai autour de moi des hommes compétents qui peuvent me fournir tous les faits que je veux quand j'en ai besoin? »[*]

La cause traîna en longueur pendant des mois, créant beaucoup d'agitation dans le palais de justice minuscule de Macomb County à Mt. Clemens, au Michigan, où avait lieu le procès. Comme les journalistes envoyaient leurs rapports tous les jours par télégraphe à 15 000 hebdomadaires et à 2 500 quotidiens, les opinions d'Henry Ford se sont répercutées à travers le monde.

Henry Ford a dû se satisfaire d'une victoire morale, même si sa poursuite pour dommages s'élevait à un million de dollars. Le jury se déclara en sa faveur mais ne lui accorda que six cents en dommages et six cents en frais de cour. Néanmoins, il a certainement impressionné l'avocat qui l'interrogeait, et il a exprimé dans ses déclarations officielles la confiance inébranlable qu'il avait dans son équipe de gestion — son cerveau collectif.

---

[*] Napoleon Hill, «Master-Mind Alliance», *Law of Success* (Chicago: Success Unlimited, Inc., 1979), p. 98.
Les lois du succès / Trad. Les entreprises Raymond Morissette inc., Un monde différent, 1983.

Depuis l'introduction de l'idée du cerveau collectif il y a plusieurs années, le concept a subi maints remaniements, mais le principe est demeuré essentiellement le même. Appelez ça comme vous voudrez, lorsque vous réunissez les bonnes personnes dans les bonnes conditions, les résultats peuvent être impressionnants.

Vous l'avez peut-être vu à l'œuvre vous-même. Dans une réunion ou dans une séance de brainstorming lorsque tout finit par simplement *se mettre en place*, les idées s'échafaudent les unes sur les autres, venant de chacun des membres qui contribuent activement au processus jusqu'à ce que survienne, de cette activité du groupe, la meilleure solution au problème, l'idée fantastique de marketing ou celle d'un nouveau produit révolutionnaire.

Prenez la force d'une idée qui est le meilleur résultat de la réflexion un groupe de personnes bien informées, chacune contribuant selon son aptitude, son expertise, son expérience et ses antécédents — élevez ce résultat à la puissance 10[*], et vous venez tout juste de commencer à entrevoir l'énergie que peut générer et soutenir un groupe de personnes qui pensent de la même façon et qui travaillent ensemble en parfaite harmonie pour réaliser un objectif unique.

Ces dernières années, nous avons assisté à l'institutionnalisation du cerveau collectif sous des étiquettes diverses et variées. Nous avons vu des consortiums d'informatique partager la recherche, l'industrie automobile de notre pays s'aligner sur les compagnies étrangères pour donner un effet de levier à leurs forces de production et de marketing, les conglomérats multinationaux former des partenariats avec de petites entreprises qui percent dans la haute technologie, et des cabinets de comptables former des alliances stratégiques avec des entreprises de relations publiques et de marketing.

Le plus connu d'entre eux est peut-être la Microelectronics and Computer Technology Corp (MCC), un con-

---

[*] Matt Clark with Karen Springen, « Running for your Life, A Harvard study likens exercise with longevity », *Newsweek* (March 17, 1986), p. 70.

sortium de recherche de fabricants américains de semi-conducteurs et d'ordinateurs, qui a son siège social sur le campus de l'université du Texas à Austin. Organisé en 1983, le consortium était l'idée personnelle de William C. Norris, fondateur et pendant plusieurs années président-directeur général de la Control Data Corporation située à Minneapolis.

Les 11 entreprises membres et fondatrices du début sont maintenant passées à 21, comprenant des joyaux comme 3M, Bell Communications, Rockwell, RCA, Motorola, Eastman Kodak et Honeywell. Chacune paie approximativement un million de dollars par action pour le privilège de participer à des programmes dont les sujets touchent surtout le développement du logiciel, la technologie des semi-conducteurs, le dessin assisté par ordinateur pour les systèmes à grande échelle et l'intelligence artificielle. Le budget de MCC pour le consortium dont la durée de vie est prévue à 10 ans est de près de 700 millions de dollars.

Dans un pays fondé sur les principes de la concurrence et de la libre entreprise, une telle coopération représente un changement majeur dans les attitudes des entreprises qui se livrent concurrence. Les entreprises participantes fournissent environ le tiers du talent; les autres deux tiers du personnel de recherche avaient été directement recrutés par MCC. Toutes partagent les résultats des programmes auxquels elles participent.

Au moment d'écrire ces lignes, il est trop tôt pour prédire le résultat de ce groupe d'experts, mais l'amiral Bobby Inman, qui présidait le consortium encore tout récemment, disait en 1986 à la revue *Chief Executive* que MCC produisait en série des rapports sur la technologie avancée dans plusieurs domaines et «était en pourparlers avec des avocats en propriété industrielle dans plusieurs secteurs». Le consortium était déjà en train de se préparer à transférer la technologie aux entreprises membres, et en train de finaliser les accords de licence en prévision des percées à venir.[*]

---

[*] J.P. Donlon, «Technology Venturer Bobby Inman Nears the First Hurdle», *Chief Executive* (Spring 1986), pp. 30, 32-33.

Les autres exemples d'alliances complexes sont abondants. Pour étendre ses intérêts dans la bionique et la biotechnologie — le prochain domaine en vogue de la technologie de pointe si l'on en croit certains experts — W.R. Grace & Co. a récemment formé une co-entreprise avec Cetus, une entreprise de génie génétique, pour développer des espèces de plantes plus résistantes, et a cimenté une alliance avec Symbion de Salt Lake City par un investissement de 5,3 % dans l'entreprise. Symbion fabrique pour les services médicaux des appareils aussi peu courants que Jarvik-7, un cœur artificiel conçu par le fondateur et président de l'entreprise, le docteur Robert K. Jarvik, et une oreille artificielle qui permet à des gens atteints de «surdité profonde» d'entendre.

La commercialisation des produits de haute technologie a donné naissance à beaucoup d'alliances peu probables. L'intention, bien sûr, est de capitaliser sur les prouesses en marketing et en finances des grosses multinationales jumelées à la souplesse et à l'aptitude à réagir rapidement des plus petites entreprises fonctionnant sur la technologie.

Une association efficace peut être une force formidable sur le marché.

Les nouvelles versions du cerveau collectif ne sont toutefois pas limitées aux soi-disantes entreprises de haute technologie. Comme la concurrence s'accroît de plus en plus dans l'industrie automobile, les alliances entre les constructeurs automobiles couvrent la planète. Les constructeurs étrangers fabriquent des voitures ici, les constructeurs américains assemblent des automobiles dans d'autres pays, et les alliances sont devenues si nombreuses et si exotiques qu'on a besoin d'une carte du monde pour situer les partenaires.

Le changement — profond et douloureux — a ébranlé l'industrie et continuera ainsi pendant encore des années, selon l'opinion du *Time Magazine*. En deux ans, les trois grands de l'automobile «ont englouti approximativement 20 milliards de dollars dans de nouvelles usines à technologie de pointe et dans d'autres formes de modernisation pour réduire les coûts et augmenter l'efficacité. Ils ont aussi conclu de nouvelles conventions avec les syndicats pour augmenter la productivité et mettre fin à l'inefficacité de la bureaucratie des cols blancs. En envoyant à l'extérieur du pays un nombre grandissant de commandes de pièces, ils ont changé de façon draconienne leurs réseaux traditionnels de fournisseurs. Les grands constructeurs automobiles américains ont révisé la conception de ce qu'ils avaient à offrir, parfois de façon radicale et souvent avec l'aide de leurs nouveaux partenaires étrangers, et ils ont mis ces produits en marché avec une agressivité et un caractère nouveaux ». *

Une entreprise ultra-conservatrice qui a emboîté le pas à ses comparses de la technologie de pointe est Ore-Ida Foods Inc., une filiale de H.J. Heinz Co à Boise, en Idaho. Ore-Ida a introduit un programme «Boursiers», sur le modèle de ce qui existait déjà chez IBM et chez Texas Instruments, qui est conçu pour exploiter les bonnes idées en provenance des employés. L'entreprise donne 50 000 dollars à des employés qui se portent volontaires comme boursiers en plus de leur travail régulier. Les hommes et les femmes qui sont choisis sont des gens que les autres travailleurs connaissent et avec lesquels ils se sentent à l'aise. Avec leur allocation de 50 000 dollars, les boursiers subventionnent les idées des employés qui leur semblent bonnes — sans avoir à suivre les filières bureaucratiques normales.

Le programme a déjà rapporté de gros dividendes. Il a déjà donné naissance à un nouveau produit, les pelures de pommes de terre congelées et l'entreprise, qui vaut un milliard de dollars, s'attend à ce qu'il devienne pour toujours un des produits qui se vendent le mieux; le programme a aussi donné naissance à de nouvelles balances informatisées (subvention: 15 000 dollars) qui ont déjà fait

---

* George Russell, «The Big Three Get in Gear», *Time* (November 24, 1986), p. 64.

épargner plus de 2 millions de dollars à l'entreprise et à beaucoup d'autres mesures de réduction des coûts et d'augmentation de la productivité.

Plus fondamentalement, le programme a eu de l'influence sur un changement significatif dans la façon dont l'entreprise fonctionne. Le président-directeur général Paul I. Coddry a dit au *Business Week* qu'avant d'avoir mis en place le programme des boursiers, l'entreprise « travaillait de façon assez classique, elle assignait un nouveau produit donné à sa division de recherches et de développement et distribuait ensuite les différents aspects du développement à des spécialistes. Pour un nouveau produit issu de la pomme de terre, une partie allait au gars qui connaissait la friture et une autre allait au gars qui composait de bonnes recettes.

« Ce système fragmenté a été remplacé par une façon de travailler en équipe qui coordonne les responsabilités de chaque individu et qui a pour conséquence l'engagement du groupe de mener un projet à terme ».[*]

Dans le milieu des grandes entreprises, les cerveaux collectifs se répandent partout dans le monde sous des formes nouvelles et excitantes, apportant avec elles de nouvelles façons de fabriquer et de vendre des produits. Le principe du cerveau collectif fonctionne aussi avec les procédés anciens aussi bien que traditionnels. Tout ce dont vous avez vraiment besoin pour former un cerveau collectif est de deux esprits compatibles qui travaillent en harmonie vers la réalisation d'un but commun.

Le cerveau collectif de Dick et Jinger Heath a fait passer BeautiControl Cosmetics, Inc. (de Carrollton, un faubourg de Dallas, au Texas) d'une perte de 65 000 dollars en 1981 à un revenu qui battait tous les records en 1986, un revenu de 3,3 millions de dollars ou 87 cents par action sur des ventes de 23 millions de dollars. Les résultats de l'exer-

---

[*]   « Ore-Ida's Crop of Homegrown Entrepreneurs », *Business Week* (June 11, 1984), p. 154 H, 154 J.

cice financier de 1986 dépassèrent le budget de 63 % en revenu net et de 43 % en surplus de ventes pour l'année.

La croissance de l'entreprise a quelque peu ralenti dernièrement, reflétant la baisse économique dans les États producteurs d'énergie qui représentent 36 % des revenus de l'entreprise. Pour maintenir les ventes et les profits à un haut niveau, dit Dick Heath, la direction a mis en place des programmes de contrôle des coûts, elle a instauré un programme énergique de développement de territoire pour augmenter sa part du marché dans les États en dehors de la ceinture de l'énergie et elle a développé un nouveau concept passionnant de marketing qui sera appuyé par une grande campagne de publicité d'envergure nationale.

Le duo dynamique qui dirige cette entreprise florissante est une équipe formée du mari et de la femme (équipe que Napoleon Hill considérait idéale pour le développement d'un cerveau collectif) qui ont combiné leurs forces et leurs énergies pour atteindre un objectif commun. Ce fut l'idée de Jinger d'offrir une analyse gratuite des couleurs qui vous conviennent, avec le concours des produits de beauté codifiés par couleurs et mis en marché par un ensemble de représentantes composé de femmes de carrière. Le plus récent de ses développements à connaître le succès est le « Personal Image Profile » qui offre à la femme une analyse informatisée précise de son type de corps, de la forme de son visage, des produits cosmétiques et des vêtements qui lui conviennent, et qui enseigne aux femmes « l'art de se présenter sous leur meilleur jour ». Jinger préside au conseil d'administration, dirige le développement des produits et des concepts ainsi que le contrôle de la qualité des produits cosmétiques et de la ligne de vêtements de l'entreprise.

Dick, qui est président-directeur général, contribua au partenariat avec ses 20 ans d'expérience de vente directe. Ce furent ses stratégies de marketing, de recrutement et de gestion qui ont fait de BeautiControl une des 100 sociétés anonymes par actions à la croissance la plus rapide en Amérique durant ces cinq dernières années. Les deux associés reçoivent exactement le même salaire pour leurs efforts (de très hauts salaires) ainsi qu'un programme de prime de rendement sur la base des profits avant impôt et d'autres avantages divers accordés aux dirigeants.

Les Heath commencent chaque journée par un jogging dans les environs, là où ils viennent d'acheter une nouvelle maison d'un million de dollars. Ils prennent le petit-déjeuner ensemble, puis Jinger va conduire ses enfants à l'école avec d'autres écoliers dans sa nouvelle Mercedes avant de rejoindre Dick au bureau.

Le bureau est un édifice de 5 600 m² à Carollton, où se trouvent les bureaux de direction de l'entreprise ainsi que ses installations de fabrication, de distribution et d'entreposage. C'est là que BeautiControl fabrique ses bases de maquillage en 17 tons, ses rouges à lèvres en 14 tons, ses crayons à sourcils en 11 tons et une panoplie d'autres produits de beauté et de soins de la peau, ainsi que des articles de toilette pour femmes.

Les produits sont vendus avant tout dans des « cliniques maison » par plus de 10 000 consultantes formées par BeautiControl, et qui aident les 410 000 clientes de l'entreprise à trouver les bonnes couleurs, celles qui s'harmonisent le mieux avec leur teint naturel.

En mars 1986, l'entreprise s'est inscrite en bourse électronique Nasdaq et en août de la même année, elle fit paraître un prospectus pour émettre 10 000 actions supplémentaires qu'elle allait utiliser comme prime d'encouragement pour ses consultants sous forme d'un programme appelé « la propriété par le leadership ».

Comment se fait-il que certaines personnes semblent avoir le don de former des alliances et d'obtenir le maximum d'un partenariat ou d'un groupe alors que d'autres sont toujours à couteaux tirés ? Certains chercheurs croient que cela commence dès l'enfance. Dans tout groupe d'enfants, il semble toujours y en avoir un qui est le médiateur des disputes, qui réussit à analyser les différences qui mènent à la confrontation et qui règle les conflits dans la bonne humeur.

Ces enfants, dit un rapport sur la question dans le *New York Times*, grandissent et connaissent le succès. Les chercheurs démontrent que «Les plus compétents sont ceux qui ont un talent sûr pour comprendre les motifs et les désirs des autres quel que soit ce qui est dit ou ce qui est fait en apparence». Ils semblent se comprendre eux-mêmes, savoir ce qu'ils veulent réellement quel que soit ce qu'ils se retrouvent en train de dire. «Ce genre d'empathie associé à la compréhension de soi, suggère le rapport, est souvent lié à la confiance en soi et à un désir de pouvoir. Ce qui en résulte, c'est une personne qui est capable de concilier ses motifs avec ceux des autres pour arriver à trouver une solution à un problème qui en fait était latent».[*]

Ces enfants une fois adultes, dit le rapport, ont une capacité naturelle à identifier ce que chaque membre a derrière la tête et à mener le groupe vers une direction productive en réconciliant les motifs de chaque individu avec les objectifs globaux du groupe.

Alors que c'est une aptitude qui semble innée chez certaines personnes ou acquise d'une façon ou d'une autre durant l'enfance, elle peut être apprise, selon W. Clement Stone. Il propose les conseils suivants pour développer un groupe en cerveau collectif:

1. Commencez par vous mettre au diapason de chacun des membres du groupe. Essayez d'imaginer comment vous réagiriez dans une situation donnée si vous étiez à leur place.

2. Soyez attentif au langage corporel. Parfois les expressions du visage et les mouvements en disent beaucoup plus sur ce qu'une personne ressent que les mots qui sortent de sa bouche.

3. Soyez sensible à ce qui n'est pas dit. Parfois c'est beaucoup plus important que ce qui est dit.

---

[*] Daniel Goleman, «Influencing Others: Skills are Identified», *New York Times* (February 18, 1986), pp. C1, C15.

4. Assurez-vous que votre cerveau collectif a un objectif bien précis et que chaque membre de l'équipe comprend parfaitement l'objectif du groupe.

5. Choisissez pour membres de l'alliance des individus dont l'éducation, l'expérience et l'influence conviennent le mieux pour atteindre les objectifs.

6. Décidez ce que chaque membre du groupe recevra pour sa participation. Soyez juste et généreux, et rappelez-vous que dans de tels partenariats, le principe d'en faire toujours un peu plus est particulièrement important. Comme leader, vous devriez donner l'exemple qui entraînera les autres.

7. Créez un milieu non menaçant. Explorez toutes les idées avec autant d'intérêt que d'attention pour les sentiments de ceux qui les ont émises.

8. Sachez quand faire progresser le groupe. Lorsqu'une personne commence à monopoliser la conversation, résumez la discussion et passez au sujet suivant.

9. Choisissez un lieu et un moment précis pour vous rencontrer, faites votre rapport au groupe, et restez en communication.

10. Attribuez des responsabilités spécifiques et déterminez des actions à prendre.

11. Rappelez-vous que c'est votre responsabilité comme leader du groupe de maintenir la paix et de vous assurer que tous les membres du groupe travaillent ensemble et individuellement à la réalisation d'un objectif commun.

12. Limitez le groupe au nombre de personnes nécessaires pour faire le travail, compte tenu de sa complexité et de son envergure. En général, plus le groupe est petit, plus il risque d'être productif.

Des conseils supplémentaires sur la direction des travaux en groupe viennent de Sheldon D. Glass, maître assistant en psychiatrie et en pédagogie à l'université Johns Hopkins et auteur de *Life Control*, une étude sur la dynamique de groupe. Le docteur Glass ne tente pas d'expliquer le comportement des groupes. Il se concentre plutôt sur le processus par lequel passe tout groupe (sa définition du groupe va du mari et de la femme jusqu'aux Nations unies) qui poursuit un objectif commun.

Il y a quatre phases. La première est la phase d'introduction — le moment où les nouveaux objectifs sont mis en place et acceptés. Elle est caractérisée par l'exaltation, voire l'euphorie. Vous vous souvenez sans doute d'un moment où vous-même ou quelqu'un d'autre dans votre groupe a proposé une idée qui a semblé extraordinaire à ce moment-là, mais qui a été reportée à plus tard et finalement rejetée.

La deuxième phase, selon la théorie du docteur Glass, est le test de la résistance, lorsque le groupe réagit anxieusement au changement rendu nécessaire par les nouveaux objectifs; il peut s'agir d'une résistance inhérente au changement, ou il peut s'agir simplement de tester les leaders pour voir s'ils sont à la hauteur du processus. De toutes façons, lorsqu'il s'agit de tester la résistance, les membres du groupe (parfois sous prétexte de se faire les avocats du diable) remettent en question le coût, le moment, la bonne volonté d'un plus grand groupe à accepter l'idée, ou font valoir on ne sait combien d'autres raisons pour lesquelles l'idée ne marchera pas.

Dans la troisième phase, ou phase productive, le groupe s'attelle à la tâche. Après avoir réglé le test de la résistance, on se donne des délais, on se partage des responsabilités et on fixe la date de la prochaine rencontre. Dans la phase de la productivité, toutes les étapes nécessaires à l'accomplissement de la tâche sont menées à bien.

La phase finale, la conclusion, est lorsque le projet est mené à terme. Les comités provisoires sont dissous ou le projet est confié à un autre service (du service de recherche et développement au service de production, par exemple). Même si elle peut ne pas sembler aussi importante que les autres phases, le docteur Glass croit que sans la phase de conclusion, le groupe se retrouve avec l'impression tenace que quelque chose n'a pas été accompli, que la boucle n'a jamais été bouclée.[*]

---

[*] « How To Lead A Group », *PMA Adviser* (March 1983), pp. 2, 5.

Bien sûr, ceci est la simplification d'un sujet très complexe, mais l'opinion du docteur Glass est que la plupart des groupes passeront par ce processus. Si un leader essaie de forcer un groupe à avancer trop vite — de la phase d'introduction à la phase de production, par exemple — généralement quelqu'un dans le groupe reviendra à la phase du test de la résistance. Pour être un leader efficace de votre cerveau collectif, vous devez apprendre à lire le groupe et à le guider à travers les phases jusqu'à ce que vous atteigniez votre objectif commun.

Comprendre le processus du groupe augmentera votre efficacité et vous rendra plus tolérant quant aux objections. Vous savez qu'une fois passé le test de la résistance, le groupe se mettra au travail. Vous pouvez alors façonner le groupe en une unité dont l'harmonie de l'objectif deviendra une force puissante pour atteindre vos buts communs.

Vous remarquerez sans doute des similitudes entre les principes du travail en équipe et le cerveau collectif. Il aurait été possible de jumeler les deux en un seul principe, mais faire cela aurait eu l'effet de diminuer l'importance des différences entre les deux.

Le travail en équipe peut être fait par n'importe quel groupe — même celui dont les membres ont des intérêts disparates — parce que tout ce qui est requis est la coopération. Napoleon Hill a voulu distinguer coopération *volontaire* et *non volontaire*. Il a dit que la coopération volontaire « mène à des fins constructives et assure un pouvoir permanent grâce à la coordination des efforts ». Les membres de l'équipe qui coopèrent non volontairement, ajoutait-il, « ne continuent pas leur effort au-delà du temps qu'il leur faut pour éliminer la raison qui avait rendu la coopération nécessaire ».

Fred C. Lickerman, directeur général de International Federation of Keystone Youth Organizations et depuis longtemps associé à W. Clement Stone, fait remarquer que le travail en équipe peut être volontaire ou rémunéré. Le travail en équipe volontaire peut avoir lieu pour diverses raisons qui n'ont pas nécessairement quelque chose à voir avec le but poursuivi. Des gens peuvent coopérer simplement parce qu'ils aiment le leader, par exemple, ou parce qu'ils se sentent liés par le devoir. Les exemples de coopération rémunérée sont partout. Les équipes de sport professionnel coopèrent avec un degré élevé de talents et de dévouement pour gagner — mais peu de leurs membres continueraient de jouer s'ils n'étaient pas payés pour le faire.

Les cerveaux collectifs, d'un autre côté, sont formés d'individus qui ont un sens profond de la mission, qui s'engagent personnellement pour atteindre le but. Un tel groupe se distingue par son unité d'intérêts et l'harmonie avec laquelle ses membres travaillent ensemble dans la poursuite de l'objectif commun. Leurs efforts sont créateurs au lieu d'être simplement coopératifs. Au meilleur de son efficacité, un groupe en cerveau collectif atteint un niveau d'intensité qui fait que réellement deux plus deux égale cinq. L'effet synergique d'esprits sur la même longueur d'onde et qui travaillent en harmonie est capable de donner lieu à des réalisations aux proportions énormes.

Arthur E. Bartlett, fondateur de la gigantesque Century 21 Real Estate Corporation, dit que le principe du cerveau collectif a été essentiel au succès de son entreprise. «Nous avions trente directeurs régionaux à travers les États-Unis et le Canada», dit-il. «Plusieurs d'entre eux étaient propriétaires de leur propre région; d'autres avaient d'énormes droits d'achat à l'intérieur des régions. Il va sans dire qu'ils voulaient tous le succès.

«Nous nous rencontrions tous, tous les 90 jours, en un groupe que je considère un cerveau collectif type; 30 chefs d'entreprise, travaillant tous au même projet, ayant les mêmes désirs, le même engagement, les mêmes valeurs, travaillant en vue d'un même objectif — bâtir la plus grande organisation au monde dans le domaine de l'immobilier. Mais nous travaillions tous dans l'harmonie. Il est certain que nous n'étions pas d'accord en tout. Peu s'en faut. Mais nous nous respections les uns les autres, nous nous occupions les uns des autres, et le groupe se concentrait pour résoudre les problèmes.

«Ceci a vraiment été une des expériences les plus mémorables de ma vie — travailler avec ces 30 personnes, toutes extrêmement intelligentes, toutes avec leur franc-parler, travaillant toutes en harmonie pour le succès de l'entreprise. Sans eux, Century 21 n'aurait pas été possible».

Chapitre 13

Le travail en équipe

Dans le monde du base-ball, 1986 a été l'année des Mets. Surnommés «chouchous de la destinée» par les médias, les Mets de New York sauvèrent les meubles de façon incroyable maintes et maintes fois. Durant la saison régulière, l'équipe revint de l'arrière pour gagner non moins de 108 fois et pour finir par remporter le championnat de la Ligue nationale.

Ayant comme adversaires les champions de la Ligue américaine, les Red Sox de Boston, l'histoire se répéta. Perdant trois parties contre deux, les Mets égalisèrent le score trois à trois avec la septième et dernière partie qui se jouait au stade Shea de New York, le 27 octobre. Tirant encore de l'arrière en début de partie, les Mets se sont ralliés durant la cinquième manche pour égaler le score trois à trois.

Dans la septième manche, le joueur de troisième but, Ray Knight, s'avança au marbre. Au début de la saison, plusieurs avaient cru que Ray ne pourrait pas jouer du tout en 1986. Il avait été blessé souvent, et ses deux premières années avec les Mets avaient pour le moins été médiocres. Mais la journée appartenait à Ray Knight. Avec deux prises une balle, il frappa un lancer de balle rapide haute, et l'expédia à l'extérieur du terrain, donnant ainsi l'avance aux Mets quatre à trois, ce qui lui valut l'honneur d'être nommé le joueur par excellence des séries.

Le lendemain matin à l'émission d'ABC *Good Morning America*, l'animateur David Hartman demanda à Ray

Knight de décrire comment il se sentait d'avoir été nommé le joueur par excellence des séries mondiales, étant donné qu'en début de saison on ne croyait même pas qu'il allait jouer durant l'année.

« «J'ai eu une saison extraordinaire », répondit Ray. « Tu sais, David, on peut juger le talent, mais on ne peut juger le cœur, et j'ai beaucoup de cœur et je suis un gagnant, et je le sais. Je n'ai jamais été un grand joueur mais je trouverai toujours une façon de gagner, et je veux gagner. Tu sais, c'est facile à expliquer. Tu sors sur le terrain et tu joues fort chaque jour et tu fais du mieux que tu peux et si tu essaies assez fort, les choses finissent par se placer, et c'est exactement ce qui s'est passé pour moi. J'essaie aussi fort que quiconque, chaque jour, aussi longtemps que je peux, et c'est pour cela que j'ai réussi au base-ball et c'est pour cette raison que cela me fait tellement mal de ne pas jouer, parce que j'adore tellement ça, jouer ».

En d'autres moments, dans d'autres parties, d'autres joueurs ont connu les feux de la rampe, mais ce furent les efforts collectifs des membres de l'équipe qui ont donné le succès aux Mets. Durant la même émission Tommy Lasorda, l'entraîneur des Dodgers de Los Angeles, qui était un des correspondants d'ABC durant les séries décrivit comme suit les Mets champions du monde : «Il y a trois sortes de joueurs de base-ball tout comme il y a trois sortes d'équipes : il y le joueur qui fait que quelque chose arrive, il y a celui qui regarde se passer quelque chose et ensuite, il y a celui qui se demande ce qui s'est passé. Les Mets font que quelque chose arrive ».[*]

Alors que les Américains ont reconnu depuis longtemps la valeur du travail en équipe dans les sports, nous n'avons pas été aussi rapides à adopter cette pratique quand il s'agit de nos efforts dans d'autres domaines. Une partie du problème provient de notre culture. Nous ne nous sommes pas complètement débarrassés de notre fascination

---

[*]   «World Champion Mets », *Good Morning America* (New York : American Broadcasting Company, October 28, 1986).

pour l'individualisme farouche, pour le redresseur de torts qui arrive dans notre ville sur son cheval, bat les méchants à leur propre jeu, puis repart à cheval dans le soleil couchant comme il était arrivé — tout seul.

C'est quelque chose qui change lentement, croit Bob Bookman, président de Bookman Resources Inc., une firme de consultants de Chevy Chase, au Maryland, qui se spécialise dans la formation au travail en équipe auprès des entreprises.

«Il y a 10 ans», dit-il, «la norme pour faire accomplir quelque chose dans la plupart des milieux de travail, si l'on emprunte les mots de George Bush, était de «botter quelques paires de fesses». Cette norme est en train de changer. Maintenant, c'est participer, coopérer, innover et faciliter. C'est le travail en équipe».

Bob Bookman attribue une bonne partie du changement d'attitudes à l'influence japonaise. «Le succès indéniable de la façon de concevoir l'équipe de travail dans l'industrie japonaise», dit-il, «a éveillé l'intérêt d'un large auditoire dans notre univers corporatif».[*]

Avec la baisse de la qualité et de la productivité en Amérique dans les années 1970 et avec l'accroissement des importations aux États-Unis, les dirigeants ont commencé à s'intéresser de plus près à ce que les compagnies japonaises faisaient de bien. Ils ont trouvé que c'était le travail en équipe. Les travailleurs participaient aux décisions qui les touchaient et travaillaient avec la direction — et non contre. Il en résulta, évidemment, une productivité accrue et une meilleure qualité de produits.

Les tentatives des dirigeants de copier le style japonais aux États-Unis ont connu un succès tout au plus marginal, mais le concept est prometteur s'il est bien appliqué, selon Roland A. Dumas de Zenger-Miller, une firme de consultants de San Bruno, en Californie.

---

[*] Don Oldenburg, «Teamwork on the Job Can Be Good Business, Chicago *Sun-Times* (February 28, 1985), p. 59.

L'idée des cercles de qualité, par exemple, est assez simple et directe, dit monsieur Dumas. Ce n'est en réalité rien de plus qu'un groupe qui résout les problèmes sous la responsabilité d'un superviseur. C'est dans la mise en application que le concept a tendance à ne pas fonctionner dans notre pays.

Les Japonais, dit-il, utilisent le contremaître comme leader du groupe, et il joue le rôle du «canal à travers lequel les meilleurs intérêts des travailleurs se fondent avec les meilleurs intérêts de l'organisation». Aux États-Unis, trouver le leader d'une équipe relève encore de l'expérimentation. Certaines organisations utilisent quelqu'un qui facilite les choses et devient le leader *de facto*. Parfois cette personne prend toutes les décisions, éliminant ainsi la nécessité du groupe. «Ça», dit monsieur Dumas, « ce n'est pas la façon dont c'est supposé fonctionner».

Une autre raison pour laquelle la méthode n'a pas marché aux États-Unis, croit-il, c'est que nous ne sommes pas une société où les décisions se prennent en groupe. «Nous avons tendance à considérer le directeur ou la personne qui fait avancer les choses comme un héros», dit-il. «Cette personne est reconnue pour les choses héroïques qu'elle a accomplies pour l'entreprise; les mérites partagés, eux, ne sont pas récompensés».

Une solution évidente au problème serait, bien sûr, d'offrir des récompenses pour les efforts de groupes — récompenses financières ou autres — et de mieux former les gens au leadership de groupes, à la résolution de problèmes et à la prise de décisions, mais nous avons tendance à ne pas le faire, dit monsieur Dumas, parce que les Américains sont toujours à l'affût d'une combine rapide. Nous voulons commencer une nouvelle méthode aujourd'hui et en voir les résultats le lendemain.

Un autre problème que ceux qui veulent importer les cercles de qualité ont oublié de prévoir c'est que les gens qui sont choisis comme leaders du groupe sont habituellement choisis pour leur talent naturel de leader et tendent à gravir les échelons de l'entreprise et à recueillir les récompenses pour le bon travail du groupe. Ceci fait que les autres, dont les mérites ont été peu reconnus, se retrouvent avec un nouveau leader inexpérimenté. Le résultat est une baisse prévisible de la contribution du groupe.[*]

Alors que les cercles de qualité ne sont qu'un des exemples de la façon dont le travail en équipe n'a pas trop bien marché avec les dirigeants américains, leur évolution montre bien que nous nous rendons compte que les vieilles formules de direction ne fonctionnent plus très bien. Nous avons finalement commencé à réaliser qu'il manque quelque chose. Ce quelque chose, c'est le travail en équipe, et les implications sont énormes lorsque nous commençons à nous orienter sur le groupe plutôt que sur l'individu.

L'auteur de best-sellers, Alvin Toffler, croit que les changements qui nous attendent sont «au moins aussi importants que ceux de la Révolution industrielle», et qu'ils menacent nos institutions les plus fondamentales et vont probablement les modifier.

Les dirigeants seront forcés d'apprendre des façons radicalement nouvelles de faire les choses; ils devront abandonner les habitudes de toute une vie, celles-là même qui les ont aidés à réussir mais sont devenues depuis improductives.

«Et la même chose est vraie pour les entreprises», ajoute Alvin Toffler. «Les produits mêmes, les procédures et les formes d'organisations qui les ont aidés à réussir par le passé s'avèrent souvent celles qui ont causé leur perte. En vérité, la première règle de la survie est claire: rien n'est plus dangereux que le succès d'hier».

Le futuriste Alvin Toffler prévoit une culture des affaires dépourvue des géants corporatifs étouffés par leurs propres hiérarchies et leurs propres bureaucraties. Elle tiendrait compte des «déséconomies d'échelle» qui surviennent lorsqu'une entreprise devient trop grande pour être dirigée avec efficacité et efficience dans un environne-

---

[*] «Making Quality Circles Ring True for You», *PMA Adviser* (January 1985), pp. 5-6.

ment de changements rapides et massifs qui sont «en train de créer une civilisation entièrement nouvelle reposant sur la haute technologie, l'information et les nouvelles façons de s'organiser à des fins économiques.

«Le changement fondamental qui sera nécessaire peut être symbolisé par la différence entre la Grande Pyramide de Cheops et le mobile de Calder. Les bureaucraties industrielles classiques sont des structures pyramidales, avec un petit groupe qui contrôle au sommet et à la base une série de services fonctionnels permanents. La forme d'entreprise (qui s'adapte) devrait plutôt consister en une «ossature» semi-permanente à partir de laquelle une variété de petits «modules» temporaires sont suspendus. Ceux-là, comme les éléments d'une construction de Calder, bougent en réagissant au changement. Selon ce qui se passe dans le monde extérieur, ils peuvent être mis en mouvement ou réorganisés au besoin».*

Dans cet environnement, dit W. Clement Stone, «le travail en équipe sera particulièrement crucial. La coopération et le travail en équipe de la part des individus, des services ou des unités de la même entreprise, ou même entre les organisations, équivaudront au succès.

Dans les sports, les affaires, ou dans tout autre domaine d'activité, l'équipe qui travaille dans le même sens, rassemblant les talents de chacun des membres en un tout puissant, va gagner. L'individualiste farouche qui fait tout à sa manière sans beaucoup se préoccuper des autres est pratiquement une espèce disparue.

«À moins d'être un ermite vivant sur une île des tropiques, vous avez besoin des autres pour réussir, et les autres ont besoin de vous. Qui plus est, que vous soyez un riche individu et que votre argent travaille pour vous, ou un dirigeant de carrière qui travaillez pour gagner votre argent, vous irez plus loin et vous gagnerez plus avec la

---

*   Alvin Toffler, *The Adaptive corporation* (New York: McGraw-Hill, 1985), reviewed by Pghilip Albert in *PMA Adviser* (January 1985), p. 4.

coopération enthousiaste des autres que si vous choisissez de travailler en solitaire.

«De plus», dit W. Clement Stone, «la personne dont la philosophie de la vie repose sur la coopération au lieu de la confrontation accumulera les richesses de la vie plus rapidement et jouira de la paix et du bonheur que les autres ne connaîtront jamais. Vous ne laisserez jamais de cicatrices sur votre propre psyché si vous atteignez le succès par la coopération harmonieuse avec autrui. Cela est quelque chose que vous ne pouvez dire des fortunes acquises dans les conflits et la concurrence déloyale».

John Lux, président et président-directeur général d'AMETEK, est quelqu'un qui reconnaît la puissance du travail en équipe. Docteur en génie chimique, John Lux dirige une activité de 600 millions de dollars et plus qui fabrique des produits aussi simples que de l'équipement pour faire du vin, des réservoirs en acier inoxydable, et des produits à la fine pointe de la haute technologie comme des instruments de précision et des véhicules sous-marins sans équipage. En 1985, des sous-marins sans équipage construits par le service Straza de l'entreprise localisèrent les enregistrements des données de vol d'un avion d'Air India qui avait sombré dans l'Atlantique nord, et en janvier 1986, on fit appel aux sous-marins pour rechercher et photographier les débris de la navette spatiale Challenger.

La structure organisationnelle d'AMETEK ressemble de très près à la vision du futur de monsieur Toffler avec son «mobile de Calder». L'entreprisea environ 40 groupes, chacun chapeauté par un directeur général qui a ses propres services de finances, de production, de ventes et de développement. Chaque directeur général, dit John Lux, est un entrepreneur autonome puisqu'il a la possibilité de décider de créer son service favori. John Lux est fier de la structure hautement décentralisée de l'entreprise. Il dit, «Plusieurs entreprises *semblent* avoir une direction décentralisée, avec des directeurs des opérations qui peuvent bouger rapidement et avoir la motivation et l'intérêt de prendre des responsabilités et des décisions tout seuls. Mais chez AMETEK on peut *vraiment* faire cela, parce que nous connaissons nos directeurs, et nous connaissons leurs affaires à peu près aussi bien qu'eux-mêmes. Nous faisons confiance à leurs résultats quotidiens, hebdomadaires et mensuels.

« Confronté à une décision majeure, impliquant de grosses sommes d'argent, un directeur AMETEK n'évite pas ses responsabilités en noircissant des tonnes de papier, et n'attend pas de l'aide pendant des semaines, ou même des mois. Si on ne peut régler cela par téléphone, Bob Noland (le président) et moi serons là — pas le mois prochain — mais la semaine prochaine, au plus tard.

« Voilà comment AMETEK est dirigé — avec un personnel restreint d'experts financiers; d'excellents contrôles financiers très au point; et un groupe expérimenté de directeurs des opérations hautement motivés qui cherchent le retour sur investissement à long terme en même temps que les gains à court terme. Cela est conçu pour être une structure avec un minimum de paperasse et assez de contacts personnels pour être vraiment une direction « sans surprise »

John Lux attribue le succès de ses 40 ans de carrière au travail en équipe. Il se souvient d'une fois dans les années 1950 alors qu'il était un des cadres de la haute direction chez Shea Chemical. « Nous avions un projet au Tennessee où nous devions construire une fournaise au phosphore qui allait coûter 4 millions de dollars à construire, et nous avions seulement 2,5 millions. Pour préserver la solvabilité de l'entreprise, nous devions terminer la fournaise, alors nous — chacun des membres du groupe — avons travaillé entre 50 et 60 heures par semaine, semaine après semaine. Nous avons acheté de l'équipement d'occasion et nous avons pris des contrats pour l'avenir.

« Lorsque nous avons finalement terminé la fournaise et commencé à fonctionner, nous n'avions pas de fonds de roulement, alors nous avons été obligés d'oublier les chèques de paye et les factures à payer. Finalement, nous avons réussi à fonctionner et à faire de l'argent, et nous avons payé tout le monde, mais ce fut un projet qui avait pris près de deux ans. C'était une réussite fantastique de la part de l'équipe.

«La même chose est valable pour Haveg Industries (un atelier de fabrication de produits en plastique dont John Lux fut président pendant 11 ans avant sa vente à Hercules, Inc., en 1964). Nous avons pris une entreprise qui perdait de l'argent, et en une période d'un an, nous en avons fait une entreprise à profits. Nous avons ajouté d'autres petites entreprises et avons fini par prendre de l'expansion jusqu'à devenir une entreprise valant environ 40 millions de dollars. Pour réussir cela en huit ou neuf ans durant la fin des années 50 et le début des années 60, il fallait un groupe qui se battait vraiment fort».

Il a employé les mêmes principes de travail en équipe chez AMETEK. «Il faut qu'un grand nombre de personnes compétentes travaillent bien fort pour faire passer, en deux décennies, une entreprise de 60 millions de dollars à 600 millions de dollars tout en continuant à augmenter les dividendes chaque année pour établir un record d'augmentations sur 39 années consécutives», dit-il. «L'équipe n'est pas seulement composée d'employés à la production. Il y a aussi ceux qui développent les nouveaux produits, ainsi qu'un conseil d'administration qui est avec nous depuis 20 ans. C'est toute l'équipe qui fait que cela marche; sans l'équipe, je n'aurais rien pu faire du tout».

Pour qu'une équipe réussisse à long terme, croit-il, les membres de l'équipe doivent se faire confiance et se soutenir, particulièrement durant les périodes difficiles. «Nous ne gagnons pas tous les matchs», dit-il. «Nous avons eu des gens qui sont venus nous voir et qui nous ont dit, «Ce service ne se développera pas et nous pensons que vous devriez retirer votre argent de là». Le résultat est que, depuis 1970, nous avons annulé ou fermé environ une vingtaine de gammes de produits ou de services. La capacité de reconnaître une affaire qui périclite et de l'abandonner est aussi importante que de reconnaître une affaire qui se développe et de la maintenir en expansion. Et il faut beaucoup de courage à un directeur pour laisser tomber.

« En 1982, nous avions un homme au Texas qui était dans une affaire de vente d'équipement dans l'industrie du pétrole et du gaz. Il sentait que l'entreprise allait décliner ; il croyait que les prix avaient atteint leur plafond et que la baisse du dollar rendrait l'importation du produit moins coûteuse que l'extraction. Il a dit, « Nous devrions fermer cette affaire ». Nous l'avons fait, nous avons vendu l'inventaire à profit, et nous avons depuis vu nos concurrents tomber comme des mouches. Ceci est le genre de jugement que nous attendons de la part de notre équipe de direction ».

La nécessité est souvent mère du travail en équipe. Il est courant, de nos jours, pour les entreprises de former des alliances stratégiques pour tirer un bénéfice de leurs forces mutuelles, tout comme pour les universités de former des partenariats avec l'industrie pour commercialiser des produits de haute technologie, et même pour les syndicats de coopérer avec la direction pour trouver des solutions à des situations économiques difficiles.

Cela n'était pas aussi courant en 1982, lorsqu'une équipe peu vraisemblable d'étudiants et de professeurs d'université, d'ouvriers et de représentants du plus grand constructeur automobile au monde ont uni leurs forces pour sauver une usine importante et les gens qu'elle employait à Tuscaloosa, en Alabama.

Aux prises avec une concurrence étrangère qui augmentait, la récession, des taux d'intérêts plus élevés et une baisse du chiffre des ventes, la GM en venait contre son gré à la conclusion de devoir déménager les chaînes d'assemblage de carburateurs de Tuscaloosa à Rochester, dans l'État de New York. L'espace était disponible dans les établissements de Rochester et le déménagement permettrait des épargnes substantielles de coûts grâce à des coupures en personnel et en frais généraux.

La décision n'était pas très appréciée auprès des dirigeants de la localité, des membres des Travailleurs Unis de l'Automobile et de certains cadres de la GM. Après tout, l'usine de Tuscaloosa était l'une des plus productives de la

GM ; le moral était très bon, l'absentéisme bas, et les T.U.A. avaient réussi là-bas certains programmes de participation inhabituels.

Lorsque les protestations sont parvenues au siège social de la GM à Detroit, la direction a consenti à annuler sa décision à condition que l'usine puisse réduire les coûts d'opération de 2 millions de dollars par an. La direction et les employés ont travaillé ensemble, la GM a envoyé des experts, mais ils n'ont pas pu faire mieux que réduire les coûts de 1,53 millions de dollars par année. Finalement, dans une tentative désespérée pour épargner le montant supplémentaire de 470 000 dollars requis par la haute direction de la GM, ses directeurs régionaux ont proposé à l'université de l'Alabama, le plus gros employeur de la région, une offre d'achat-bail de l'usine de 30 200 m² qu'ils étaient prêts à louer aux nouveaux propriétaires.

Les dirigeants de l'université ne voyaient pas très bien comment ils allaient utiliser une usine de carburateurs, mais le président Joab Thomas pensait qu'une université devait participer à l'économie de son État. Avec un chômage de près de 17 % dans les environs, Tuscaloosa ne pouvait se permettre de perdre les 200 emplois et les quelque 7 millions de dollars que l'usine dépensait en salaires et en approvisionnements dans la localité. Joab Thomas pensait que l'université pouvait et devait apporter son aide.

On finit par en arriver à une entente sur le plan financier. Les dirigeants de la localité amassèrent 75 000 dollars de mise de fonds initiale pour amorcer le projet. L'université loua 4 700 m² pour 470 000 dollars par an pendant trois ans à condition que le coût de la location soit réduit selon le montant qu'elle aidait à épargner. L'épargne ne pouvait venir de la mise à pied des employés, et toute coupure devait recevoir l'aval des T.U.A., de la GM et de l'université.

Quelque 50 salariés et 200 travailleurs payés à l'heure participèrent en versant une moyenne de 53,50 dollars par semaine provenant de leur chèque de paye. L'argent devait être placé dans une fiducie bancaire jusqu'à atteindre le montant de 470 000 dollars au cas où les efforts de réduction des coûts n'atteindraient pas leur but. Les enjeux étaient élevés; si l'équipe réussissait, ils conservaient leurs emplois; sinon, ils rejoignaient le nombre déjà élevé des chômeurs.

Les étudiants engagés dans le projet se rendaient très bien compte de l'obligation qu'ils avaient de contribuer. Ceci n'était pas un cas d'étude théorique; échouer signifiait beaucoup plus qu'une mauvaise note à un devoir trimestriel — la vie de nombreuses personnes allait en être sérieusement affectée. «La clé», dit Roger Sayers, le vice-président aux affaires académiques de l'université, «était d'établir une confiance mutuelle» entre les membres disparates du groupe. «Barry Mason (le professeur en administration d'affaires qui présidait le groupe de travail chargé de développer les idées de réduction des coûts) était déterminé à considérer le projet comme un partenariat à parts égales entre tous les intervenants».

Pour sa part, Barry Mason se demandait si Joab Thomas s'était soudainement senti l'âme d'un joueur invétéré dans une salle de jeu à bord d'un bateau à vapeur. La réputation de l'université, sans mentionner une part considérable de ses ressources financières, était en jeu. C'était, quel que soit l'angle sous lequel on voulait considérer l'aventure, un «jugement par le feu» pour les principes du travail en équipe. Est-ce que cela a marché?

Cela a marché mieux et plus rapidement que même les plus optimistes des membres du syndicat ne l'avaient prédit à l'origine. Le projet atteignit la bête noire des 470 000 dollars après huit mois d'existence et, à la fin de 1983, une moyenne de 1 600 dollars fut remise à chacun des employés pour rembourser les contributions hebdomadaires de 53,50 dollars.

En tout, la GM, l'université et T.U.A. ont identifié près d'un million de dollars par année de réduction des coûts. Ceci grâce à des activités comme acheter au lieu de louer l'équipement de photocopie ou de graphisme, améliorer une partie de l'équipement par des modèles plus efficaces, rationaliser les procédures et installer un système informatisé de contrôle d'inventaire.

Barry Mason dit que le projet de la GM a connu un tel succès que l'université a entrepris un projet analogue avec Stockham Valves & Fittings, Inc. de Birmingham. L'entreprise n'est pas en difficulté financière mais elle veut profiter de l'expertise de l'université en matière de contrôle de la qualité, de sécurité, de manutention des matériaux, et d'agencement des procédés — mesures de réduction des coûts qui peuvent être prises sans perte d'emplois. Beaucoup d'autres propositions sont en attente.

La GM a été tellement encouragée par le projet, dit Barry Mason, qu'elle a décidé d'investir 14 millions de dollars pour automatiser l'usine de Rochester afin de produire les carburateurs ainsi que de les assembler. Les T.U.A. ont engagé des fonds destinés au perfectionnement des travailleurs et sont intéressés à utiliser le programme de Tuscaloosa comme prototype pour des activités semblables dans d'autres usines automobiles.

Barry Mason offre la formule suivante pour garantir un travail en équipe aussi réussi :

1. Ne commencez pas sans l'engagement des hauts dirigeants de chacune des unités participantes.

2. Développez un large éventail de supporters pour fournir une continuité et vous assurer de la coopération, spécialement lors de changement de personnel.

3. Soyez souples avec les questions qui relèvent de la négociation collective, les procédures de comptabilité des coûts, le partage des données confidentielles, et dans l'acceptation des idées non traditionnelles.

4. Concentrez-vous sur les mesures rapides pour réduire les coûts afin d'établir votre crédibilité auprès de vos supporters et également de vos détracteurs.

5. Respectez les « sujets interdits » en vous concentrant sur des propositions de réduction de coûts non menaçantes.

6. Utilisez une tierce partie impartiale (dans le présent cas, l'université) comme médiatrice, elle vous facilitera la tâche dans des sujets délicats qui pourraient

déboucher sur des affrontements entre les syndicats et la direction.

7. Incluez les objectifs et les besoins de chacune des parties dans la convention écrite.

Cette façon d'aborder la situation, dit Barry Mason, a permis au groupe de travail de 12 membres (quatre en provenance de chaque organisme) d'accepter rapidement l'entière responsabilité pour le succès du projet. Tous les membres de l'équipe ont adopté une attitude de «nous sommes tous ensemble dans le même bateau». Les idées sont devenues «nos» propositions, pas celles de l'université ou de la direction.

Les équipes gagnantes de l'avenir pourront bien avoir un caractère différent de celles d'aujourd'hui, et il est certain que les dirigeants devront les former différemment pour qu'elles réussissent. «L'idée traditionnelle de gagner», dit Stephen L. Pistner, président et P.D.G. de Montgomery Ward & Co., une filiale à part entière de Mobil Co., «entraîne que l'on gagne aux dépens de l'autre. Cette orientation nous force à une définition très limitative du genre de personne que devrait être un gagnant. Nous avons tous instinctivement des impressions à propos de l'étoffe dont les gagnants sont supposés être faits: ce sont des meneurs de jeux fougueux et pleins de confiance en soi, dont les performances individuelles sont du plus haut niveau.

«Cette notion de gagnant n'accorde aucune reconnaissance à la diversité des personnalités, des attitudes et des compétences qui sont nécessaires pour diriger de grandes entreprises qui sont complexes. Si les besoins créateurs de l'entreprise et les exigences humaines de notre culture doivent être prises en ligne de compte, les directeurs doivent redéfinir *gagner* pour demeurer en relation avec les besoins de diverses situations dans le monde des affaires. Gagner n'est plus un synonyme de comportement individuel agressif, quelles que soient les compétences de l'individu».[*]

---

[*] Stephen L. Pistner, «Savvy management utilizes every employee's best traits», *Crain's Chicago Business* (June 18, 1984), p. 11.

Le travail de la direction, comme le voit Stephen L. Pistner, est de mettre les gens dans des situations de gagnants, dans des emplois et des projets qui sont à la hauteur de leurs compétences individuelles, de leurs intérêts et de leurs ambitions. Les gens veulent avoir du succès et être compétents, dit-il. « Lorsque les talents et la chimie qui sont propres à une personne ont la possibilité d'exceller, c'est une situation gagnante.

« Trop souvent, l'Amérique corporative a essayé d'éliminer la diversité chez ses employés comme s'il s'agissait là d'une lacune à combler. En tant que directeurs, nous devons reconnaître et encourager la diversité de façon à en tirer avantage ».

Cela pourrait vous surprendre de savoir que John Wooden, l'entraîneur de basket qui a remporté le plus de victoires au niveau universitaire, serait d'accord. Dans un essai publié par Panhandle Eastern Corporation dans le *Wall Street Journal*, il écrit : « Pour moi, le succès ne consiste pas à marquer plus de points que quelqu'un, c'est la tranquillité d'esprit qui vient de la satisfaction de soi de savoir que vous avez fait de votre mieux. Cela est quelque chose que chaque individu doit déterminer pour lui-même. Vous pouvez tromper les autres, mais vous ne pouvez vous tromper vous-même.

« Beaucoup de gens sont surpris d'apprendre que durant mes 27 années à l'UCLA, je n'ai jamais une seule fois parlé de gagner. Au lieu de cela, je disais à mes joueurs avant les matchs : "Quand ce sera terminé, je veux vous voir la tête haute, et il y a seulement une façon de garder la tête haute — c'est de savoir, vous, pas moi, que vous avez fourni le meilleur effort possible. Si vous faites cela, alors le score ne veut pas vraiment dire grand-chose, même si j'ai l'impression que si vous faites cela, le score sera à votre goût".

« J'ai toujours enseigné aux joueurs que l'ingrédient majeur de la renommée est le reste de l'équipe. Il est étonnant de voir combien peut être accompli si personne ne se préoccupe de récolter les mérites ».

239

John Wooden dit qu'il était beaucoup plus préoccupé du caractère d'un joueur que de son aptitude. «Alors qu'il peut être possible d'atteindre le sommet de sa profession par son seul talent», dit-il, «il est impossible de demeurer à ce niveau sans travail ardu ni caractère.

«Votre caractère est ce que vous êtes vraiment. Votre réputation est seulement ce que les autres pensent que vous êtes. J'ai fait un effort précis pour évaluer le caractère. J'ai cherché des jeunes gens qui joueraient la partie durement, mais proprement, et qui seraient toujours en train de s'améliorer pour aider l'équipe. Alors, si leur talent le méritait, les championnats arriveraient d'eux-mêmes».

Vous pourriez encore être plus intéressé d'apprendre que John Wooden est le seul homme dans l'histoire à avoir été reçu au Temple de la Renommée du Basket à la fois comme joueur et comme entraîneur. Lorsqu'il prit sa retraite après 40 ans comme entraîneur, il laissa un record inégalé dans les sports américains. En 27 ans à l'UCLA, ses équipes n'ont jamais connu une saison de défaite. Pendant les 12 dernières années, ils ont gagné 10 championnats nationaux, dont sept successivement. Ils conservent toujours le record pour la plus longue série de victoires de n'importe quel sport majeur — 88 parties en quatre saisons.

Voilà ce que signifie le travail en équipe. Il fait un gagnant de chacun des membres de l'équipe.

Quatrième partie

Des principes de l'intelligence

«Un des problèmes que j'ai trouvés avec les livres d'épanouissement personnel», dit W. Clement Stone, «est qu'ils vous disent trop souvent *quoi* faire, mais pas *comment le faire*. Le présent livre reflète son parti pris en faveur d'une information solide, pratique, sur laquelle *on peut agir*. Nous avons essayé d'inclure dans cette partie sur les principes de l'intelligence le genre d'information que vous pouvez comprendre rapidement et mettre en pratique dans votre situation qui est unique.

Tout comme les autres principes du succès de W. Clement Stone, ceux de l'intelligence ont un aspect pragmatique. La vision créatrice, l'attention contrôlée et la pensée juste sont expliquées en des termes d'action. Des suggestions spécifiques et des techniques éprouvées sont proposées pour vous aider à développer vos habiletés créatrices et apprendre à penser avec plus de clarté.

Les principes intellectuels ne sont en aucune façon supposés représenter un substitut à la formation académique. Toute l'A.M.P. du monde ne vous donnera pas un poste qui requiert un doctorat lorsque vous avez seulement un certificat de fin d'études.

Ce que ces principes *vont faire* pour vous, c'est vous aider à mettre en action les connaissances que vous possédez déjà et celles qu'il vous reste à acquérir. Lorsque vous les appliquerez de concert avec votre formation académique, les principes de l'intelligence vous aideront à devenir une personne mieux centrée, plus imaginative et plus *motivée*.

Si vous avez besoin d'études supérieures pour progresser dans votre carrière et que vous avez depuis longtemps passé l'âge de l'école, cette philosophie vous aidera à trouver en vous le courage de faire ce qui doit être accompli en vue d'atteindre les objectifs que vous vous êtes fixés. Si vous n'avez jamais eu un tel projet, ces principes vous aideront à en développer un. Si votre projet est tombé en désuétude par manque d'intérêt et d'attention, ces principes vous aideront à revenir sur la voie du succès.

Lorsque vous combinez le pouvoir contenu dans les principes de l'intelligence au savoir académique, vous pouvez créer une force intellectuelle capable de résoudre n'importe quel problème ou de surmonter n'importe quel obstacle. Les principes fonctionnent; ils ont été appliqués avec succès par beaucoup de gagnants pour atteindre de hauts sommets de réussite.

Ils peuvent faire de même pour vous à condition de les mettre en pratique.

Chapitre 14

La vision créatrice

En 1979, le Club de Rome, un groupe bénévole *ad hoc* réservé à l'élite qui analyse les problèmes majeurs du monde et de la nation et identifie des solutions positives, a produit un rapport important sur l'apprentissage. C'était l'aboutissement d'un effort de deux ans orienté sur l'aide à apporter à l'humanité « pour apprendre comment éveiller notre potentiel latent et l'utiliser dorénavant avec détermination et intelligence ». Le projet concernait des centaines de personnes et d'équipes d'éducateurs de trois pays : la Roumanie, le Maroc et les États-Unis. Des séminaires eurent lieu dans plusieurs endroits du monde, et plusieurs des éducateurs les plus célèbres apportèrent leur contribution intellectuelle au projet.

Cette impressionnante mise en pratique du pouvoir de l'esprit a abouti à la conclusion fortement justifiée et persuasive que l'avenir de la planète dépend de notre capacité à apprendre. Par l'apprentissage, les nations qui ont faim peuvent se nourrir, les économies de l'industrie et des services peuvent devenir beaucoup plus productives et la menace de destruction nucléaire à travers le monde peut être minimisée.

Une des conséquences de l'étude fut une meilleure compréhension et une classification de l'apprentissage et de la créativité. L'équipe identifia deux types d'apprentissage :

- L'apprentissage de maintien. Ceci est trouver la solution à des problèmes du genre de ceux qui sont enseignés à l'école publique. On nous « donne » un problème et on nous demande de trouver une solution.

• L'apprentissage de l'innovation. Ce type d'apprentissage, selon le rapport, est « la formulation de problèmes et la méthode de regroupement en grappes ». Cela consiste à imaginer des concepts tout à fait nouveaux et à remettre en cause les vieilles hypothèses — en d'autres mots, à élargir les horizons.

Les érudits ont aussi trouvé qu'une grande partie de notre potentiel pour l'apprentissage innovateur réside dans notre capacité à penser en images. « Les images précèdent les mots », dit le rapport. « Dans le processus d'interaction et de connaissance, l'esprit humain utilise des images qui sont la base du raisonnement ».*

Ce sont ces images qui amènent souvent des innovations radicales, dit James Botkin, un des trois auteurs du rapport. « Beaucoup de gens croient que les choses se passent dans cet ordre : d'abord la science invente le produit, ensuite on trouve la technologie, et finalement le produit devient disponible ».

Établi à Boston, James Botkin est écrivain, chercheur et consultant en gestion et apprentissage de la technologie. Il dit que « Les entrepreneurs de la haute technologie soutiendraient que l'inverse est vrai. Ils diraient que la technologie vient en premier, ensuite le produit commercial, et finalement la science, qui comprend ce qui a été inventé. Le fait réel est que l'innovation ne provient pas des scientifiques, ni des technologues, mais bien plutôt des « visionnaires ». Et les visionnaires se trouvent au moins aussi souvent chez les technologues (selon le témoignage de Steven Jobs) que chez les scientifiques ».

Auteur de plusieurs livres sur l'apprentissage et les questions technologiques, James Botkin, qui a un doctorat en systèmes assistés par ordinateur de l'école Harvard Business, fait remarquer que l'ordinateur peut emmagasiner et traiter l'information de la même façon que le peut l'esprit

---

* James W. Botkin, Mahdi Elmandjra, and Mircea Malitza, *No Limits to Learning; Bridging the Human Gap, a report to the Club of Rome* (Oxford ; Pergamon Press, 1979).

humain. Ce qu'il ne peut pas faire, dit-il, c'est donner naissance à l'idée originale qui prend forme dans l'imagination.

«Une fois que vous avez l'idée, vous pouvez la programmer sur ordinateur, de telle sorte que l'ordinateur peut recréer la même vision. Et vous pouvez la briser en petits morceaux, manipuler les morceaux avec l'ordinateur, et les agencer différemment. Mais vous avez dû commencer avec la vision».

La croyance la plus répandue veut que ce soit l'imagination d'Albert Einstein, et non ses connaissances en physique et en mathématiques, qui l'ait amené à la théorie de la relativité. Comme on le raconte, il a compris la théorie, lorsqu'il s'est vu chevauchant dans l'espace un rayon de lumière émanant d'une étoile. Lorsqu'il a imaginé ce qui se passerait pendant qu'il était à cheval sur le rayon de lumière, il a été capable de trouver les formules mathématiques qui ont prouvé la théorie.

Thomas Edison fut sans doute l'un des plus grands inventeurs de l'histoire moderne et pourtant sa lumière électrique, au sens le plus élémentaire, était seulement la combinaison de deux principes déjà bien connus. On savait très bien que faire passer du courant électrique dans un fil le ferait chauffer suffisamment pour générer de la lumière; le problème était que le fil brûlait.

Thomas Edison fit des centaines d'expériences avec différents matériaux comme filament, mais ce ne fut que lorsqu'il se rappela que rien ne peut brûler sans oxygène — un principe utilisé couramment dans la fabrication du charbon de bois — qu'il fut capable de mettre au point une lumière à incandescence qui fonctionnait. Il enleva l'air d'un globe de verre, chauffa un fil avec un courant électrique, et mit en branle une force qui a donné naissance à des industries complètes et a construit les bases de la révolution technologique contemporaine.

On pourrait mieux définir la vision créatrice de Thomas Edison en parlant de l'association de l'imagination et de l'intuition. Elle a été mise en pratique par des hommes et des femmes de tous les milieux qui ont osé essayer quelque chose de différent. Elle a été responsable de toutes les grandes percées faites par la civilisation depuis l'invention de la roue jusqu'à l'ère spatiale. «Chaque nouvelle conquête de la science», a dit Thomas Dewey, «est née d'une nouvelle audace de l'imagination».

Chaque fois que vous recomposez l'information en traitant ses éléments dans un ordre nouveau ou en créant de nouvelles associations, chaque fois que vous utilisez de façon nouvelle une information ancienne, vous utilisez votre imagination. Chaque fois que vous établissez un objectif et que vous vous voyez comme l'ayant atteint, vous utilisez votre imagination.

Feu A.N. Pritzker, patriarche d'une famille qui contrôle des milliards de dollars dans l'exploitation de ses sociétés commerciales Hyatt Hotel et Marmon Group, aimait à raconter l'histoire de sa venue dans le domaine de l'hôtellerie.

«Il y a environ 25 ans», racontait-il, «mon fils Jay me téléphona d'un hôtel où il logeait à l'aéroport de Los Angeles, le Hyatt House. Il dit: «Papa, je crois que nous devrions acheter cet hôtel. Il doit rapporter beaucoup d'argent». J'ai dit: «Eh bien, vas-y et achète-le».

«Pendant environ 10 ans, cela ne donna rien. Nous avons acheté d'autres hôtels, mais sans plus de succès. C'est alors que nous avons entendu parler d'une histoire intéressante à Atlanta. John Portman, l'architecte de renom, avait dessiné un hôtel, mais la construction en était retardée parce que la compagnie d'assurance qui devait assurer le financement avait demandé aux intéressés de se trouver un nouveau propriétaire».

Le design de John Portman déferla à profusion dans l'imagination d'A.N.1 Pritzker. Il vit dans les plans de l'architecte un nouveau concept qui allait «révolutionner le monde de l'hôtellerie avec son hall d'entrée style atrium ouvert». (Monsieur Pritzker riait doucement en se rappelant qu'on avait l'habitude de l'appeler le hall *Nom de Dieu*, parce que lorsque les gens le voyaient pour la première fois, ils regardaient tout autour et s'exclamaient «Nom de Dieu!»)

En quelques minutes, il signa un contrat pour prendre possession de l'hôtel, et Atlanta Hyatt devint la figure de proue d'une chaîne d'hôtels à travers le monde. Le hall d'entrée en atrium élancé devint l'emblème de Hyatt. Toutefois rien ne serait arrivé si A.N.I Pritzker n'avait vu dans son imagination les possibilités de ce design unique et pris les mesures nécessaires pour mettre son plan en action.

Vous aussi vous pouvez développer ce genre de vision créatrice en combinant à la fois les pouvoirs de votre esprit conscient et ceux de votre inconscient — votre imagination et votre intuition — en une seule force puissante.

Pour utiliser au mieux votre imagination, commencez par ramasser toute l'information disponible sur le sujet, en provenance de toutes les sources possibles. Lisez-la une fois de façon superficielle, seulement pour obtenir un aperçu de ce que vous avez. Puis relisez-la — en détail — lentement et en vous concentrant pleinement. Prenez des notes et classez l'information dans l'ordre où vous pensez l'utiliser.

Ce sont là des activités routinières que n'importe qui peut effectuer; l'examen réel ne réside pas dans le fait de trouver l'information, mais dans son application. L'étape suivante du processus est cruciale. Révisez à nouveau les faits, cette fois en cherchant tout ce qui sort de l'ordinaire et qui vous aurait échappé auparavant. SRI International, le groupe de réflexion californien, appelle ceci «la reconnaissance des patterns», et a développé un système dont il dit qu'il peut vous aider à identifier les tendances longtemps avant qu'elles ne soient connues de tous.[*]

Le système de SRI repose sur des «scanners» qui révisent les publications en surveillant les anomalies — des développements qui les surprennent à la lumière de ce qu'ils savent déjà. Les scanners font alors des résumés des

---

[*]   «Spotting Trends», *PMA Adviser* (May 1984), p. 5.

articles et les soumettent à des experts de divers domaines qui révisent l'information avant les réunions mensuelles.

Durant les réunions, les membres de l'équipe formulent des grappes d'idées ou envisagent des pistes d'idées et les étudient avec perspicacité et intuition pour déceler le changement. Tous sont encouragés à dire ce qui leur vient à l'esprit sans crainte d'être critiqués, sans égard au rang de la personne ou au résultat de la discussion.

Un chef d'équipe du SRI, Jim Smith, dit que ces penseurs tous azimuts sont parvenus à un nombre étonnant d'associations correctes. Entre autres, les responsables de programmes ont proposé d'ouvrir le commerce avec la Chine longtemps avant la visite historique de Nixon dans ce pays en 1972, et ils ont identifié le stress en milieu de travail longtemps avant qu'il ne devienne un sujet courant.

W. Clement Stone propose ce qu'il appelle la formule R2A2 — reconnaître et relier, assimiler et appliquer des principes à partir de ce que vous voyez et entendez, de ce que vous pensez et expérimentez — pour atteindre n'importe quel objectif. «Ce qu'est l'objectif n'est pas important», dit-il, «en autant qu'il ne viole pas les lois de Dieu ou les droits de votre prochain. Vous pouvez réussir ce que d'autres croyaient «impossible».

«Votre esprit est le plus beau mécanisme qui ait jamais été créé. Il est tellement grand que seul Dieu peut l'avoir créé. C'est l'ordinateur humain. L'ordinateur électronique est conçu pour fonctionner de façon analogue à votre cerveau et à votre système nerveux. Votre ordinateur humain est similaire à sa contrepartie électronique d'une autre façon aussi: vous ne pouvez jamais en tirer plus que ce que vous y avez mis».

Nous devons, en plus de recueillir de l'information de domaines reliés et d'autres qui ne le sont pas, utiliser efficacement les deux moitiés de notre cerveau si nous voulons être vraiment imaginatifs et créateurs. Il y a plus de 50 ans, Rudyard Kipling écrivait le poème, «The Two-Sided Man», dans lequel il concluait:

« *J'aimerais mieux me passer de chemise ou de souliers,*
D'ami, de tabac ou de pain,
Plutôt que de perdre une seule minute les deux
Côtés séparés de ma tête ! »

Nonobstant le fait que l'humanité connaît depuis un certain temps l'existence des deux moitiés du cerveau, nous venons tout juste de commencer à comprendre le fonctionnement intrinsèque de l'intelligence. Il est généralement accepté de nos jours que même si les deux moitiés du cerveau reçoivent la même information, chacune la traite d'une façon différente. La moitié gauche fonctionne sur un mode logique ; elle contrôle le langage, elle est analytique, séquentielle et linéaire. La moitié droite, d'autre part, fonctionne sur un mode imaginaire ; elle est « l'œil de l'intelligence » qui nous aide à comprendre les métaphores, à visualiser les choses et à créer de nouvelles associations d'idées.

Alors que de toute évidence, ces deux modes de fonctionnement sont nécessaires, la plus grande partie de la formation est concentrée sur les activités du cerveau gauche. Nous mémorisons des tables numériques et des formules mathématiques, nous emmagasinons de l'information dans notre mémoire et apprenons à la retrouver si besoin est, et nous apprendrons à penser d'une façon analytique et linéaire. On accorde peu d'importance à l'émotionnel, à l'intuitif, aux capacités de visualisation qui logent dans l'hémisphère droit du cerveau.

Est-ce quelque chose qui peut être appris ? Betty Edwards, un professeur d'art à l'université California State de Long Beach, croit que oui. Dans son livre, *Drawing on the Right Side of the Brain*, elle dit : « Une des capacités merveilleuses de votre cerveau droit est l'imagination : voir un portrait imaginaire avec l'œil de votre intelligence. Le cerveau est capable de former une image et de la "regarder", de la "voir" comme si elle était "vraiment là". Les termes qui décrivent cette capacité, *visualiser* et *imaginer*, sont employés presque de façon interchangeable, bien que selon moi le terme *visualiser* semble connoter une image *en mouvement* et, *imaginer* une image fixe ».

251

Betty Edwards suggère une série d'exercices pour développer le cerveau droit, en commençant par dessiner des images à l'envers, de droite à gauche, ou à l'inverse. Regarder les choses différemment et non comme vous l'avez toujours fait, voilà bien sûr l'idée, « apprendre à voir comme un artiste : la clé est de diriger votre attention vers de l'information visuelle que le cerveau gauche ne peut ou ne veut pas traiter ». [*]

Vous pouvez appliquer la même technique d'imagination à presque n'importe quel exercice, qu'il s'agisse de résoudre un problème particulièrement difficile, d'inventer une nouvelle campagne publicitaire ou de trouver de nouveaux clients pour une gamme de produits qui ne se vendent pas. Utilisez vos capacités de visualisation en ressassant l'idée dans votre tête et en la regardant sous tous les angles possibles jusqu'à ce que vous la voyiez d'une façon dont vous ne l'aviez jamais vue auparavant. Un nouveau regard peut être tout ce dont vous avez besoin pour trouver une solution créatrice à un problème contre lequel vous vous débattiez.

N'oubliez pas de noter vos bonnes idées par écrit. Les idées sont fugaces ; vous pouvez ne pas être capable de les reproduire sur demande. Dans son livre, *Lake Wobegon Days*, Garrison Keillor pleure un manuscrit perdu :

« L'histoire perdue brillait de tellement de feux dans la mémoire incertaine que chaque nouvelle tentative vers elle semblait pâlotte et appauvrie avant que je n'atteigne la première phrase... Je pris Lake Wobegon comme prétexte à un monologue hebdomadaire (pour le *Prairie Home Companion*, une émission qu'il animait pour la radio), espérant qu'un bon samedi soir, debout sur la scène, j'examinerais la lumière des projecteurs et verrais mon histoire perdue glis-

[*]   Betty Edwards, *Drawing on the Right Side of the Brain* (Los Angeles : J.P. Tarcher, Inc., 1979 ; distributed by St. Martin's Press, New York), pp. 37, 57.
Dessiner grâce au cerveau droit — Mardago P., 1983 — 210 p 20 x 23 cm. (Psychologie & Sciences Humaines ; 112) Trad. de l'américain.

ser vers moi sur le faisceau lumineux et venir m'auréoler. Onze ans plus tard, je l'attends toujours».[*]

Si vous avez écouté les monologues étranges de Keillor, vous vous souviendrez qu'on ne pouvait jamais être certain de ce qui était réel en eux ou pure fantaisie. Une chose était certaine toutefois: les idées perdues peuvent être difficiles à retrouver. Écrivez-les lorsqu'elles vous passent par la tête.

L'étape suivante dans la vision créatrice est un peu plus confuse et beaucoup plus abstraite. Elle concerne l'information qui réside dans votre inconscient. Alors que votre esprit conscient fonctionne seulement lorsque vous êtes vigilant et en état d'éveil, votre inconscient est au travail 24 heures sur 24. Si vous apprenez à l'écouter, votre inconscient peut vous fournir des idées nouvelles et surprenantes, de même que des associations peu probables d'informations qui aboutissent à des façons nouvelles et meilleures de faire quelque chose. Cela n'est pas très scientifique, mais ça marche.

Le chanteur et parolier Carl Perkins raconte avec plaisir comment une remarque entendue par hasard dans une soirée dansante et un bout de comptine se sont associées dans son imagination pour produire un disque qui s'est vendu à des millions d'exemplaires. Le conseil d'un adolescent à sa petite amie de «stay off his suede shoes» avait continué de lui trotter dans la tête bien longtemps après la fin de la soirée et qu'il se soit mis au lit chez lui. Il s'est dressé tout droit dans son lit lorsqu'il a pensé à la phrase: «One for the money, two for the show»...

Il a écrit les mots de «Blue Suede Shoes» sur un sac de papier, et la chanson était déjà un tube pour lui lorsqu'Elvis Presley l'enregistra et en fit un classique du rock-and-roll.

Ces éclairs de génie qui vous arrivent dans le milieu de la nuit devraient être encouragés, et non découragés, dit

---

[*]   Garrison Keillor, *Lake Wobegon Days* (New York: Viking, 1985), p. ix. *Cette petite ville oubliée par le temps* / Trad. de l'américain Anne Laflaquère — Ramsay, 1987. — 406 p. 24 x 11 cm.

Rance Crain, président et directeur de la publication de *Crain's Chicago Business.*

«Votre inconscient vous a réveillé pour une bonne raison», dit-il, «et cette raison pourrait très bien être qu'une idée est en train de naître. Alors laissez vos pensées vous amener là où elles veulent, et elles se concentreront assez rapidement sur le problème (ou sur la bonne occasion) contre lequel vous vous débattiez. Et ensuite, vous aurez votre solution assez rapidement».*

Rance Crain, dont l'entreprise publie aussi *Advertising Age*, rejette l'idée que certaines personnes sont créatrices et d'autres pas. Il définit la créativité comme «une nouvelle façon de regarder les choses et les concepts familiers. Le truc consiste à voir les choses de façon nouvelle», dit-il, «et pour cela vous pourriez avoir à changer un peu votre façon de faire.

«Ce n'est pas tant ce que vous faites qui est différent. Mais le processus de penser à de petites choses ordinaires de manières différentes vous amènera inévitablement à établir des relations avec des sujets plus vastes, ayant plus de substance».

Il croit que c'est le processus qui est important, et que changer l'ordre des choses que vous faites ou changer la façon de les faire vous forcera à penser davantage à ce que vous faites. Peut-être qu'en effectuant un tel changement, vous vous rendrez compte de quelque chose qui ne vous était pas venu à l'idée auparavant et qui vous suggérera une solution nouvelle à un vieux problème.

Il recommande le livre de James Webb Young, *A Technique for Producing Ideas*. Même s'il a été publié en 1940, il décrit une méthode qui est aussi valable aujourd'hui qu'elle l'était il y a plus de quatre décennies. Monsieur Young a suggéré cinq étapes pour prendre une idée de la conception à l'incubation jusqu'à la mise en application:

---

* Rance Crain, «Can't Sleep? It's genius calling», *Crain's Chicago Business* (June 25, 1984), p. 10.

1. Ramassez la matière brute. Faites la recherche qui traite du problème immédiat et utilisez l'information qui vous vient de l'enrichissement constant de vos connaissances générales.
2. Faites travailler cette information dans votre tête.
3. Faites incuber l'idée dans votre inconscient.
4. Reconnaissez l'étape du « Eurêka ! Je l'ai ! » lorsque l'idée prend forme.
5. Façonnez et développez l'idée en vue de son utilisation pratique.

Rance Crain nous rappelle que toutes les idées impliquent des risques et que si nous voulons vraiment exprimer notre créativité, nous devons surmonter des obstacles comme la peur de l'échec du rejet ou du ridicule.

La plus difficile de ces cinq étapes est sans aucun doute la période d'incubation dans l'inconscient. Elmer Gates, un contemporain de Thomas Edison, est quelqu'un qui a bien maîtrisé cette étape. En fait, il détenait presque deux fois plus de brevets d'inventions que Thomas Edison, et il était très bien payé comme consultant par les leaders de l'industrie de son temps.

Elmer Gates a développé la méthode qu'il appelait « s'asseoir pour avoir des idées » en vue de donner libre cours à sa vision créatrice. Lorsqu'il cherchait une solution à un problème, il s'en allait dans une pièce insonorisée qu'il avait construite spécifiquement à cette fin, fermait la porte, s'asseyait à une table avec un bloc de papier et un crayon, et éteignait la lumière. Alors il concentrait ses idées sur le problème et attendait de recevoir une solution.

Parfois les idées coulaient rapidement, parfois non. De temps à autre, elles n'arrivaient pas du tout. Mais il a peaufiné et perfectionné plus de 250 brevets grâce à cette méthode.

Dans leur livre, *Higher Creativity; Liberating the Unconscious for Breakthrough Insights*, Willis Harman et Howard Rheingold donne à l'analogie de l'ordinateur évoquée par W. Clement Stone une coloration un peu différente. Ils disent que le processus est simplement « entrée, traitement, sortie ». Ils proposent une méthode en quatre temps pour capter les pouvoirs de l'inconscient créateur :

1. Utilisez la visualisation et les images.

2. Programmez et reprogrammez le processeur d'idées inconscient.

3. Atteignez la relaxation vigilante pour ouvrir le canal.

4. Utilisez votre pouvoir de rêver.[*]

Eux aussi, ils suggèrent d'exercer régulièrement le pouvoir visionnaire de votre esprit pour vous aider à visualiser les situations plus clairement. Commencez par des images apaisantes, reposantes, comme marcher au sommet d'une montagne verdoyante, boire à une source fraîche, regarder la mer ; alors, lorsque vous reviendrez de votre voyage mental, écrivez vos impressions et les images qui vous viennent ou dessinez-les.

Vos premières images sont particulièrement importantes parce qu'elles peuvent contenir des indices de vos sentiments les plus profonds et vous aider à développer vos habiletés de visualisation. « Mais parfois », vous mettent en garde les auteurs, « le sens des images ne devient clair que plus tard, alors que d'autres images peuvent donner un contexte.

« Ne vous découragez pas si rien de spectaculaire ne se passe au début. Répétez simplement l'exercice tous les jours, jusqu'à ce que cela devienne facile et que les images se précisent. Après tout, cela vaut bien un peu de pratique et d'effort pour apprendre le langage de l'inconscient afin que lorsqu'il parle, vous puissiez le comprendre et communiquer avec lui ».

Le deuxième temps du processus est l'affirmation, par la programmation et la reprogrammation du processeur d'idée inconscient. C'est essentiellement la méthode de l'autosuggestion développée par W. Clement Stone et Napoleon Hill qui est décrite au chapitre 18.

---

[*] Willis Harman, Ph.D., and Howard Rehingold, *Higher Creativity, Liberating the Unconscious for Breakthrough Insights* (Los Angeles, Jeremy P. Tarcher, Inc., 1984, distributed by Houghton Mifflin Co., Boston).

Willis Harman et Howard Rheingold citent Maxwell Maltz, l'auteur de *La psychocybernétique*,[*] qui écrivait: «La personne chanceuse ou prospère a appris un secret bien simple. Appeler, capturer, évoquer le sentiment du succès. Lorsque vous ressentirez le succès et la confiance en soi, vous agirez avec succès.

«Définissez votre objectif ou résultat final. Voyez-le clairement et précisément. Ensuite capturez simplement la sensation que vous éprouveriez si cet objectif désiré était déjà un fait accompli. Alors votre mécanique interne est orientée vers le succès: pour vous guider dans le choix approprié des mouvements musculaires et des ajustements; pour vous fournir les idées créatrices, et pour faire tout ce qui peut être nécessaire par ailleurs pour faire de l'objectif un fait accompli».

Pour arriver à un état de relaxation vigilant et ouvrir le canal de communication de l'inconscient, ils recommandent l'approche esquissée par Herbert Benson (voir au chapitre 11).

Ils offrent aussi des conseils pratiques pour utiliser vos rêves à votre avantage. «Une chose est certaine: lorsque nous dormons, nous cessons (habituellement) d'être conscients. Nous sommes dans le domaine de l'inconscient et il peut nous parler directement sans l'interférence des distractions extérieures, le papotage des idées ou les exigences du corps. Est-ce pour cela que tellement d'inspirations, d'illuminations, de révélations, d'idées, de percées et de symboles nous viennent "dans nos rêves"?»

Ne vous inquiétez pas de l'interprétation des rêves selon la théorie de la psychologie, disent les auteurs; les rêves sont aussi individuels que les personnes qui les font sont uniques. Toutefois, ils suggèrent de se les rappeler. Gardez un carnet ou un magnétophone à côté du lit, notez la date du rêve et revoyez le rêve dès votre réveil. Analysez votre rêve au fil du temps, discutez-en avec d'autres personnes, suivez des cours ou participez à des ateliers sur le

---

[*] Produit aux éditions Un monde différent sous format de cassette audio.

sujet, mais ne vous attendez pas à des miracles immédiats. Vous pouvez maîtriser les techniques de relaxation bien longtemps avant de commencer à comprendre vos rêves.

Malgré des années de recherche, les scientifiques commencent tout juste à comprendre comment fonctionne l'esprit humain. Nous pouvons faire des sauts quantiques dans un avenir proche, ou cela peut prendre des siècles de progrès délibéré avant que nous puissions commencer à libérer efficacement le vaste potentiel du cerveau humain. Personne ne sait quelles réponses nous réserve l'avenir.

Ce que nous connaissons toutefois, ce sont des techniques variées pour capter l'inconscient, elles ont été appliquées avec succès pour enrichir la vie personnelle et professionnelle de plusieurs gagnants. Ils se sont aidés de ces méthodes pour développer et raffiner la vision créatrice que nous possédons tous. Vous pouvez en faire autant.

La nécessité de la vision créatrice n'a jamais été aussi urgente que dans la société contemporaine qui est de plus en plus axée sur l'information. Les gagnants dans un marché qui change à une vitesse étourdissante — où des produits et des entreprises entières ont des cycles de vie de plus en plus courts — seront ceux qui ont la vision créatrice pour anticiper les besoins du marché avant même que les clients ne sachent, eux, ce qu'ils veulent.

Chapitre 15

L'attention contrôlée

Pendant 10 ans, Michel-Ange a travaillé à construire Saint-Pierre de Rome, combattant la bureaucratie et les politiciens, se débattant contre les vicissitudes de l'âge et de l'infirmité. À l'âge de 82 ans, après avoir été alité pendant plusieurs mois suite à une attaque virulente de calculs rénaux, il retourna à son projet pour se rendre compte qu'un nouveau surintendant de la construction avait mal lu ses plans et commis plusieurs erreurs de construction. Une des chapelles allait devoir être démolie.

Il alla voir le pape Paul, seulement pour se rendre compte que son critique, Baccio Bigio, l'avait déjà précédé et avait demandé au pape de ne pas garder Michel-Ange comme architecte de la cathédrale. Pendant que le grand artiste et le pape parlaient, scène décrite par Irving Stone dans *The Agony and the Ecstasy, Michel-Ange fit remarquer* :

« Votre Sainteté, pendant 30 ans j'ai regardé de bons architectes couler des fondations. Ils n'ont jamais réussi à faire que Saint-Pierre ne s'élève. Durant les 10 années que j'en ai été l'architecte, l'église s'est élevée comme un aigle. Si vous me renvoyez maintenant, ce sera la ruine de l'édifice ».

« Michel-Ange, aussi longtemps que tu auras la force de te défendre, tu demeureras l'architecte de Saint-Pierre », répliqua le pape.

Mais il était évident que Michel-Ange devait terminer les croquis pour le dôme magnifique. S'il devait lui arriver quelque chose, aucun autre être humain ne pourrait imaginer ce qu'était sa vision; l'église ne pouvait pas être achevée sans lui.

Confronté à l'ultime délai, Michel-Ange savait qu'il devait terminer la conception du dôme. «Il recherchait l'équilibre absolu, la perfection de la ligne, de la courbe, du volume, de la masse, de l'ouverture, de la densité, de l'élégance, la profondeur de l'espace infini», écrit Irving Stone. «Il aspirait à créer une œuvre d'art qui transcenderait l'époque où il avait vécu».

Michel-Ange avait déjà fait plusieurs dessins et modèles, mais aucun n'était à la hauteur de ses attentes. Il se débarrassa de tout cela. Finalement un soir, peu après sa conversation avec le pape, il trouva, dit Irving Stone, «après 11 années à penser, à dessiner, à prier, à espérer et à désespérer, à expérimenter et à rejeter: une créature issue de son imagination, produite par la somme de ses talents, énorme dans son ampleur et pourtant aussi fragile qu'un œuf dans un nid d'oiseau, élancée, mélodieusement dressée vers le ciel, construction arachnéenne qui élevait sans effort et mélodieusement ses 102 m, en forme de poire, tout comme le sein de la Madone des Médicis... C'était un dôme à nul autre pareil».

Lorsque Tommaso, le vieil ami de Michel-Ange vit les dessins, il murmura, «C'est arrivé. D'où cela peut-il venir?»

«D'où proviennent donc les idées?» répliqua Michel-Ange. «Sebastiano m'a posé cette même question quand il était jeune. Je puis seulement te donner la réponse que je lui faisais, parce que je ne suis pas plus sage à l'âge de 82 ans que je ne l'étais à 39 ans; les idées sont une fonction naturelle de l'esprit, comme respirer est celle des poumons. Peut-être nous viennent-elles de Dieu».[*]

---

[*] Irving Stone, *The Agony and the Ecstasy* (Garden City, N.Y.: Doubleday & Company, Inc., 1958) pp. 679-82.
La Vie ardente de Michel-Ange — Plon, 1983 — 480 p. ; 16 x 24 cm trad de l'américain.

En une seule nuit Michel-Ange a accompli ce qu'il avait eu tant de difficultés à perfectionner pendant plus d'une décennie.

Cet état de concentration à un niveau supérieur apporte avec lui une efficacité mentale que les chercheurs ont rapprochée d'un sens d'euphorie semblable à ce que procurent les drogues, le sexe ou l'état second du coureur. C'est, dit un article du New York Times à ce sujet, un état modifié « dans lequel l'esprit fonctionne à sa puissance maximale, le temps est souvent altéré et un sentiment de bonheur semble envahir l'instant.*

« Une équipe de chercheurs décrit ces moments de concentration comme des « états de fluidité ».

« Selon Mike Csikszenthmihalyi, un psychologue de l'université de Chicago », poursuit le Times, "fluidité" fait référence à « ces moments où les choses semblent seulement bien aller, où vous vous sentez en vie et pleinement attentif à ce que vous faites" ». Mihaly Csikszenthmihalyi a étudié 82 sujets volontaires, allant des commis et des travailleurs payés à l'heure jusqu'aux ingénieurs et aux cadres, sujets qui ont enregistré à divers moments de la journée comment ils se sentaient et ce qu'ils étaient en train de faire. Il est intéressant de noter que les chercheurs ont trouvé que quelque part entre l'ennui d'un travail sans défi et l'anxiété d'un travail trop exigeant, il existe une zone où la concentration semble atteindre son point culminant. Csikszenthmihalyi l'appelle « une sorte de vitesse mentale surmultipliée », durant laquelle nous sommes capables de concentrer notre attention de façon extraordinaire.

Les résultats d'une telle concentration peuvent être remarquables. Feu Sydney J. Harris, journaliste et écrivain, utilisait une analogie avec les sports pour indiquer qu'un tout petit peu plus de concentration peut apporter des résultats plus grands de façon significative. « Considérez deux joueurs de base-ball professionnels », disait-il. « L'un

---

* Daniel Golemen, « Concentration Is Likened to Euphoric States of Mind », The New York Times (March 4, 1984), pp. C1, C3.

atteint une moyenne de 275 au bâton pour la saison. L'autre atteint une moyenne de 300. Celui qui atteint une moyenne de 300 peut facilement obtenir un contrat qui lui rapporte le double de celui qui atteint une moyenne de 275.

«Pourtant, la différence entre les deux, pour toute la saison, est seulement d'un coup sûr en 40 apparitions au bâton.[*]

Les comparaisons n'en finissent plus: le cheval qui gagne d'une longueur, le marathonien qui gagne d'un pas, le botteur de placement — au football américain — qui mène son équipe à la victoire par la marge d'un seul point, ou le joueur de base-ball qui frappe le coup gagnant au signal de la fin.

Sydney J. Harris utilisait cette analogie pour illustrer le fait que dans tous les domaines où les concurrents habiles et très entraînés sont nombreux, personne n'est deux fois meilleur — ou même la moitié meilleur — que quelqu'un d'autre. Vous n'avez pas besoin de l'être; un avantage de 5 ou 10 % vous placera bien loin en avant du peloton.

C'est comme l'histoire des deux randonneurs au fond des bois qui remarquent des indices de plus en plus nombreux de la présence d'un ours. Comme ils deviennent de plus en plus anxieux, un des randonneurs s'assoit sur une souche, enlève ses chaussures de randonnée et commence à mettre ses chaussures de course.

«Qu'est-ce que tu es en train de faire?» lui demande son ami.

«Je mets mes chaussures de course», est la réponse.

«Es-tu fou?» demande le copain. «Tu ne réussiras jamais à distancer un ours grizzly».

«Je ne suis pas obligé de distancer l'ours», dit le premier coureur en se levant et en s'époussetant. «J'ai juste à te distancer, toi».

---

[*]   Sydney J. Harris, «Winners Learn to Handle Themselves Intelligently», Chicago *Sun-Times* (October 11, 1984), p. 57.

Dans cette situation, un avantage de 5 ou de 10 % serait certainement le bienvenu, et plus que suffisant pour atteindre le résultat désiré.

La question est bien sûr de savoir s'il est possible de vous entraîner à atteindre facilement des niveaux élevés de concentration ou si, comme le suggérait Michel-Ange, l'état de fluidité est le travail de Dieu. La réponse pourrait être que c'est une combinaison des deux.

En comparant le cerveau à un ordinateur, W. Clement Stone fait remarquer que bien que l'ordinateur soit capable d'emmagasiner et de traiter l'information, la différence de capacité est considérable. Le cerveau a beaucoup plus d'octets de mémoire, des temps de traitement beaucoup plus rapides et il peut être beaucoup plus facile à reprogrammer que sa contrepartie électromécanique.

Cela commence avec la «base de données» de votre ordinateur humain. La plupart d'entre nous n'allons utiliser qu'un faible pourcentage de la capacité de notre cerveau durant notre vie, mais il est possible d'en augmenter l'utilisation, croit Orlando Battista, président de Knowledge Inc. et de l'institut de recherche O.A. Battista.

Orlando Battista, à qui l'on a accordé 80 brevets d'invention aux États-Unis et plus de 500 à l'étranger, «étire» son esprit par la lecture constante. «Je survole peut-être 30 revues et ne garde que ce qui est absolument nouveau. Aussitôt que je trouve quelque chose qui est nouveau pour moi, je veux le lire. Ceci vous aide à donner de l'expansion à vos cellules intellectuelles et développe votre mémoire. Je crois que développer la puissance du cerveau n'est pas une répétition des choses qui sont du "déjà vu" pour vous. Là où vous faites vraiment du progrès, c'est en forçant les cellules du cerveau — 13 trillions d'entre elles, me dit-on — à travailler un peu plus fort. Pour les faire travailler plus fort, vous devez fournir de l'information nouvelle. Lorsque vous ajoutez un peu d'information nouvelle vous amenez ces cellules à devenir plus efficaces dans leur capacité à être puissantes intellectuellement ».

Récipiendaire de distinctions innombrables, auteur de 22 livres, de plus de 100 publications scientifiques et de plus de 1 000 articles dans des revues nationales, Orlando Battista dit, «Si je lis quelque chose de nouveau, je ne le mets jamais de côté avant de l'avoir bien compris. La plupart d'entre nous lisons quelque chose de nouveau en jetant juste un léger coup d'œil. Ça, c'est la manière facile de s'en tirer. Moi, je le relis et l'examine à nouveau, et le réexamine jusqu'à ce que cela devienne clair dans mon esprit.

«De par notre nature, nous sommes intellectuellement très superficiels. Par conséquent, vous devez vous discipliner comme un coureur olympique ou un adepte du saut en hauteur. Il ne le fait pas du premier coup. Il doit se forcer pour fournir cet effort supplémentaire afin de retrancher une seconde de son temps sur le 1 000 m à la nage. Cela n'arrive pas tout seul.

«La même chose se produit avec les cellules du cerveau, j'en suis convaincu. Vous pouvez les entraîner, tout comme vous pouvez apprendre à jouer du piano. Vous pouvez apprendre à utiliser vos cellules intellectuelles au profit de l'humanité — pas seulement pour vous. Nous n'avons même pas commencé à égratigner la surface du potentiel. Cela, par comparaison, fait tomber tout ce à quoi je pourrais penser dans la médiocrité».

Si vous croyez que des intellectuels comme Orlando Battista sont nés sous une étoile différente ou ont une sorte d'avantage génétique particulier, vous vous trompez. Il attribue son amour de la connaissance à son père, un manœuvre immigrant, un maçon qui pouvait à peine lire. «Il nous a toujours dit lorsque nous étions de tout jeunes enfants — à chacun d'entre nous et nous étions 8 — «Aussi longtemps que je vous verrai le nez dans un livre, je ne vous demanderai jamais de faire un travail manuel». Le résultat a été que nous étions toujours tous en train de lire ! Je me souviens de mon frère Arthur, qui est l'un des plus fameux neurochirurgiens au monde, qui lisait le *Microbe Hunters* à l'âge de 13 ans. Nous étions dans notre modeste salon, il referma le livre et me dit: «Landy, même si cela me prend 30 ans, je vais être neurochirurgien ». Et cela lui a réellement pris 30 ans.

« Mon père avait eu la sagesse d'apprécier l'importance d'étudier, non pour lui-même, mais pour nous tous ».

Il se peut qu'il ne soit pas facile de vous forcer vous-même à étudier, quels que soient pour vous l'intérêt et l'importance du sujet. Sigmund Freud, pendant qu'il développait ses théories sur l'inconscient et son influence sur les rêves, se débattit tellement avec les livres contemporains sur le sujet que cela fut pour lui une cause de détresse, dit Irving Stone dans son roman biographique à propos du grand psychiatre. Il lui semblait que les livres s'étendaient à perte de vue.

Lorsque sa femme vit à quel point il était irrité d'avoir à lire ces 80 volumes, elle lui demanda : « Pourquoi dois-tu lire chaque mot de ces livres ? »

« Parce que je ne puis prendre le risque d'être accusé d'avoir négligé un seul de ces ouvrages, aussi fragmentaire que puisse être l'information qu'ils contiennent ».

La discussion se poursuivit à propos de la futilité de citer une cinquantaine d'auteurs seulement pour prouver qu'ils « se sont fourvoyés eux-mêmes », jusqu'à ce que Sigmund Freud dise : « C'est la façon scientifique de faire : résumer tout ce qui a été écrit sur le sujet et en analyser la valeur ».

« Mais qu'arrive-t-il au lecteur s'il se perd dans cette forêt ? »

Sigmund se mit à sourire avec regret. « Il n'arrivera jamais à voir la Belle au bois dormant qui s'y cache. C'est une sorte de rituel pour nettoyer le terrain, comme le font les fermiers qui brûlent les éteules avant de labourer » ».[*]

Même Albert Einstein avait ses problèmes. Étudiant médiocre, lorsqu'il voulut s'inscrire à la fameuse Federal

---

[*] Irving Stone, *The Passions of the Mind* (Garden City, N.Y. : Doubleday & Company, Inc., 1971), pp. 493-94.
La vie de Freud — Flammarion, 1973, 608 p. ; 244 x 16 cm (Lettres étrangères) trad. de l'américain.

Institute of Technology à Zurich — l'école polytechnique, comme on l'appelait communément — il rata les examens d'admission. À l'école élémentaire, il n'a jamais pu accepter la méthode sévère de la mémorisation alors à la mode et il refusait de coopérer avec ses instituteurs. Des années plus tard, il écrivait à quelqu'un qui lui demandait des renseignements à son sujet: « Comme élève, je n'étais pas particulièrement ni bon, ni mauvais. Ma principale faiblesse était une mauvaise mémoire et spécialement en ce qui concernait les mots et les textes ». En vérité, son professeur de grec, selon l'un de ses biographes, lui avait dit: « Tu n'arriveras jamais à rien ».[*]

Peu importe ses faiblesses en littérature et en mémorisation, Albert Einstein trouva bien sûr son créneau en mathématiques et en physique. Ses découvertes demeurent insurpassées.

Même dans les domaines où vous excellez, la concentration intense peut être difficile, mais elle vaut l'effort. Dans son livre, *Managing*, Harold S. Geneen, un ancien comptable et président-directeur général d'ITT pendant 17 ans, écrit:

« Si vous administrez une entreprise bien dirigée, la plupart des chiffres seront ceux auxquels vous vous attendez. Cela les rend encore plus banals et ennuyeux. Mais vous ne pouvez pas ne pas en tenir compte; vous n'osez pas relâcher votre attention. Ces chiffres sont pour vous une moyen de contrôle, et vous les lisez sans fin, jusqu'à en avoir le vertige ou jusqu'à ce que vous arriviez à un chiffre ou à un ensemble de données qui se détachent de tout le reste, qui exigent votre attention et qui l'obtiennent ».

L'attention que Harold S. Geneen portait au détail, sa concentration forcée sur les chiffres, amena ITT à 58 trimestres consécutifs de croissance à un taux annuel de 10 à

---

[*]   Banesh Hoffmann with the collaboration of Helen Dukas, *Albert Einstein, Creator & Rebel* (New York: New american Library, 1972, pp. 19-20.
    Albert Einstein, créateur et rebelle — Seuil, 1979. — 300 p.; 18 x 12 cm (Points. Sciences, 19). Trad. de l'américain.

15 % ; les ventes annuelles passèrent de 766 millions de dollars à 22 milliards.*

« Peu importe ce que vous êtes ou ce que vous avez été », dit W. Clement Stone, « vous pouvez être ce que vous *voulez* être.

« Il arrive en de rares occasions qu'un individu puisse avoir hérité à la naissance de tendances tellement remarquables qu'il puisse être considéré comme un génie naturel, mais règle générale, les personnes douées se sont faites, elles ne naissent pas ainsi. Toute personne normale est en fait potentiellement douée, parce qu'elle a hérité d'une partie suffisamment vaste du passé pour pouvoir devenir remarquable par sa réussite.

« Le génie, le talent, l'aptitude, les dons et la compétence sont des facultés qui peuvent être développées et cultivées. Elles sont à l'état latent chez chaque enfant à la naissance et elles peuvent être mises à jour à n'importe quel moment de son développement lorsqu'il est prêt. De plus, il peut être préparé si on lui enseigne — et s'il apprend et met en pratique — l'art de la motivation avec une attitude mentale positive.

« *Même si vous pouvez être capable de grandeur, votre talent ou vos dons seront toutefois évalués en vertu de vos seules réalisations*. Et une grande réalisation est le résultat d'efforts persévérants qui commencent avec le désir de réaliser des objectifs précis.

« J'ai souvent cité J. Milburn Smith, l'ancien président de Continental Casualty Company, qui m'a enseigné : « *Le fardeau de l'apprentissage repose sur la personne qui veut apprendre, et le fardeau de l'enseignement sur la personne qui veut enseigner* ». C'est la responsabilité du parent, de l'enseignant et du ministre du culte de motiver l'enfant à vouloir apprendre. C'est toutefois toujours la responsabilité de l'individu de se motiver lui-même.

---

* Greg Daugherty, « The Manager With the « Most » Tells How He Got It », a review of *Managing*, by Harold Geneen (Garden City, N.Y.: Doubleday & Company, 1984), *PMA Adviser* (September 1984), p. 4.

« Le génie est fait de 1 % d'inspiration et de 99 % de transpiration », disait Thomas Edison. Sans ce 1 % d'inspiration, vous n'allez jamais persévérer; vous demeurerez toujours uniquement une personne *potentiellement* douée.

« Souvenez-vous: vous êtes le produit de votre hérédité, de votre environnement, de votre corps physique, de votre conscient et de votre inconscient, de votre expérience, de votre travail, de votre direction dans le temps et dans l'espace, et de quelque chose de plus... de puissances connues et inconnues. Et vous avez le pouvoir potentiel de modifier, d'utiliser, de contrôler tout cela, ou encore de vivre en harmonise avec tout cela.

Peu importe ce que vous êtes ou ce que vous avez été, vous avez le pouvoir potentiel d'être ce que vous voulez être... si vous consentez à en payer le prix. Quel en est le prix? Le TEMPS. Consacrez une demi-heure par jour à la pensée créatrice et concentrez-vous sur les principaux objectifs de votre vie.

Pendant ce temps, gardez dans votre esprit ce que vous voulez — et hors de votre esprit ce que vous ne voulez pas.

« Thomas Edison consacrait plusieurs heures chaque jour à la pensée créatrice. Rappelez-vous de ses paroles, « Le génie est fait de 1 % d'inspiration et de 99 % de transpiration », et souvenez-vous que le temps de pensée créatrice précède toujours le temps de préparation ou de travail ».

La connaissance est essentielle à la croissance personnelle. Nous sommes les produits d'un système qui nous enseigne que nous passons du jardin d'enfant à l'école secondaire, peut-être au collège et si nous sommes extrêmement consciencieux ou chanceux, nous continuons à l'université. Alors notre formation est terminée. En réalité, cela est loin d'être la vérité. Pendant que la révolution technologique continue de balayer le monde, il devient de plus en plus nécessaire de continuer à apprendre.

On a dit que de nos jours la moitié de la vie d'un ingénieur est, dans notre société de haute technologie, de cinq ans. Cela signifie que la moitié de ce qu'un jeune et brillant ingénieur qui sort du MIT (Massachusetts Institute of Technology) a appris cette année sera dépassée dans cinq ans. La formation académique donne seulement les qualités nécessaires pour entrer sur le marché du travail. Notre succès futur dépendra de la façon dont nous mettrons en pratique cette connaissance et de la fréquence de sa mise à jour.

De nos jours, des milliards sont dépensés pour la formation continue; les grandes entreprises ont des centres de formation qui rivalisent avec les universités par l'envergure et la diversité de leur enseignement. En vérité, en plusieurs endroits, les universités elles-mêmes offrent des cours pour adultes sur les lieux de travail dans les entreprises, les hôpitaux, les bases militaires et dans tout autre endroit qui peut regrouper des adultes intéressés et motivés.

Les séminaires, les cours et les livres de croissance personnelle abondent sur presque tous les sujets imaginables. Ils sont tous à votre portée, ils vous attendent. Est-ce que l'attention contrôlée et le savoir concentré sont vraiment importants? R. Buckminster Fuller fit remarquer dans son livre volumineux, *Critical Path*, qu'il y a deux réalités fondamentales dans notre univers: la physique et la métaphysique. Les biens physiques sont tangibles, peuvent être brevetés et sont enregistrés comme faisant partie de l'actif, mais la métaphysique peut acquérir le même statut seulement dans des cas spéciaux. La métaphysique est considérée comme sans matière; en latin, remarque R. Buckminster Fuller, le mot signifie « rien sur quoi reposer ».

« La grande question de nos jours », écrivait-il, « est le savoir-faire technique qui régit les transformations d'énergie entre les deux états. "Le savoir-faire" est métaphysique. La métaphysique règne à présent. Lorsque le dirigeant d'une des plus grandes banques des U.S.A. se fit demander quelles « matières premières » étaient impliquées dans les transactions import-export que faisait la banque au nom du gouvernement de la Chine avec le reste du monde, il répondit que la matière première dont les Chinois faisaient l'acquisition par l'entremise de la banque était le savoir-faire ».[*]

Peu importe comment le débat entre les gouvernements à propos de ce que vaut la connaissance est résolu, il demeure que la connaissance mise en pratique par une pensée juste est un principe essentiel du succès.

Comme le faisait déjà remarquer l'Anglais Robert Eldridge Aris Willmott, spécialiste en histoire de la littérature, « C'est l'attention qui fait le génie; tout l'apprentissage, toute la fantaisie, toute la science et tout le talent en dépendent. Newton a relié ses grandes découvertes à l'attention. Elle construit les ponts, ouvre de nouveaux mondes, guérit les maladies, dirige les affaires du monde. Sans elle le goût ne sert à rien, et les beautés de la littérature passent inaperçues ».

---

[*]   R. Buchminster Fuller, *Critical Path* (New York: St. Martin's Press, 1981), p. 109.

Chapitre 16

La pensée juste

« Penser », disait Henry Ford, « est le travail le plus difficile qui soit, ce qui est probablement la raison pour laquelle si peu de gens s'y engagent ».

La pensée juste dans le contexte des principes de W. Clement Stone pourrait être décrite comme l'étape de l'évaluation et de la mise en application du processus intellectuel. Les idées sont conçues dans l'imagination grâce à la vision créatrice, nourries et développées grâce à l'attention contrôlée puis évaluées et mises en application grâce à la pensée juste.

La pensée juste est cruciale pour appliquer avec succès les autres principes. À moins de vérifier la validité des idées sur le plan rationnel et de bâtir vos objectifs en les fondant sur une pensée juste, il vous sera quasiment impossible d'atteindre vos objectifs. Et vous ne pouvez surtout pas inciter les autres à suivre votre vision si votre logique fait défaut.

Dans les analyses contemporaines des fonctions du cerveau droit et du cerveau gauche, la pensée juste se trouverait dans la moitié gauche, le cerveau analytique, alors que la vision créatrice serait le produit de la moitié droite, le cerveau imaginatif. La pensée juste aiderait à résoudre logiquement les problèmes qui ont été identifiés par la vision créatrice intuitive.

La vraie clé du succès, dit James Botkin, est ce que vous faites pour que les deux se complètent bien. James Botkin, qui est l'un des principaux auteurs du rapport du

Club de Rome *No Limits to Learning* (voir chapitre 14), dit que l'innovation se produit lorsque la vision créatrice et la pensée juste se complètent, «malgré la littérature populaire qui soutient le contraire, je définirais l'innovation au sens qu'on lui donne dans le domaine de l'industrie ou des affaires, comme la commercialisation réussie d'une idée nouvelle. Bien sûr, il y a d'autres définitions intéressantes. Selon le lauréat du prix Nobel, Herbert Simon de Carnegie Melon, l'innovation et la créativité ne sont rien de plus que la maîtrise de 50 000 «pièces» d'information. Selon sa théorie, quiconque peut maîtriser 50 000 pièces d'information dans son propre domaine deviendra un penseur qui crée. (Dans ce contexte, une pièce d'information pourrait se comparer à un coup de maître aux échecs — bouger une pièce particulière dans un ensemble de circonstances données aura pour résultat une certaine situation.

«Herbert Simon va même plus loin en affirmant que 50 000 pièces d'information peuvent être maîtrisées en 10 ans. Alors, il vous faut 10 ans pour devenir innovateur. Il dit que la créativité est «la pensée en toutes lettres». Je n'y crois pas; cela me semble plutôt réduire la réalité à une formule bien simple.

«La vision créatrice vient d'une source autre que la pensée juste. Elle vient de cette force que nous avons en chacun de nous et qui nous pousse et que l'on appelle l'esprit. En ce qui concerne les affaires, c'est la force qui vous fait travailler, penser et être en vie. C'est de là que vient la vision créatrice; et votre aptitude à capter cette force vitale vous donne l'imagination. Après avoir eu la vision créatrice — la grande idée — vous pouvez y revenir et la rationaliser, la dépecer et en extraire des formules. Mais ce n'est pas de l'autre façon dont cela fonctionne; vous ne pouvez pas commencer avec une pensée juste et la diviser en petites formules.

«La pensée juste», dit James Botkin, «n'est pas seulement la capacité d'identifier ce qui est vrai et ce qui est faux mais celle, et c'est ce qui est le plus important, d'identifier ce qui est pertinent. De nos jours c'est malheureusement seulement dans les meilleures écoles qu'on l'apprend. La plupart des écoles sont enlisées dans «la pensée critique» — qui consiste à aiguiser la capacité critique de quelqu'un sur le programme de quelqu'un d'autre. Mais ce qui est réellement important c'est la capacité de créer un nouveau programme où il n'en existait aucun auparavant. En d'autres mots, nous pouvons dire qu'attaquer un problème est seulement une opération de nettoyage; le vrai génie créateur est celui qui prévoit et évite des conditions qui mènent à la guerre».

Auteur de plusieurs livres traitant de technologie, d'éducation et d'innovation, James Botkin dit que la formation et la pensée vraiment innovatrices exigent «anticipation et participation». Cela consiste à anticiper les problèmes avant qu'ils n'arrivent — à temps pour qu'on puisse y faire quelque chose — et à travailler ensemble pour les résoudre.

Ces choses n'arrivent pas dans les systèmes scolaires des États-Unis: «Il n'y a rien qui ressemble à du travail en équipe aux États-Unis», dit-il, «Ce n'est pas américain; cela s'appelle tricher. Les écoles ne consacrent pas plus de temps à penser aux choses qui ne sont pas encore arrivées ni à les identifier. Et pourtant, ce sont elles qui vont faire votre réussite lorsque vous entrerez dans le vrai monde. Si vous étiez dans le monde des affaires et si vous faisiez face à une situation nouvelle, qu'est-ce que vous feriez — iriez-vous consulter un livre tout seul ou appelleriez-vous un collègue au téléphone? Je crois que les dirigeants sensés prennent le téléphone — ils cherchent l'aide des autres pour apprendre à corriger leurs propres défauts».

Une autre mauvaise leçon que nous apprenons à l'école est de minimiser le risque. «Nous vivons dans la terreur de faire la mauvaise chose au lieu de vivre dans l'espoir de trouver la bonne», disait l'éducateur britannique Harold Joseph Laski. Roger von Oech, président de Creative Think, une firme de consultants en Californie, fait remarquer que notre système scolaire est un système qui vous donne une bonne note si vous vous trompez seulement 22 % du temps. Le résultat, selon Roger von Oech, c'est que nous apprenons à éviter les situations où nous pourrions nous tromper.

« Le problème », dit-il dans son livre sur la créativité intitulé *A Kick in the Seat of the Pants*, « est que ceci mène au conservatisme dans les manières de penser et d'agir. Elles peuvent être bonnes dans de nombreux cas, mais si vous voulez mettre une nouvelle idée en pratique, elles sont inappropriées. Si les chances de réussite sont seulement de 50 %, mais que le rendement est de 10 pour 1 en cas de réussite, alors c'est (vous êtes) idiot de ne pas le faire ».*

Roger Von Oech cite Charles Kettering de la General Motors qui disait : « Un inventeur est simplement une personne qui ne prend pas trop au sérieux l'éducation qu'il a reçue. Voyez-vous, depuis l'âge de six ans jusqu'à son diplôme de fin d'études au collège, une personne doit passer des examens trois ou quatre fois par an. Si elle échoue une seule fois, elle est morte. Mais un inventeur échoue presque tout le temps. Il essaie et échoue peut-être 1 000 fois. S'il réussit une seule fois, alors il gagne. Ces deux réalités sont diamétralement opposées. Nous disons souvent que le plus gros travail que nous avons à faire est de montrer à un employé nouvellement embauché comment se tromper de façon intelligente. Nous devons le former à expérimenter maintes et maintes fois, et à continuer d'essayer et de se tromper jusqu'à ce qu'il trouve ce qui fonctionnera ».

Lorsque vous évaluez vos idées, dit-il, vous fonctionnez comme un juge. « Lorsque vous adoptez ce rôle, vous décidez ce que vous allez faire de l'idée : la mettre en œuvre, la modifier ou la rejeter complètement. En faisant ce travail, vous devriez vous rendre compte des imperfections de la nouvelle idée sans les exagérer. Vous devriez aussi être ouvert aux possibilités intéressantes et user de votre imagination pour les développer sans perdre votre sens de la réalité et de la perspective ».

---

*   Roger von Oech, *A Kick in the Seat of the Pants* (New York: Harper & Row, 1986), pp. 95-96.

Joseph Cygler, directeur général de Kepner-Tregœ Inc., une firme de consultants de Princeton, au New Jersey, et dont la clientèle est internationale, a développé une « formule » pour une prise de décision efficace.

D'abord, dit Joseph Cygler, assurez-vous de comprendre l'envergure de la décision et d'envisager tous les choix possibles. Ne réduisez pas votre champ d'investigation à un point tel que vous oublieriez de considérer des possibilités qui pourraient réussir. « Trop souvent », ajoute-t-il, « les décisions deviennent une question de devrions-nous ou ne devrions-nous pas, au lieu de considérer de façon plus large ce que nous pourrions faire ».

Ensuite, spécifiez vos objectifs. Soyez certain de savoir ce que vous essayez d'accomplir. Alors que cela peut paraître simple, ça n'est pas toujours évident, fait remarquer Joseph Cygler. Il dit qu'un de ses clients, un fabricant, se donna pour objectif d'augmenter les ventes de l'entreprise par le truchement d'acquisitions, mais après avoir bien réfléchi, il se rendit compte que son objectif réel était d'augmenter sa rentabilité. Cette prise de conscience offrit, en plus des fusions et des acquisitions, un certain nombre de possibilités.

La troisième étape de la prise de décision efficace, selon lui, est d'évaluer les choix. Il attire notre attention sur la nécessité d'utiliser un système d'évaluation constant pour éviter les partis pris et sur le fait que souvent les décideurs définissent inconsciemment les objectifs en fonction de la solution qu'ils préfèrent. Des techniques d'évaluation logiques minimiseront le danger que de telles distorsions se glissent dans le processus de prise de décision.

Pour finir, évaluer les éventuelles conséquences défavorables de chacun de vos choix. Identifiez le risque associé à votre solution préférée et évaluez l'impact négatif que cette ligne de conduite pourrait avoir sur l'entreprise. Décidez à l'avance comment vous entendez faire face à de tels problèmes.

Joseph Cygler croit que si la direction s'engage dans un processus systématique de prise de décision, elle encouragera toute l'entreprise à penser avec justesse. Il conseille aux directeurs d'aider leurs subordonnés à les évaluer chaque fois qu'ils leur demandent d'approuver les décisions qu'ils leurs soumettent. Il recommande avec insistance: « Aidez-les à identifier leurs objectifs et à analyser les relations risque versus rendement des différentes possibilités ».*

Quelqu'un qui bénéficia de la façon de voir les choses de Joseph Cygler fut John Folkerth, président de Shopsmith,Inc. en Ohio, un fabricant de machines-outils à multiples usages pour travailler le bois chez soi. Lorsqu'il avait acquis l'entreprise 15 ans auparavant, elle vendait à peine assez d'unités, par l'entremise de son réseau de quincailleries, pour survivre. Il fallait faire quelque chose rapidement pour obtenir plus de visibilité auprès d'acheteurs potentiels.

John Folkerth et son personnel analysèrent le problème et décidèrent de prendre le risque de mettre le Shopsmith en marché par des démonstrations dans les centres commerciaux — une façon peu orthodoxe de vendre une machine qui valait plus de 1 000 dollars.

Avant de décider de la date de la première démonstration, John Folkerth a calculé le coût que cela représentait de construire un kiosque de vente mobile, embaucher un démonstrateur, louer un petit espace et faire de la publicité. Il savait exactement combien de ventes seraient nécessaires pour arriver juste, et il ajouta dans le plan le coût des services après-vente aux éventuels clients. Il tint compte aussi des conséquences d'un conflit possible avec les quincailliers.

Il avait pris cette décision en faisant le même style d'analyse que lorsqu'il avait en tout premier lieu décidé d'acheter l'entreprise. Même si elle avait été inactive pen-

---

* Kevin Shyne, « A Good Habit: Accurate Thinking », *PMA Adviser* (June 1983), p. 2.

dant quatre ans à l'époque, John Folkerth croyait qu'il pouvait lui insuffler une nouvelle vie.

Il appela 50 anciens dépositaires pour obtenir leur opinion, parla aux anciens propriétaires et interrogea plusieurs investisseurs potentiels. Son plan d'affaire — qu'il bâtit en quatre mois — tenait compte de tout, depuis l'évaluation des fonds de roulement jusqu'au crédit à accorder aux clients.

L'objectif de John Folkerth était que l'entreprise ne coure aucun risque. «Je crois que vous vous rendrez compte que la plupart des entrepreneurs ne sont pas particulièrement joueurs», dit-il. «Ils sont des preneurs de risques. Cela veut dire qu'il faut trouver toute l'information possible et d'analyser la situation pour que le hasard n'intervienne pas dans le risque — dans la mesure du possible.

«Avec les années, j'ai trouvé que même si j'essaie toujours d'être très bien préparé et minutieux, la plupart des erreurs que j'ai faites se sont produites parce que je ne me suis pas assis pour examiner à fond le processus de ma prise de décision — me demander quels objectifs j'espérais atteindre et en analyser les risques».

En ce qui concerne les démonstrations dans les centres commerciaux, les résultats ont plus que validé la décision de John Folkerth. La première démonstration à Dayton, en Ohio, a généré 40 ventes et mis en branle un programme de ventes à travers le pays qui a valu cinq ans plus tard à l'entreprise Shopsmith une place sur la liste des entreprises nationales qui avaient la plus forte croissance en Amérique.

Kenneth A. DeGhetto est président du conseil d'administration de Foster Wheeler Corporation, une firme multinationale de design, d'équipement, de construction et de services de gestion. Il attribue une grande part de sa réussite à sa formation d'ingénieur qui lui a appris à étudier et à penser.

Comme tous ceux qui pensent avec justesse, qui innovent et qui créent et dont on a brossé le portrait dans ce livre, Kenneth A. DeGhetto avait un appétit insatiable d'information. Alors qu'il était jeune aspirant de vaisseau de deuxième classe dans la marine marchande durant la Seconde Guerre mondiale, il passait ses soirées dans la salle des machines à lire et à étudier. C'est une habitude qu'il a conservée durant toute sa carrière. Après 35 ans chez Foster Wheeler, il lit toujours des revues professionnelles et techniques durant ses soirées — malgré des journées de travail de 7 h à 19 h — pour rester au courant de ce qui se passe dans son domaine.

«Je viens d'une famille du New Jersey qui travaillait fort», dit-il. «Chez nous, c'était presque un péché de *ne pas* travailler. Mon père m'a appris que rien ne vous était donné; si vous vouliez quelque chose, vous deviez travailler pour l'obtenir.

«On m'accuse parfois d'être un bourreau de travail, mais je ne me vois pas comme ça. Quand vous aimez ce que vous faites, c'est facile de passer le temps nécessaire à faire le travail comme il faut. Et dans un travail comme le mien, si vous voulez faire quelque chose dans la paix et la tranquillité, vous devez le faire de bonne heure ou tard.

«Nous essayons de traiter nos employés avec respect et de respecter le temps personnel dont ils ont besoin, mais il arrive souvent que nous fixions des réunions le matin à 7 h ou le soir à 17 h. Le fait que nos employés n'hésitent pas à venir aux réunions à ces heures témoigne de leur motivation et de leur foi en ce que nous faisons».

Croire en ce que vous faites est crucial pour la pensée juste, selon Kenneth A. DeGhetto. «Vous devez croire en ce que vous faites, vous et l'entreprise, si vous espérez atteindre le succès un jour. Le pessimisme devient une prédiction qui se réalise. Si vous croyez que vous ne réussirez pas, cela vous arrivera.

«La meilleure façon de faire consiste à dire «Voici le problème; comment est-ce que je le résous? Chez Foster Wheeler, on ne revient pas sans cesse sur les erreurs. Tous ceux qui font quelque chose en commettent à l'occasion. Je n'ai jamais été à une réunion où nous avons cherché à déterminer qui avait fait l'erreur pour le crucifier.

«Nous essayons plutôt de trouver comment nous avons commis l'erreur et comment nous allons pouvoir renverser la situation. Vous ne pouvez laisser quelqu'un qui a fait une erreur empêcher qu'on la corrige et qu'on change de direction si besoin est. Déterminer qui est à blâmer ne résout pas le problème. Il ne disparaît pas. Vous devez trouver une solution.

«Vous devez savoir apprendre de vos erreurs. J'ai toujours cru qu'il vous faut chercher les faits avant de prendre une décision. Si vous faites une erreur, essayez de ne pas la répéter. Mais ne reportez pas une décision de peur d'en commettre une. Dans la plupart des cas, ne rien décider est pire qu'une mauvaise décision.

Lorsque vous prenez une décision importante, il faut y faire participer toute l'équipe responsable du projet. Par exemple, ne demandez jamais l'information pour ensuite prendre la décision tout seul dans votre coin.

Ce n'est pas un comité qui peut diriger une entreprise, même si je crois fermement qu'impliquer un comité ou un groupe dans le processus de prise de décision a l'avantage de répondre au besoin des employés, de sentir qu'ils font partie de ce processus.

«J'ai passé toute la journée d'hier avec un groupe de directeurs à réviser un contrat pour un travail éventuellement très risqué. Nous nous sentions tous libres de donner notre opinion bien honnêtement. Nous encourageons les gens à nous dire ce qu'ils pensent, pas ce qu'ils croient que nous voulons entendre. Ce n'est pas rare d'entendre un avocat qui n'a que deux ans d'expérience nous dire, «Je ne suis pas d'accord avec cela». Tous ceux qui sont présents ont le droit de dire leur mot. C'est ce que nous voulons. C'est pour cela qu'ils sont payés.

«Il y a longtemps que j'ai développé la philosophie selon laquelle si chacun vous dit ce qu'il pense réellement, une fois que la décision est prise, tous la soutiennent comme si c'était la leur. Cela devient alors un travail d'équipe lorsque vous passez à la mise en application de la décision».

L'empressement à écouter les autres et à apprendre d'eux comportent également de grands avantages, selon lui. «Vous ne savez jamais quand vous pouvez apprendre quelque chose de quelqu'un», dit-il, «à moins de prêter attention à ce qu'il dit. Une idée vraiment bonne pourrait provenir d'une source bien invraisemblable si vous prenez le temps et la peine d'encourager la participation et d'écouter ce qu'on a à dire».

La façon dont Kenneth A. DeGhetto envisage la pensée juste n'est pas seulement une collection de jolis mots de sa part. C'est la substance d'un plan pour sortir l'entreprise d'une baisse causée par un marasme de la demande dans le secteur des industries reliées à l'énergie, traditionnellement le pilier des affaires de Foster Wheeler, et pour retourner aux années de gloire de l'entreprise durant la fin des années 1970 et le début de la décennie suivante.

L'entreprise, qui affichait des revenus de 1,23 milliards de dollars en 1985 — une baisse de quasiment 1,7 milliards sur sa meilleure année en 1979 — s'est engagée dans un programme d'acquisitions ambitieuses et de diversification afin de consolider la demande, qui était à la baisse, de ses services en équipement et en gestion dans les centres de traitement de raffinage et de pétrochimie, et en design, construction et installation d'équipement dans le domaine de l'énergie.

«Nos marchés traditionnels demeureront probablement mous et à la baisse pour une certaine période, mais nous avons déjà commencé à voir les résultats des améliorations qui proviennent de nos activités de diversification», dit Kenneth A. DeGhetto. «Nous ne nous attendons pas à ce que cela soit facile, mais nous comptons bien réussir».

Il y a des années, dans leur cours «Science of Success», W. Clement Stone et Napoleon Hill racontaient l'histoire de Milo C. Jones, un fermier qui vivait près de Fort Atkinson, au Wisconsin.

«Même s'il était en santé physiquement, il semblait incapable d'obtenir de sa ferme plus que ce qui était nécessaire pour vivre. Tard dans la vie, il avait souffert d'une paralysie et avait été cloué au lit par des parents qui le croyaient devenu un invalide impotent.

« Pendant des semaines, il demeura incapable de bouger un seul muscle. Tout ce qui lui restait était l'esprit, le seul grand pouvoir, auquel il avait puisé si rarement parce qu'il avait gagné sa vie avec ses muscles. Par pure nécessité, il découvrit le pouvoir de son esprit et commença à y puiser !

« Milo C. Jones fit venir les membres de sa famille et leur dit : « Je ne puis plus travailler avec mes mains, alors j'ai décidé de travailler avec ma tête. C'est vous qui allez devoir prendre la place de mes mains. Je vous prie de planter du maïs sur tout le terrain que vous pouvez trouver dans la ferme. Ensuite élevez des cochons avec ce maïs. Abattez les porcs pendant qu'ils sont jeunes et tendres et faites-en de la saucisse. Nous l'appellerons *Jones Little Pig Sausages* ».

La famille se mit à l'œuvre tel que demandé. En quelques années, la marque de commerce de *Jones Little Pig Sausages* devint une marque connue dans tous les foyers de la nation. Et la famille Jones devint plus riche qu'elle ne l'avait jamais cru possible. Milo C. Jones vécut pour se retrouver en possession d'une fortune grâce à cette même ferme qui lui avait si peu donné pour vivre avant son malheur. Il était passé de la rive de l'échec, sur la Rivière de la Vie, à la rive de la prospérité — volontairement — *par le pouvoir de la pensée* ».*

Récemment, Milo « Mike » Jones, arrière petit-fils de Milo C. Jones, se rappelait à l'intention de la revue *Good Housekeeping* quelques-unes des techniques commerciales que la famille Jones a été la première à utiliser. Jones Dairy Farms, comme on appelle maintenant l'entreprise, fut la première à élever des porcs en vue de produire spécifique-

---

*   *PMA Science of Success* (Columbia, S.C. ; The Napoleon Hill Foundation. 1961. 1983), Lesson 13, pp. 3-4.

ment de la saucisse. Avant cette innovation, la saucisse avait toujours été vue comme un sous-produit.

Jones Farms a aussi été le premier dans son domaine à beaucoup compter sur les ventes par correspondance et sur une campagne publicitaire nationale agressive pour la promotion de ses produits. « Ils étaient fermiers », dit Mike qui avait alors 55 ans, à *Good Housekeeping*, « mais de façon surprenante, ils se sont aussi avérés des hommes d'affaires astucieux ».

L'entreprise affiche actuellement des ventes de plus de 50 millions de dollars par année.

Mike Jones a littéralement grandi dans le commerce de la famille. Il a été élevé dans la ferme au toit rouge qui est passée à l'histoire et dont la photo est sur chacun des produits Jones Farms; il a « plus ou moins vécu au-dessus du magasin » depuis qu'il s'est marié, tout de suite après avoir obtenu ses diplômes de Harvard Law School; sa maison est à trois minutes de marche du bureau.

Il a continué la tradition familiale de l'innovation par la pensée juste et a récemment introduit Jones Light Breakfast Links, une saucisse plus maigre visant le marché des consommateurs américains soucieux de leur santé. Elle est maintenant répandue dans les congélateurs des supermarchés à travers la nation, rapporte *Good Housekeeping*, et « l'augmentation des ventes indique que l'idée rapportera de jolis bénéfices ». L'article se termine par la remarque de Mike Jones selon laquelle: « Quel que soit le bout par lequel vous la prenez, notre saucisse Jones fera courir nos concurrents pendant très, très longtemps ».[*]

Penser suppose toujours des risques. Chaque décision porte en elle un risque d'erreur, pourtant l'inaction est presque toujours pire que l'action incorrecte. Rien ne détruira le moral ou amènera une organisation à stagner plus rapidement qu'un directeur général indécis.

---

[*] Chris Andersen, « Meet the Presidents, Milo Jones », *Good Housekeeping* (September 1986), pp. 148-50.

Personne ne peut penser à votre place; vous seul devez décider en dernière analyse quelle ligne de conduite entreprendre. Toute personne sensée sollicitera des avis — en vérité, le succès de la plupart des dirigeants repose sur leur habileté à s'entourer de gens compétents qui peuvent fournir des avis sérieux. Mais beaucoup trop souvent l'avis d'un expert contredit l'avis d'un autre et fréquemment les problèmes les plus difficiles sont ceux à propos desquels on sait fort peu de choses.

La meilleure façon de procéder est de réunir toute l'information disponible sur le sujet, d'écouter l'avis des experts, puis de prendre une décision qui repose sur les faits réels et sur votre propre connaissance et votre propre expérience.

Ne cherchez pas de faits pour supporter une décision que vous avez déjà prise; pour résoudre le problème, commencez par réviser objectivement l'information utile sans avoir d'autre objectif à l'esprit que de prendre la meilleure décision possible dans les circonstances — basée seulement sur les faits utiles.

Celui qui pense juste apprend à être objectif et à séparer l'émotion de l'information réelle. Il sait que si les émotions des autres ne sont pas fiables, ceci vaut pour les siennes. Chacun a des partis pris et des préjugés, des choses qu'il aime et d'autres qu'il n'aime pas et qui influencent sa façon de penser. C'est seulement par la raison et la logique que vous pouvez vaincre la tentation d'être influencé par l'émotion.

Ceci ne veut pas signifier qu'il ne saurait y avoir d'engagement émotionnel dans une idée. James Botkin dit: «Dans mon monde, les entrepreneurs qui réussissent sont ceux qui ne prennent plus le risque en considération. Si vous parlez à des entrepreneurs de classe mondiale au moment où ils s'apprêtent à investir les épargnes de toute une vie pour soutenir une idée pleine de belles promesses, ils ne voient pas cela comme un risque à prendre.

«Le banquier le percevra comme extrêmement risqué; les comptables diront: «Vous devez être en train de vous

moquer de moi». Mais l'entrepreneur sera tellement convaincu que ses idées sont bonnes qu'il ne verra absolument
aucun risque. Il est certain à 100 % que cela marchera. Je
n'ai jamais rencontré beaucoup d'entrepreneurs en haute
technologie qui ont fait une analyse de risques. Je suis allé
au Harvard Business School, où on m'a appris à analyser les
risques avec des arbres de décision qui dressent la liste des
probabilités pour chaque étape de la décision, mais je n'ai
jamais rencontré un entrepreneur à succès qui le faisait.
Cela relève beaucoup plus de l'esprit et de l'âme et de ce
que vous ressentez au creux de l'estomac — le truc des
tripes.

«Lorsque l'idée est bonne, vous le *savez*. Chacun de
nous a eu cette sensation de simplement le savoir avec ses
tripes. Vous n'avez pas à l'écrire sur un morceau de papier;
vous savez simplement que vous avez trouvé quelque
chose. C'est la même sensation que vous avez lorsque vous
faites partie d'une équipe et que tout marche bien — comme les Boston Celtics en 1980. Ils ne pouvaient pas commettre une seule erreur. Le bon homme se trouvait toujours
au bon endroit au bon moment. Ou c'est comme chanter
dans une comédie musicale. Les notes et les paroles ne font
qu'arriver parfaitement au bon moment. Vous pouvez tout
simplement le *sentir*.

James Botkin nous met en garde contre le risque de
s'enliser dans l'information par amour de l'information.
«Ceci lance un défi à la croyance populaire en ce qui
concerne la révolution de l'information», dit-il. «Tout le
monde dit que plus vous avez d'information, plus votre
décision sera juste. Cela n'est pas vrai. C'est l'inverse. C'est
la capacité de filtrer l'information et de se débarrasser du
surcroît qui rend claire la formulation du problème — que
le problème existe au départ, ou qu'il finisse par exister un
peu plus tard. C'est vraiment cela, la pensée juste».

Il y a plusieurs années, Napoleon Hill disait: «La
devise de celui qui pense juste doit être: «Je ne crois pas
que je puis me permettre de tromper les autres — je sais
que je ne puis me permettre de me tromper moi-même»».

C'est en votre pouvoir de contrôler vos pensées, et il s'ensuit qu'il est de votre responsabilité de déterminer ce que seront vos pensées.

Vous seul pouvez décider si vous baserez votre carrière et vos décisions de dirigeant sur de la pensée juste et précise et sur de la planification soigneuse, ou si vous réagirez simplement aux événements comme ils se produiront. C'est une décision qui vous appartient.

Cinquième partie

Des principes spirituels

L'homme est fondamentalement spirituel. Les arte-facts religieux vont des dessins rudimentaires de l'homme des cavernes jusqu'aux cathédrales victoriennes très or-nées, en passant par les icônes exotiques des Incas. Les temples modernes en chrome et en verre, les confessions peu orthodoxes, ainsi que les ministères à la radio et à la télévision sont typiques des approches nouvel âge de la spiritualité; notre recherche de la « vérité » est sans fin.

Cela est peut-être mené par l'ego; nous ne pouvons tout simplement pas accepter la possibilité qu'un jour notre esprit — l'essence de notre unicité — tout comme l'entité physique qui l'abrite, retournera à la poussière. Nous som-mes poussés à croire qu'il y a une grandeur, un objectif plus noble à nos vies, que cette courte durée sur la terre.

Cela peut relever en partie du mystère de la vie elle-même, dont la compréhension finale a échappé aux érudits, aux théologiens et aux philosophes depuis des siècles. Nous savons ce que les éléments de la vie sont; en vérité, nous pouvons maintenant créer la vie dans une éprouvette de laboratoire. Mais personne ne peut expliquer de manière satisfaisante ce que l'âme est, où elle réside, ou pourquoi la vie existe dans un corps à un moment et non l'instant d'après.

Peut-être la foi religieuse s'épanouit-elle avec le con-sentement de la société. Nous craignons que sans être étayée par la religion, la fibre morale de la société ne s'effiloche. Il se peut que, comme certains l'ont suggéré, notre poursuite des choses spirituelles représente la meilleure partie de nous-mêmes, la croyance qu'il *est* possible de vaincre le mal par le bien.

Cela pourrait être toutes ces choses, ou aucune d'entre elles; ce n'est pas important. Le fait demeure que la spiritualité est une partie essentielle de l'être humain. Sans elle, nous manquons d'objectif et de sens dans nos vies.

Les principes spirituels esquissés dans cette cinquième partie ne tentent pas de vous persuader qu'une certaine doctrine religieuse est préférable à une autre, ni même de vous persuader que la foi religieuse est essentielle au succès. Ce que nous vous disons plutôt est que la foi en vous-même, en vos semblables et en Dieu vous mènera vers une vie plus riche, mieux remplie et plus heureuse.

Les principes spirituels vous aideront aussi à mieux comprendre les lois de l'univers et la façon de les utiliser à votre avantage. Ceci n'est pas de la magie noire, de l'occultisme ou même de l'astrologie. C'est simplement reconnaître que le travail en harmonie avec les forces de la nature peut vous aider à développer les habitudes qui vous feront réussir tout ce que vous choisirez de faire.

C'est aussi simple que cela.

Chapitre 17

La foi mise en pratique

« Je sais que je ne pourrai jamais avoir de succès sur cette terre à moins d'être en bons termes avec Dieu », dit Tom Monaghan, le fondateur et président-directeur général de Domino's Pizza. « Mes antécédents font que mon intérêt pour les choses spirituelles est aussi naturel pour moi que de respirer. J'ai grandi dans un orphelinat catholique et je suis allé au séminaire pendant un certain temps avec l'intention bien arrêtée de devenir prêtre ».

Tom Monaghan attribue une grande partie de son succès à ses croyances religieuses solides. Il écrit dans son autobiographie, « Je sais que je n'aurais pas été capable de bâtir Domino's sans la force que je dois à ma foi religieuse. Durant les premières années, j'ai dû faire face à une longue série de difficultés. Chacune d'entre elles semblait porter le coup fatal. Mais j'ai été capable de me relever chaque fois et de revenir plus fort que jamais. Cela, c'est le pouvoir de la foi. Je m'en sers chaque jour. Peu importe mon niveau de tension ou de fatigue, je peux prendre le temps voulu pour prier ou dire un chapelet et me sentir ragaillardi. Cela est un actif extraordinaire ».[*]

La foi, peut-être plus que toute autre caractéristique, représente un triomphe de l'esprit humain. Sans elle, nous ne pourrions rien accomplir. Sans une forte foi en notre capacité de réaliser nos objectifs, il serait superflu de même

---

[*] Tom Monaghan with Robert Anderson, *Pizza Tiger* (New York: Random House, 1986), pp. 5-6.

commencer. Sans la foi, toutes les grandes religions du monde s'effondreraient, parce que nous ne pouvons pas plus prouver l'existence d'un Être suprême que celle de l'électricité. Nous ne pouvons pas voir, sentir ou toucher non plus ; nous pouvons seulement voir les *résultats*. L'existence de l'un et de l'autre est une question de foi.

La foi mise en pratique est la façon de diriger les forces qui sont contenues en nous et celles qui existent dans l'univers entier vers l'accomplissement de nos objectifs. Elle n'est pas une acceptation passive de notre existence spirituelle ; elle est une mise en application active et positive de notre foi en nous-mêmes, en nos semblables et en Dieu.

W. Clement Stone est un homme profondément religieux. Il est fermement convaincu que personne ne peut réaliser pleinement son potentiel ou continuer de réussir pendant longtemps sans une croyance primordiale en une Intelligence infinie que l'homme a connue comme « Dieu » depuis les débuts de la civilisation. Que vous partagiez ou non ses croyances religieuses, vous devez accepter la foi mise en pratique comme étant un principe du succès.

Même la plus simple des transactions d'affaires ne pourrait être achevée sans que les parties engagées n'éprouvent une certaine confiance ou une certaine foi l'une envers l'autre. Nous avons bien des lois pour nous assurer que toutes les parties en cause respecteront leur côté de l'entente, mais on a fait remarquer *ad nauseam* que la justice coûte cher. Faire affaire avec des gens dignes de foi vous épargnera beaucoup de malheurs par la suite.

Mais la foi en nos semblables est beaucoup plus fondamentale que les contrats et les ententes. Sans une certaine foi en votre fabricant, vous ne pourriez même pas prendre le risque de manger des céréales. Vous tenez pour acquis que le contenu de la boîte est ce que promet l'étiquette et non quelque chose qui pourrait vous causer du tort. Il arrive parfois qu'une personne malade et cruelle trafique la marchandise et parvienne à faire du mal et même à tuer les autres en profitant de cette foi. L'attention des médias engendre chez le public la peur du produit pendant un certain temps, mais nous finissons par retourner à nos anciennes habitudes d'achat, confiants que tout ce qui devait être fait pour assurer notre sécurité a été mise ne œuvre.

«La foi est très importante», dit Norman Vincent Peale. «Je vis à New York. Ici, si vous n'avez pas la foi, même sortir le matin vous fait peur. Lorsque vous marchez dans la rue, vous faites face à de nombreux risques. La seule façon de pouvoir passer à travers la journée est de croire que vous ne serez pas tué ou que vous n'aurez pas d'accident. Vous vivez grâce à la foi».

En plus de la foi en nous-mêmes et en les autres, la foi religieuse peut faire tout autant partie intégrale de la formule, dit Norman Vincent Peale. «Lorsqu'on en vient à Dieu ou à Jésus-Christ», dit-il, «la foi est très vitale. Les gens sont totalement libres de vivre leur vie sans croyance religieuse mais, selon moi, ils manquent l'essence la plus profonde de la vie. J'ai noté que les personnes remarquables dans quasiment toute profession ou tout domaine des affaires sont celles qui ont été élevées de façon à avoir une croyance religieuse».

Norman Vincent Peale croit que la foi religieuse vous aidera non seulement à atteindre la réussite matérielle, mais aussi à mieux faire face à votre réussite après l'avoir atteinte. «Au cours de mon expérience, j'ai rencontré beaucoup de gens qui ont connu le succès en affaires, et qui peut-être en ressentent de la culpabilité. Plus tard dans la vie, ils décident que la vie doit valoir plus que cela et que le saint ministère est pour eux.

«Un homme vint à moi dernièrement et me demanda: "Est-ce que je suis né pour fabriquer ce produit?"

«Je dis: "Peut-être es-tu né pour cela. En fabriquant ce produit, tu rends service et tu es entré en contact avec beaucoup de gens qui ont été influencés par ta bonne nature morale. Mais maintenant tu veux devenir pasteur, n'est-ce pas?"

«Il dit: "Comment peux-tu savoir cela?"

«J'ai dit que moi aussi, j'y avais pensé, voyez-vous. Lorsqu'on arrive à penser que la vie est dépourvue d'intérêt et qu'elle n'a plus de goût, la meilleure chose est de revenir au temps où on avait de l'enthousiasme et de l'entrain pour la vie, et de retrouver cette sensation.

Si votre vie spirituelle laisse à désirer, il s'agit seulement de lui donner un nouveau souffle. Il n'est pas nécessaire de changer entièrement votre vie.

«Si vous décidez de devenir pasteur, vous devrez retourner aux études pendant trois autres années afin d'obtenir vos diplômes de sacerdoce. Cela n'a aucun sens. Vous pouvez accomplir beaucoup plus en faisant seulement ce que vous êtes en train de faire, en influençant positivement par votre exemple les personnes que vous côtoyez. Peutêtre pourriez-vous faire le bien avec toute cette richesse que vous avez accumulée afin de ne pas en ressentir de culpabilité"».

«Même l'historien sceptique», disent Will et Ariel Durant, «développe une respectueuse humilité à l'égard de la religion, puisqu'il la voit à l'œuvre et qu'elle semble indispensable en tous lieux et en tous temps. Aux malheureux, à ceux qui souffrent, à ceux qui sont dans le deuil, aux personnes âgées, elle a apporté le réconfort spirituel beaucoup plus apprécié par des millions d'âmes que toute aide matérielle. Elle a aidé les parents et les enseignants à former la jeunesse. Elle a conféré signification et dignité à l'existence la plus humble, et par l'entremise de ses sacrements a favorisé la stabilité en transformant les engagements humains en de solennelles relations avec Dieu. Elle a empêché que les pauvres (disait Napoléon) n'assassinent les riches».[*]

À travers l'histoire, disent Will et Ariel Durant, la religion semble alterner avec le scepticisme ou le paganisme «en réaction mutuelle. Généralement la religion et le puritanisme s'imposent lorsque les lois sont faibles et que

---

[*] Will and Ariel Durant, *The Lessons of History* (New York: Simon and Schuster, 1968), pp. 43, 50-51.

la moralité doit porter le fardeau de maintenir l'ordre social; le scepticisme et le paganisme (tous les autres facteurs étant égaux) progressent quand le pouvoir grandissant de la loi et du gouvernement permettent un déclin de l'Église, de la famille et de la moralité sans au fond mettre en danger la stabilité de l'État.

«À notre époque, la force de l'État s'est alliée à [ces] de nombreuses forces pour relâcher la foi et la moralité, et pour permettre au paganisme de reprendre son mouvement oscillatoire normal». En 1968, Will et Ariel Durant ont prédit avec précision, «Nos excès amèneront probablement une autre réaction; le désordre moral peut engendrer une renaissance religieuse; les athées peuvent à nouveau (comme en France après la débâcle de 1870) envoyer leurs enfants dans les écoles catholiques pour leur donner la discipline de la foi religieuse. Entendez l'appel de l'agnostique Renan en 1866:

«Réjouissons-nous de la liberté des enfants de Dieu, mais prenons garde de ne devenir complices dans la diminution de la vertu qui menacerait la société si le Christianisme en venait à s'affaiblir. Que pourrions-nous faire sans lui?... Si le rationalisme désire gouverner le monde sans égard aux besoins religieux de l'âme, l'expérience de la Révolution française est ici pour nous enseigner les conséquences d'une telle erreur».

«L'histoire justifie-t-elle la conclusion de Renan qui dit que la religion est nécessaire à la moralité — qu'une éthique naturelle est trop faible pour soutenir la sauvagerie qui se cache sous la civilisation et émerge dans nos rêves, nos crimes et nos guerres?» demandent Will et Ariel Durant. Ils répondent à la question avec les mots de Joseph de Maistre qui disait: «Je ne sais pas ce que peut être le cœur d'un vaurien; je sais ce qu'il y a dans le cœur d'un honnête homme; cela est horrible».

Le pouvoir de la foi peut parfois être démontré de façon étrange et inattendue. Paul Zuromski, éditeur de *Psychic Guide*, une revue qui explore les phénomènes parapsychologiques dans une tentative de faciliter «la compréhension et l'amélioration du corps, de l'esprit et de l'âme», a récemment fait passer un examen pour le moins inhabituel.

Charmé par le prétendu pliage de métal de Uri Geller en 1970 et des autres qui le suivirent en psychokinésie, Paul Zuromski décida de tester les possibilités sur une classe d'étudiants en développement psychique. «Je pensais», dit-il, «parce que ces gens étaient en accord avec ce que j'essayais de faire, que tordre les cuillers (des cuillers à bon marché de K-Mart) serait simple».

Le premier essai de Paul Zuromski se solda par un échec. Il consulta un ami qui avait plus d'expérience avec de tels phénomènes et qui l'aida à affiner la procédure, et il essaya de nouveau avec un groupe de 18 personnes. Il rapporte dans sa revue: «Encore une fois, rien ne se passa. Je commençais à voir mon avenir d'expert en pliage de cuillères se tordre et se détourner de moi.

«Alors une femme se mit à crier. Elle tenait sa cuillère droite par le bout du manche. Sa cuillère s'était repliée sur elle-même là où le manche touche le bol.

«Alors les cuillères d'à peu près tous les autres commencèrent à plier. En fait, environ 15 des personnes présentes plièrent leur cuillère jusqu'à un certain degré. Évidemment, ils avaient besoin de voir une cuillère plier pour donner à leur propre système de croyance la preuve dont ils avaient besoin pour transcender par un "je peux" le "je ne peux faire ceci" si bien enraciné. Le "ne pas pouvoir" cessa d'être valide à cause de ce que leurs yeux avaient vu».

Que vous croyiez ou non le compte rendu de Paul Zuromski et de ses 18 témoins — en vérité, vous pouvez bien le mettre sur le compte de l'hypnose de groupe ou du truc de magie — cela n'a rien à voir.

Paul Zuromski demande: «Alors que signifie plier le métal? Je parle souvent, jusqu'à en avoir une extinction de voix, de notre merveilleux potentiel et de comment nous pouvons créer notre réalité personnelle. Mais rien ne peut prouver ce potentiel autant que la démonstration visuelle d'une habileté dont l'existence est niée par la plupart des gens. Plier une cuillère est un exercice pour transcender cette réalité. Cela est stimulant. Cela démontre qu'une personne est vraiment sans limites et nous aide à le *savoir*. La plupart d'entre nous allons rarement plus loin qu'un ensemble familier de limites jusqu'à ce que nous fassions quelque chose comme plier une cuillère, marcher sur le feu, ou créer un nouvel emploi ou une nouvelle relation en visualisant ce que nous voulons.

«La clé est simple: les pensées sont des choses. Vous êtes ce que vous croyez. Changez vos pensées — vos croyances — et vous pouvez changer votre vie.

«Ou vous pouvez au moins ruiner des pièces d'argenterie».*

On l'a dit souvent, de plusieurs façons, mais la vérité tient toujours. Les seules limitations que nous avons sont celles que nous érigeons dans notre propre esprit.

La foi est essentielle même en sciences et en mathématiques. Le philosophe grec ancien Aristote faisait remarquer que chaque science commence avec des hypothèses ou des axiomes qui ne peuvent pas être prouvés. Ils doivent être acceptés par la foi, perçus intuitivement comme vrais.

«Sans de telles hypothèses comme pierres de fondation», écrit Louise Ropes Loomis dans son introduction aux traductions des essais d'Aristote *On Man in the Universe*, nous ne pourrions jamais commencer de bâtir quoique ce soit. Un étudiant doit accepter les axiomes de la géométrie d'Euclide avant d'en arriver à prouver les théorèmes dans les livres de classe. Un médecin doit croire à l'existence de la maladie avant de pouvoir la guérir par les médicaments et un traitement appropriés. Il ne peut prouver positivement son hypothèse à un primitif qui est certain que toutes les personnes malades sont possédées par des démons. Mais, sur la base de son hypothèse, le médecin érige son système de guérison, alors que sur la sienne, le primitif a recours à l'exorcisme et à la magie.

---

* Paul Zuromski, «Metal Bending: A New Twist in Demonstrating the Possible You», *Psychic Guide* (December 1986), pp. xiii-xiv (January & February, 1987), p. 88.

«Les hommes ont donc procédé à l'établissement de leurs systèmes de connaissances et de sciences en commençant dans chaque cas par certaines hypothèses qui leur semblaient si évidentes qu'elles se dispensaient de preuves logiques. Ils ajoutent à ce qu'ils savent déjà quelque chose de plus qui est à la fois nouveau et certain. Pour le faire, ils peuvent raisonner sur le modèle de ce qu'Aristote appelle le *syllogisme:* "certaines choses étant énoncées, quelque chose d'autre s'ensuit nécessairement", sans avoir besoin d'être prouvé plus avant».*

Il en est ainsi avec la philosophie du succès de W. Clement Stone. Vous devez commencer par accepter l'idée que si vous suivez les principes qui ont marché pour les autres, ils fonctionneront pour vous — aussi longtemps que vos objectifs ne violent pas les lois de Dieu et les droits de vos semblables. «Plus votre objectif est valable», dit W. Clement Stone, «plus il est facile d'appliquer les principes du succès pour l'atteindre. Il est pratiquement impossible, par exemple, de ne pas être enthousiaste quand l'objectif est noble. Vous vous concentrerez davantage, votre objectif deviendra un désir brûlant, et vous consentirez à payer le prix pour l'atteindre. La foi motive de façon sublime, et la prière est une expression de cette foi. Elle accentue la force agissante des émotions».

W. Clement Stone se souvient de la fois où lui et Napoleon Hill donnaient une série de séminaires «Science of Success» à San Juan, au Porto Rico. Durant la deuxième soirée d'un cours de trois soirées, en guise de travail pour le lendemain, ils encourageaient les participants à appliquer les principes qu'ils avaient appris et à faire un compte rendu de leurs résultats au groupe.

Le lendemain soir, un des participants — un comptable — fit ce compte rendu:

«Ce matin, lorsque je suis arrivé au travail, mon directeur général qui participe aussi à ce séminaire, me fit venir

---

*   *Aristotle on Man in the Universe*, ed. Louise Ropes Loomis (Roslyn, N.Y.: Walter J. Black, Inc., 1943), pp. xiii-xiv.

à son bureau et me dit: "Voyons voir si une attitude mentale positive fonctionne. Tu sais, on a ce compte de 3 000 dollars qui est en souffrance depuis des mois. Pourquoi n'essaies-tu pas de le récupérer? Va trouver le directeur, et lorsque tu y seras, utilise l'A.M.P. Commençons avec la phrase inspirante de M. Stone: *Fais-le maintenant!*

«J'étais tellement impressionné par votre présentation d'hier soir sur la façon dont tout le monde peut faire travailler son inconscient pour lui que lorsque mon directeur m'a envoyé collecter l'argent, j'ai décidé d'essayer de faire également une vente.

«Lorsque j'ai quitté mon bureau, je suis allé chez moi. Dans le calme de la maison, j'ai décidé exactement ce que j'allais faire. J'ai prié sincèrement et j'ai attendu avec espoir l'aide qui me ferait réussir la collecte et une grosse vente.

«Je croyais que j'obtiendrais des résultats précis. Et c'est ce que j'ai fait. J'ai collecté les 3 000 dollars et j'ai fait une autre vente de plus de 4 000 dollars. Alors que je quittais le bureau de mon client, il me dit: "Tu me surprends vraiment. Lorsque tu es arrivé ici, je n'avais pas l'intention d'acheter. Je ne savais pas que tu étais vendeur. Je croyais que tu étais le chef comptable". C'était la première vente de toute ma carrière dans le domaine des affaires».

«Cet homme», dit W. Clement Stone, «avait fait directement l'expérience de la foi mise en pratique. Il croyait qu'il pouvait le faire, et il l'a fait. De plus, il a pris le temps de réfléchir. Il a prié sincèrement, avec respect et humblement pour recevoir les conseils divins. Il a cru qu'il les recevrait, et il les a reçus parce qu'il avait cru. Lorsque cela s'est produit, pourrais-je ajouter, il n'a pas oublié de prier sincèrement en guise de remerciement».[*]

À travers leurs écrits, Napoleon Hill et W. Clement Stone ont mis l'accent sur l'importance de l'application de la règle d'or dans tous les aspects de la vie, mais particu-

---

[*] W. Clement Stone, *The Success System That Never Fails* (New York: Pocket Books division of Simon and Schuster, 1962), pp. 82-83.

lièrement dans les transactions d'affaires. Formulée simplement, la règle d'or dit que nous devrions traiter les autres comme nous aimerions être traités si nos places étaient inversées. Cela est une bonne règle de conduite morale, et pleine de bon sens pour les affaires. Le guru de l'excellence Tom Peters et d'autres consultants en productivité et en service à la clientèle ont investi beaucoup de temps et d'efforts pour persuader les dirigeants que s'ils sont simplement courtois avec leurs clients — s'ils les servent comme ils aimeraient eux-mêmes être servis — ils peuvent distancier la concurrence parce que la plupart des entreprises ne font pas cela. Ce qu'ils sont essentiellement en train de faire, c'est d'aider les dirigeants modernes à redécouvrir la règle d'or.

Tom Monaghan de Domino's dit : « J'ai toujours dit aux employés de Domino's et à nos franchiseurs que tout ce qu'ils ont à faire pour réussir est d'avoir un bon produit, de donner un bon service et d'appliquer la règle d'or. Dans mes discours, j'ai souvent fait remarquer que mon objectif est de faire en sorte que tout le monde dise que les gens chez Domino's Pizza sont gentils. Pas brillants ou charmants ou parfaitement efficaces, *simplement gentils*. Être gentil pour les autres, penser aux besoins et aux intérêts des autres est la façon de commencer à appliquer la règle d'or ». [*]

Les bénéfices que peut apporter l'application de la règle d'or sont énormes, dit W. Clement Stone. Cela est beaucoup plus qu'un guide pour une conduite morale. Chacun de nous entre en contact avec des centaines de personnes dans sa vie personnelle et professionnelle. Si nous faisons preuve d'honnêteté et d'intégrité dans toutes nos relations, nous inspirons les autres par notre exemple, souvent sans même le savoir. Lorsque nous sommes justes envers nos employés, nous aidons à former une génération de dirigeants justes et équitables. Les résultats de cette influence, multipliés par le nombre de gens que nous con-

---

[*] Mohaghan, *Pizza Tiger*, p. 6.

naissons et le nombre de gens qu'ils connaissent et ainsi de suite, sont simplement incalculables.

Lorsque nous traitons nos clients comme nous aimerions être traités, le même potentiel existe. Mais en plus du nombre de gens que nous pouvons directement et indirectement influencer d'une manière positive, la rumeur se répand rapidement et nous devenons d'autant prospères. Si nous développons la réputation d'un service courtois, honnête et fiable, nos clients vont le dire à leurs amis et à leurs parents, qui le disent à leurs amis et à leurs parents, et ils nous envoient des clients. Aucune publicité à la télévision ou sur des panneaux publicitaires ne peut égaler l'efficacité d'un client satisfait qui parle de nous à quelqu'un d'autre.

Il y a un autre avantage. Lorsque nous mettons délibérément une force du bien en action, nous modelons nos caractères en conséquence. Lorsque nous avons choisi de traiter les autres avec bonté et équité, nous nous conditionnons à nous conduire d'une certaine façon. Nous devenons justes et honnêtes, et nous attirons ceux qui ont des dispositions semblables. Nous renforçons notre comportement et nous augmentons notre pouvoir de façon géométrique en nous associant avec d'autres gens qui ont également réussi. Le résultat net est que nous aidons ceux avec qui nous entrons en contact et qu'ils nous aident. C'est une situation gagnant/gagnant de tous côtés.

Depuis que W. Clement Stone et Napoleon Hill ont commencé à prôner la mise en application de la règle d'or aux affaires il y a plusieurs décennies, nous avons assisté avec tristesse à un changement dans la structure morale de base de la société. L'accent est mis sur le succès à tout prix; avec peu ou pas de considération pour ceux que nous écrasons ou que nous dépassons dans notre ascension vers le sommet. Par exemple, Wall Street a été ébranlé par des scandales successifs quand des cadres supérieurs ont admis qu'ils avaient fait des transactions d'initiés, un procédé qui est non seulement illégal mais qui escroque également les investisseurs.

Les directeurs visent des profits nets et détournent les yeux des vies et des carrières qui peuvent être ruinées parce que l'entreprise recherche constamment des profits de plus en plus élevés. Nous semblons voir le comportement éthique comme quelque chose dont on peut se passer lorsque cela nous arrange parce qu'il nous empêche d'atteindre un succès provisoire. Le mot clé ici est *provisoire*. Nous pouvons en arriver à réaliser, dit la Banque royale du Canada dans un essai sur la moralité, « que le comportement immoral ou sans éthique n'est rien de moins que manquer de vision. [Ceux que la moralité n'étouffe pas] peuvent apprendre que la gratification d'aujourd'hui est parfois la peine de demain.

« Ils peuvent aussi découvrir que traiter les autres décemment et honorablement est récompensé de pareille façon — que la voie de la morale n'est pas une route difficile et étroite, mais un chemin qui mène vers de nouvelles perspectives émotionnelles. Parce que dans sa forme pure, la moralité est faite de compréhension et de générosité.

« Elle est aussi une force de progrès humain, parce qu'elle nous enjoint d'ajouter de la valeur à nos vies et à celles des autres. Elle fait ressortir les plus belles qualités de l'esprit humain. Pour suivre une voie morale sans succomber, vous devez être courageux, désintéressé et prévenant à l'égard des autres ; pour employer un mot à l'ancienne, vous devez être un être humain *noble* ».

La moralité de la société, indique l'essai, est la « somme de la conduite de chaque citoyen, chaque jour. « Le grand espoir de la société est la force morale de l'individu », écrivait Lord Acton. Notez le mot « espoir », qui suppose que la vie sur terre peut être améliorée. La question que nous devons nous poser comme individu est : est-ce que je voudrais vivre dans le genre de monde que nous aurions si chacun agissait comme moi ? Si la réponse est non, alors nous devrions considérer activement ce que nous pouvons faire pour améliorer nos agissements

"En vain parlent-ils de bonheur ceux qui n'ont jamais réprimé une impulsion en faveur d'un principe", écrivait Horace Mann. "Celui qui n'a jamais sacrifié un bien présent pour un bien futur, ou un bien personnel pour un bien général, peut parler de bonheur seulement comme un aveugle peut parler de couleurs". Alors peut-être y a-t-il un motif égoïste à être bon après tout ».[*]

Peut-être que l'argument le plus persuasif en faveur de la foi vient du journaliste et pasteur américain, Frank Crane, qui disait : « Vous pourrez être déçu si vous faites trop confiance, mais vous vivrez dans le tourment si vous ne faites pas assez confiance ».

---

[*] *The Royal Bank Letter*, The Royal Bank of Canada, Vol. 65, No. 1 (January/February 1984), p. 4.

Chapitre 18

La force cosmique de l'habitude
La loi universelle

Notre univers prospère dans l'ordre et déteste le chaos. Alors que les scientifiques en apprennent plus sur la composition de notre système solaire, il devient de plus en plus apparent que des événements, qui paraissent attribuables au hasard lorsqu'on les étudie sur une période donnée, nous montrent un univers constamment en train de se réorganiser. L'énergie émise par les étoiles n'est pas perdue, elle est recyclée dans d'autres corps stellaires. Bien sûr, tout le processus peut prendre des milliards d'années, mais le fait est que tout est en constant changement — un changement ordonné.

Le processus est plus facilement apparent dans la nature. Tout, les plantes, les animaux, les poissons et les oiseaux, passe par un processus organisé de naissance, de croissance, de maturité et de mort. Une graine germe, s'élance dans la vie, arrive à maturité, se propage et meurt. Même dans la mort, les plantes donnent la vie; les plantes qui pourrissent fertilisent les futurs jeunes plants.

Charles Darwin a émis la théorie qui veut que chaque chose vivante soit à la recherche sans fin de la survivance. Chaque espèce développe et transmet à la génération suivante les traits de caractère qui l'aideront à faire face à un environnement changeant. Les animaux qui évitent les prédateurs par la vitesse ou l'astuce passent génétiquement ces traits à leurs petits. Il en résulte que les plus forts et les plus rusés survivent. Les prédateurs évoluent aussi, bien sûr, devenant meilleurs chasseurs dans leur quête pour la survie. Tout dans la nature semble être continuellement engagé dans un programme massif de développement personnel.

Nous n'avons pas l'intention de nous aventurer dans le débat création/évolution. En ce qui nous concerne, l'origine des espèces importe peu. Nous sommes seulement intéressés à montrer que le changement est constant. Il peut être négligeable durant notre vie et il peut falloir plusieurs générations avant que le plus petit changement ne soit perceptible, mais il se produit. Constamment. Aujourd'hui, nous, *homo sapiens*, sommes plus grands et en meilleure santé que nos ancêtres; nous mangeons mieux et vivons plus vieux que nos pères. Une partie du changement peut être attribuée à l'évolution graduelle de notre espèce pendant que nous nous adaptions à un environnement en mutation; et une partie à l'accroissement de nos connaissances. Nous avons une meilleure connaissance des maladies et de leurs effets, et un ensemble beaucoup plus grand de traitements perfectionnés à notre disposition.

Peu importe les raisons, le changement se perpétue autour de nous comme il l'a fait pendant des millions d'années, et comme il continuera vraisemblablement de le faire aussi longtemps que l'univers existera. Sur cette toile de fond, chacun d'entre nous tente de trouver sa place unique dans le cosmos. Ce n'est pas une tâche facile.

Tout comme la nature utilise des patterns répétitifs pour faire naître l'ordre du chaos, ainsi en est-il de nous. Pour nous simplifier la vie, nous développons des habitudes. Nous faisons les choses d'une certaine façon — sans même y penser — pour aucune autre raison que de les avoir toujours faites de cette façon-là. Nous nous rasons ou nous nous maquillons dans le même ordre parce que nous l'avons appris ainsi au début et nous en avons pris *l'habitude*. Alors nous n'avons plus à penser par le menu détail à toutes les choses que nous faisons.

Les habitudes et les façons dont nous les prenons ont quelque chose à voir avec la façon dont nous apprenons. Le psychologue Clark Hull disait: « Apprendre dépend d'un stimulus et d'une réaction », et ce que nous apprenons se mesure dans ce qu'il appelait « la force de l'habitude ». Il continuait jusqu'à poser comme principe que « la connexion apprise entre un stimulus et une réaction est sensée augmenter en amplitude de façon graduelle et continuelle en fonction de la pratique renforcée, et représenter un changement relativement permanent dans le comportement ».[*]

Clark Hull déclarait aussi que le fait que des habitudes apprises fonctionnent ou non en certaines occasions dépendra de facteurs externes tels que le niveau de besoin et l'ampleur de l'objectif ou du renforcement. Portant atteinte à la performance de l'habitude, on trouvera certains facteurs négatifs comme la fatigue et la somme d'effort requise par rapport à la récompense.

B.F. Skinner a simplifié le processus. Si vous vous souvenez de vos cours d'introduction à la psychologie, B.F. Skinner est celui qui avait enseigné aux pigeons à se nourrir eux-mêmes en picorant une clé. Il avait mis les animaux affamés dans une boîte spécialement construite avec un levier pour distribuer la nourriture. Après avoir au début actionné accidentellement le levier, les animaux ont fini par apprendre qu'une certaine action menait au résultat désiré. Lorsque les pigeons qui avaient faim picoraient une certaine clé, ils étaient nourris. Le résultat fut qu'ils ont appris à picorer la clé toutes les fois qu'ils voulaient manger. Les psychologues appellent cela le « conditionnement opérant », lorsque le comportement est fonction de ses conséquences.[**]

Bien sûr, les gens sont beaucoup plus complexes que les animaux. Nous avons la capacité de *penser* et de *sentir*. Notre constitution génétique peut avoir été déterminée par

---

[*]   Floyd L. Ruch, *Psychology and Life, 7th Edition* (Glenwiew, Ill.: Scott, Foresman and Company, 1967), pp. 215-216.

[**] Harold W. Berkman and Christopher C. Gilson, *Consumer Behavior* (Encino, Calif.: Dickenson Publishing Company, Inc., 1978), p. 228.

nos ancêtres, mais chacun de nous a développé une gamme complète de pensées et d'émotions qui entrent en jeu lorsque nous faisons quelque chose, n'importe quoi — y compris prendre des habitudes.

Malgré notre complexité, nous semblons former des habitudes selon le degré de renforcement que nous recevons. Si nous essayons quelque chose et que nous en aimons les résultats, il est fort probable que nous répéterons l'action. Plus nous l'aimons, plus nous la répéterons souvent.

Les habitudes elles-mêmes ne se préoccupent pas de moralité, elles peuvent être bonnes ou mauvaises. Les deux genres sont formés de la même façon — par la répétition. C'est le conditionnement opérant de B.F. Skinner qui est à l'œuvre. Nous essayons quelque chose, nous l'aimons et nous continuons à le faire, probablement exactement de la même façon.

Ce qui place l'humanité à part dans le grand schème des choses est uniquement que nous pouvons décider pour nous-mêmes quelles habitudes nous aimerions développer. Nous pouvons utiliser à notre avantage le fait de savoir que tout dans l'univers tend à maintenir l'ordre et que les habitudes sont formées par la répétition et le renforcement. En décidant pour nous-mêmes des habitudes que nous aimerions développer, nous pouvons nous conditionner à changer notre comportement et à devenir les personnes que nous aimerions être.

Napoleon Hill a identifié trois choses qui affectent la formation volontaire d'une habitude:

1. La plasticité. Il voulait dire par là, la capacité à être modelé. Le terme suppose aussi que la forme sera retenue jusqu'à ce que se produise quelque chose d'assez puissant pour la changer. La plasticité de l'homme peut être influencée par des forces externes ou par le contrôle conscient de son comportement. Par la raison et la logique, nous décidons comment nous aimerions nous comporter, et par la volonté et l'autodiscipline nous nous y astreignons.

2.   La fréquence de l'impression. Tout comme la répétition est mère de la mémoire, elle est mère des habitudes. Plus nous faisons quelque chose, plus cela devient une partie de nous. La vitesse à laquelle quelque chose devient une habitude dépend de la situation individuelle mais, de façon générale, plus la répétition est fréquente, plus un comportement devient rapidement une habitude.

3.   L'intensité de l'impression. Un motif fort, irrésistible et un désir brûlant sont nécessaires, disait Napoleon Hill. Si une idée est imprimée dans votre esprit et soutenue par tout le désir émotionnel dont vous êtes capable, elle deviendra une obsession pour vous. L'intensité de l'impression modifie nettement la vitesse à laquelle une habitude s'acquiert.*

Pour le gagnant tout ceci signifie que vous pouvez décider des habitudes que vous aimeriez développer, et ensuite le faire. Vous pouvez remplacer des mauvaises habitudes par des bonnes grâce à la répétition et au renforcement. Vous pouvez remplacer des pensées négatives par des positives, et l'inaction par l'action; vous pouvez former n'importe quelle habitude que vous choisissez.

Disons que vous avez un problème à maintenir une attitude mentale positive. Comment pouvez-vous utiliser ce principe pour changer la façon dont vous pensez? W. Clement Stone dit: «J'utilise des motivations personnelles. Une motivation personnelle est une affirmation — une commande à vous-même ou un symbole — que vous utilisez délibérément comme autosuggestion pour vous amener à une action désirable. Vous répétez simplement une motivation personnelle verbale 50 fois le matin et 50 fois le soir pendant une semaine ou 10 jours pour imprimer les mots de façon indélébile dans votre inconscient.

«Vous faites cela avec l'intention bien arrêtée de passer à l'action si le besoin s'en fait sentir, c'est alors que la

---

*   «Napoleon Hill Revisited: On Cosmic Habit Force», *PMA Adviser* (April 1986), p. 6.

motivation personnelle passe tout d'un coup de votre inconscient à votre esprit conscient — par exemple, lorsque
vous désirez éliminer ou neutraliser la peur, aborder les
problèmes avec plus de courage, transformer les désavanta-
ges en avantages, vous efforcer d'atteindre une plus grande
réussite, résoudre des problèmes sérieux ou contrôler vos
émotions.

« Parce que je me suis préparé, quand j'aurai un problème, une ou plusieurs phrases de motivation personnelle
surgiront automatiquement de mon inconscient vers mon
esprit conscient. En voici quelques-unes que j'utilise pour
mes problèmes en affaires :

- Tu as un problème — c'est bien !

- Chaque fois que tu es dans l'adversité, elle est por-
  teuse de la graine d'un avantage équivalent ou supérieur.

- Ce que l'esprit peut concevoir et croire, l'esprit peut le
  réaliser pour ceux qui ont l'A. M. P. et qui la mettent
  en pratique.

- Trouve une bonne idée qui marchera — et fais-la
  travailler !

- FAIS-LE MAINTENANT !

- Pour être enthousiaste, agis avec enthousiasme !

- « Lorsque j'ai un problème personnel, j'utilise celui-
  ci :

- Dieu est toujours un bon Dieu !

« En réalité, il y a une très petite différence dans la
façon dont je me situe face à un problème en affaires et à un
problème personnel, mais *il y en a* une. Si un problème
personnel engage des émotions profondes, j'utilise toujours immédiatement le plus grand pouvoir de l'homme : le
pouvoir de la prière. Pour résoudre mes problèmes d'affaires, je prie aussi pour recevoir des conseils ».

Ce que W. Clement Stone prône, c'est une forme d'autosuggestion ou de dialogue avec soi-même qui renforce
vos efforts pour acquérir des habitudes. C'est un fait que si
vous répétez quelque chose assez souvent, vous finirez par

le croire. C'est le principe de la répétition et du renforcement.

Il recommande aussi que vous le répétiez à voix haute et avec conviction. Peu importe la phrase que vous tentez d'imprimer dans votre inconscient, que ce soit une motivation personnelle pour vous venir en aide si besoin est, ou un objectif que vous voulez transformer en un désir profond et brûlant, vous pouvez persuader votre inconscient que cela est une réalité grâce à la répétition convaincante.

Vous parler doucement n'aura pas le même effet. Si vous voulez que votre inconscient suive le mouvement, vous devez montrer un peu d'enthousiasme. Il y a un autre avantage à le répéter à voix haute: vous intensifiez l'impression parce que vous utilisez plus d'un de vos sens.

Napoleon Hill disait que l'inconscient, par la force cosmique de l'habitude, «s'empare de l'attitude mentale de quelqu'un et la traduit dans son équivalent matériel. Vous n'avez pas à vous inquiéter de comprendre pleinement comment le principe fonctionne, parce qu'il fonctionne automatiquement. Tout ce que vous avez à faire pour bénéficier des retombées de la loi est de prendre possession de votre propre esprit, le rendre positif de façon prédominante par vos habitudes quotidiennes de pensées, et d'y implanter une image précise de vos désirs.

«Le noyau de toute la philosophie de l'accomplissement personnel réside dans la force cosmique de l'habitude. Contrôlez votre attitude mentale, gardez-la positive en faisant preuve d'autodiscipline, et préparez ainsi le sol mental dans lequel tout projet, tout but ou tout désir qui en valent la peine peuvent, grâce à une impression répétée et intense, être semés avec l'assurance qu'ils croîtront et trouveront à s'exprimer dans leur équivalent matériel quels que soient les moyens à votre portée».[*]

Dans le langage d'aujourd'hui, l'idée de Napoléon Hill est que si vous vous donnez un objectif, voyez-vous comme l'ayant atteint et renforcez continuellement le message auprès de votre inconscient: «Je vais atteindre cet objectif»,

---

[*] «Napoleon Hill Revisited», p. 6.

votre inconscient travaillera 24 heures sur 24 pour vous aider à trouver une façon de l'atteindre.

Comme nous l'avons observé dans le chapitre sur l'objectif précis, l'esprit est orienté de par sa nature à se donner des objectifs. Donnez un objectif à votre esprit, et le voilà parti à la course. Associez cela au fait que l'esprit utilise les habitudes pour se rendre plus efficace, pour faire les choses répétitives avec un minimum d'effort, et vous avez une formule pour former n'importe quelle habitude de succès qui vous plaît.

Ceci ne veut pas dire que changer les habitudes est facile. Loin de là. Comme Samuel Johnson l'a déjà observé, «Les chaînes de l'habitude sont généralement trop petites pour êtres senties jusqu'à ce qu'elles deviennent trop grosses pour être brisées». Pour remplacer un modèle d'habitude indésirable par un nouveau, nous devons d'abord briser une habitude que nous avons acquise petit à petit pendant une très longue période.

Les organismes, qui se sont spécialisés pour aider les personnes à briser les mauvaises habitudes oppressives, ont appris qu'il ne suffit pas de décider un jour de faire quelque chose ou de ne pas le faire pour que cela soit réglé. Cela ne fonctionne pas de cette façon. Les alcooliques arrêtent de boire un verre à la fois, une heure à la fois, un jour à la fois. Ils ne se considèrent jamais autrement que provisoirement guéris. Les fumeurs n'abandonnent pas la cigarette une fois pour toutes; ils cessent de fumer une cigarette à la fois, un paquet à la fois, et une heure à la fois. Ceux qui sont à la diète perdent du poids de la même façon, un kilo à la fois, et un repas à la fois. Tout le monde peut se passer d'une cigarette, d'un casse-croûte, ou d'un verre.

La même chose est vraie avec les comportements que vous aimeriez installer à la place des habitudes que vous voulez briser. Par exemple, si vous voulez vous entraîner à faire un travail déplaisant tout de suite au lieu de remettre cela au lendemain, faites-le une fois, encore une autre fois, et ainsi de suite jusqu'à ce qu'à la toute fin vous n'ayez enfin plus besoin d'y penser, cela devient automatique. Si vous voulez manger des carottes à la place du chocolat, vous le faites un chocolat à la fois.

John C. Maxwell, pasteur de Skyline Weselelyan Church à Lemon Grove, en Californie, et auteur de *Your Attitude, Key to Success*, dit qu'une fois que vous avez fait le choix de changer votre attitude, le travail commence réellement. « Maintenant », dit-il, « commence une vie où vous décidez continuellement de progresser et de maintenir la bonne façon de voir. Les attitudes ont tendance à retourner à leurs patterns d'origine si elles ne sont pas surveillées et cultivées avec soin.

« La chose la plus difficile dans la traite des vaches », observa un fermier, « est qu'elles ne restent jamais traites ». Souvent, le changement d'attitude ne demeure pas ». John C. Maxwell identifie trois étapes durant lesquelles vous devez toujours faire le bon choix si vous voulez changer et maintenir le changement.

- *L'étape du début.* « Les quelques premiers jours sont toujours les plus difficiles. Les vieilles habitudes sont difficiles à briser. Le mental doit être continuellement vigilant pour nous permettre d'entreprendre la bonne action ».

- *L'étape du milieu.* « Au moment où les bonnes habitudes commencent à s'enraciner, se présentent des choix qui amènent de nouveaux défis. De nouvelles habitudes sont formées qui seront ou bien bonnes ou bien mauvaises. La bonne nouvelle est : « Qui se ressemble s'assemble ». Plus vous faites de bons choix et développez de bonnes habitudes, plus il est probable que de bonnes habitudes soient formées ».

- *L'étape de la fin.* « La complaisance peut devenir l'ennemie » dans cette étape, dit Maxwell : « Nous connaissons tous des incidents où quelqu'un (nous peut-être) a réussi à maigrir, pour finalement retomber dans ses vieilles habitudes alimentaires et reprendre du poids ». *

Une autre chose difficile à propos du changement de comportement est qu'il faut beaucoup de temps pour élimi-

---

* John C. Maxwell, *Your Attitude, Key to Success* (San Bernardino, Calif. : Here's Life Publishers, Inc., 1984), p. 131. pp. 261 à 268 Index non fait — tel que requis.

ner une mauvaise habitude et la remplacer par une bonne. Il n'y a pas cette euphorie normale qui vient avec l'accomplissement d'un objectif à court terme. Le plaisir de la victoire vient longtemps après la prise de décision et généralement quand vous en êtes arrivé à ce que la nouvelle habitude soit fortement ancrée, vous en avez assez de tout cela. Voilà pourquoi il est important de vous répéter souvent votre objectif et de vous féliciter de vos petites victoires.

La solitude (après tout, nous seuls devons changer nos habitudes) est aussi une des raisons des groupes de soutien. Les Alcooliques Anonymes, les cliniques de non fumeurs, les Weight Watcher et d'autres groupes visant à modifier le comportement utilisent le soutien et la pression des pairs pour aider les participants à atteindre leurs objectifs. Annoncez vos objectifs publiquement; dites à tous ceux que vous connaissez la teneur de vos plans afin d'être embarrassé si vous ne persévérez pas. S'il n'y a pas de groupes de soutien formels pour les habitudes de succès que vous projetez de développer, obtenez le soutien de votre famille et de vos amis.

Une maîtresse d'école que nous connaissons utilise ce principe d'une façon simple et inoffensive pour obtenir tout ce qu'elle veut. Elle fixe une photo des choses qu'elle désire sur la porte du réfrigérateur avec des petits aimants. Plusieurs fois par jour, quand elle voit l'objet de son désir, cela renforce le message, non seulement dans son esprit, mais dans l'esprit de sa famille et de ses amis. Tout le monde connaît son plan.

Lorsqu'elle a voulu une nouvelle voiture sport rouge, elle a collé la photo de son visage sur celui du mannequin de la publicité. Sa famille et ses amis se sont moqués d'elle, mais chaque fois qu'elle passait près du réfrigérateur, elle se voyait au volant de cette voiture sport. Le prix de la voiture était au-dessus de ses moyens, mais le désir brûlant qu'elle s'était insufflé de posséder cette automobile la motivait à obtenir un revenu supplémentaire dans un travail de vente directe à temps partiel, et à rogner sur d'autres choses. Six mois après avoir affiché la photo de la voiture sur la porte du réfrigérateur, la voiture lui appartenait.

Il lui fallut un peu plus de temps pour acheter la maison qu'elle voulait, mais elle utilisa le même principe. Elle afficha la description de la maison sur la porte du réfrigérateur à la vue de toute la famille. Cette fois, ils étaient moins nombreux à douter d'elle; mais sa famille a quelque peu râlé parce qu'ils savaient par expérience qu'il leur faudrait tous travailler un peu plus fort et épargner avec plus d'attention. Bien sûr, maintenant la maison leur appartient.

Aujourd'hui, sur le réfrigérateur, l'institutrice a une photo des campus étudiants de Yale et de Princeton, ainsi qu'une brochure à propos du coût d'un cours universitaire en l'an 2 000. Si vous ne l'avez pas encore deviné, elle est en train d'épargner pour les frais de scolarité de ses enfants. Plus personne n'en doute parmi sa famille et ses amis. Tout le monde sait que lorsque les enfants atteindront l'âge d'aller à l'université, l'argent sera disponible.

Leo J. Hussey a utilisé le principe de la force cosmique de l'habitude pour arrêter de fumer et devenir un coureur de marathon. Vice-président senior de Plantation, une succursale de Burnup and Sims établie en Floride, Leo J. Hussey a essayé pendant des années d'arrêter de fumer mais dans des situations très stressantes, il dit: «Je me trouvais toujours en train de fouiller dans mes poches à la recherche de cigarettes. Même si mon père est mort d'emphysème alors qu'il était encore jeune, j'avais quand même beaucoup de difficulté à arrêter de fumer.

«Finalement, j'ai bel et bien arrêté pendant quatre ans et à la fin de cette période, je suis allé en vacances avec mon frère. Nous sommes allés à la pêche un après-midi. Nous avons pêché le nombre autorisé de truites de ruisseau, nous nous sommes assis sur le bord de l'eau, et mon frère a allumé une cigarette — la même sorte que celles que je fumais. Elle avait l'air tellement bonne, j'ai dit: «Euh, je vais en prendre juste une». Pour être bref, à la fin de mes vacances d'une semaine, je fumais plus d'un paquet par jour. J'ai augmenté graduellement la dose jusqu'à trois paquets par jour, plus la pipe et le cigare. J'en suis arrivé à prendre l'habitude de rouler mes propres cigarettes avec du tabac à pipe parce que je ne trouvais rien d'assez fort.

« Pendant que je voyais mon père dépérir, je me disais tout le temps, « il faut que j'arrête de fumer ». Et j'ai essayé plusieurs fois durant les deux années qui suivirent, mais rien ne semblait marcher. Je décidai que si je ne pouvais me débarrasser de l'habitude, au moins je me renforcerais les poumons. Alors j'ai commencé à courir. Au début, juste autour du pâté de maisons, puis petit à petit j'ai commencé à courir de plus en plus loin.

« J'ai continué de fumer pendant la période où j'ai commencé à courir et après deux ans, j'ai couru mon premier marathon. Arrivé là, je me suis retrouvé plus accroché au jogging qu'à la cigarette. Étrangement, la course était devenue si importante pour moi que la cigarette a fini par simplement disparaître. J'ai juste dit: "Qui a besoin de cela?" et j'ai arrêté ».

Cela se passait il y a 10 ans; Leo J. Hussey avait 37 ans à l'époque. Depuis ce temps, il a couru huit marathons et sa photo apparaît sur une carte de gomme à mâcher Big League avec ses records de marathonien international. Son travail l'oblige à être souvent sur la route, mais cela ne l'empêche pas de courir. Il s'entraîne en courant dans les parkings d'aéroports entre les vols, et dans les escaliers des hôtels et des édifices à bureaux.

« C'est ainsi que le principe fonctionne », dit W. Clement Stone. « C'est un travail difficile que de remplacer les mauvaises habitudes par de bonnes, et cela prend du temps. La force cosmique de l'habitude n'est pas une faiseuse de miracle, pas plus qu'elle n'est une sorte de magie sur le plan psychologique. Elle ne fera pas quelque chose à partir de rien; elle ne vous dira même pas dans quelle direction vous devriez aller. Ce qu'elle fera — si vous répétez et vous renforcez continuellement le message — est de vous forcer à développer les habitudes que vous choisirez d'acquérir pour vous-même. Par l'usage de ce principe, vous pouvez transformer vos objectifs en un brûlant désir tellement intense que rien sur la terre ne pourrait vous empêcher de les réaliser.

« Il peut vous aider à développer et à prendre l'habitude de mettre en pratique tous les principes du succès ébauchés dans le présent livre jusqu'à ce qu'ils deviennent pour vous une seconde nature. Le principe de la force cosmique de l'habitude peut vous donner une meilleure santé physique et mentale; il peut vous apporter une richesse plus grande que tout ce que vous pouvez imaginer aujourd'hui. Mais plus que tout encore, il peut vous rendre plus heureux — avec vous-même, avec vos collègues, avec votre famille et avec vos amis.

« Ce principe vous fournit l'ultime outil dont vous avez besoin pour mettre en œuvre à votre avantage cette philosophie du succès. Adoptez-le et faites-en une habitude.

Chapitre 19

La formule

L'efficacité durable des 17 principes du succès a été évidente tout au long de ce livre. Elle est amplement démontrée par les nombreux leaders du monde des affaires qui nous ont fait part de leurs expériences. Ces principes sont, à n'en pas douter, les pierres d'assise de la réussite.

La question qui demeure toutefois pour chacun d'entre nous est: « Comment est-ce que j'applique ces principes dans ma propre vie? »

W. Clement Stone a passé une bonne partie des dernières 20 années de sa vie à chercher la réponse à cette question. Ses solutions sont réparties tout au long des chapitres qui précèdent. Ce chapitre final résume les trois points principaux de la nouvelle formule du succès de W. Clement Stone.

« Dans ma formule », dit-il, « le tout est égal à la somme de ses parties ». Ceci n'est pas un cliché à mettre de côté à la légère, ceci contient des éléments aussi profonds que le $E = MC^2$ d'Einstein. Cette formule est également semblable d'une autre façon à la théorie d'Einstein sur la relativité. La formule devient simple et compréhensible seulement après que vous en ayez maîtrisé les éléments. Pas un seul principe n'est capable d'assurer à lui seul le succès d'une tentative quelle qu'elle soit ; c'est l'application de la formule tout entière qui en est capable.

Les gens qui appliquent avec succès les 17 principes font cela, dit W. Clement Stone, parce qu'ils ont acquis l'habitude de reconnaître, de relier, d'assimiler et d'appliquer l'information, en provenance de toutes les sources, qui les aidera à atteindre leurs objectifs. Il appelle ceci sa formule R2A2.

Il indique que le livre de Norman Monath, *Know what you want and get it!*, est une excellente explication de la façon d'adapter les divers principes du succès d'une discipline à une autre. «L'explication de Norman Monath est ce à quoi j'ai toujours fait référence quand je parle de R2 (reconnaître et relier) et de A2 (assimiler et appliquer)», dit W. Clement Stone. «En vue d'atteindre n'importe quel but dans la vie, vous devez d'abord apprendre à reconnaître, relier, assimiler et *appliquer* des principes tirés de ce que vous voyez, entendez, lisez, pensez, ou de ce dont vous faites l'expérience.

«Lorsque vous lisez un livre de motivation personnelle qui vous inspire, par exemple, vous ne tirerez aucun bénéfice des mots à moins d'étudier, de comprendre, d'épouser et d'appliquer les principes qu'il propose.

«Il y a un art de lire un tel livre. La première chose que vous devez faire est de vous *concentrer*. Lisez comme si l'auteur était un ami personnel intime et vous écrivait à vous — et à vous seul.

«De plus, il est sage de *savoir ce que vous recherchez*. Si vous voulez réellement vous sentir relié aux idées qui sont contenues à l'intérieur d'un livre qui vous inspire et que vous voulez les assimiler dans votre propre vie... *travaillez-y*. Un livre de motivation personnelle ne se lit pas rapidement en passant d'une page à l'autre comme vous pourriez le faire avec un roman policier.

«Billy B. Sharp, un éducateur bien respecté et auteur de *Choose Success*, a écrit: «Dans un roman, l'auteur contrôle habituellement la conclusion. *Dans un livre de motivation personnelle, le lecteur écrit la conclusion.* Ceci signifie que l'action vous incombe.

«Comme les idées viennent d'endroits insoupçonnés, il est important de lire avec un bloc-notes à portée de la main. Tout ce qui offre de l'intérêt (un éclair d'inspiration ou une réponse à un problème) devrait être noté immédia-tement.

«Le lecteur devrait lire en se posant la question: *Qu'est-ce que ceci signifie pour moi?*

«Le lecteur voudra être aux aguets des *Comment*. Un bon livre de motivation personnelle offrira de l'information sur le *Comment*, tout autant que sur le *Quoi*. Soyez à l'affût des deux, et de la relation entre les deux».

Voici quelques autres suggestions que j'ai toujours trouvées utiles lorsque je lisais un livre de motivation per-sonnelle:

«Lisez la dédicace, l'index et chaque page dans l'or-dre. Lisez le livre en entier. Si le livre vous appartient, *soulignez ce qui vous semble important*, spécialement si c'est quelque chose que vous aimeriez mémoriser. Mettez un point d'interrogation à côté d'un énoncé que vous remettez en question ou que vous ne comprenez pas. Vous pouvez même écrire de courtes notes dans la marge des pages. Écrivez sur votre bloc-notes toute idée qui vous inspire ou toutes les solutions possibles qui peuvent vous passer par la tête. Terminez un chapitre avant d'arrêter de lire.

«Après avoir terminé votre première lecture, lisez en-core le livre dans le but *d'étudier*, pour comprendre et saisir l'information de chaque paragraphe. Identifiez et *mémori-sez* ce qui, dans le texte, est propre à vous motiver. Encore une fois, soulignez d'autres mots et d'autres passages qui sont importants pour vous.

«Lisez à nouveau le livre plus tard. Je me souviens que Napoleon Hill avait une fois un problème et semblait inca-pable de trouver une réponse. Comment est-il parvenu à trouver une réponse? En lisant à nouveau son propre livre, *Réfléchissez et devenez riche*».

Un autre élément clé dans la formule du succès de W. Clement Stone est de réserver chaque jour un temps régu-lier à la pensé créatrice. Ceci est un temps où vous ne faites que vous asseoir seul et penser. Cela peut être aussi peu qu'une demi-heure par jour, ou autant que deux bonnes heures — la chose importante est de *le faire avec régularité*.

« Choisissez le moment de la journée qui vous convient le mieux pour penser », dit-il. « Si vous êtes quelqu'un du matin, levez-vous de bonne heure, si vous êtes quelqu'un du soir, restez debout tard. Allez dans un endroit tranquille qui est propice à la pensée créatrice, et gardez un bloc-notes à portée de la main pour noter les idées. Laissez votre esprit vagabonder si vous le voulez, essayez de voir les choses sous un jour différent, ou d'une manière différente de celle dont vous les envisagiez auparavant.

« Si vous essayez de résoudre un problème en particulier ou de trouver de nouvelles idées, appliquez la formule R2A2. Tenez compte de l'information qui vous vient de domaines voisins ou d'ailleurs ; voyez si une partie de cette information pourrait être adaptable à votre problème actuel.

« Évaluez vos idées objectivement. Faites une liste des aspects positifs et des aspects négatifs, ou des problèmes à surmonter avant de mettre l'idée en application. Si le positif l'emporte sur le négatif et que les problèmes semblent pouvoir raisonnablement être surmontés, vous avez une bonne idée. La clé ici est d'être *raisonnable et objectif*. Ne vous leurrez pas en pensant à l'impossible. Les gens qui réussissent quand tout semble contre eux y parviennent en examinant à fond leurs idées et en minimisant les risques, résolvant les problèmes un par un, comme ils se présentent.

Le troisième élément dans la formule du succès de W. Clement Stone est d'apprendre à capter les pouvoirs de votre inconscient. Si vous ne comprenez pas bien ceci, retournez en arrière et relisez le chapitre 14, « la vision créatrice ». Si vous voulez vraiment atteindre de grandes réussites dans toute tentative quelle qu'elle soit, vous devez maîtriser cette technique.

« Ne vous attendez pas à des miracles au début », vous met en garde W. Clement Stone, « il faut du temps pour que le processus d'activer votre inconscient devienne efficace. Comme toute autre chose, toutefois, plus vous vous entraînez, meilleur vous devenez. Une fois l'habitude prise, vous n'avez qu'à simplement laisser agir le processus ».

Commencez par définir le problème ou l'objectif; assurez-vous de savoir exactement ce que vous essayez d'accomplir. Que vous soyez en train de développer une meilleure présentation de vente ou d'inventer un nouveau produit, vous devez d'abord savoir exactement ce que vous voulez réussir avant de pouvoir espérer même le faire.

Ensuite, lisez toute l'information disponible sur le sujet. Vérifiez dans les revues professionnelles, lisez les livres de motivation personnelle ou toute autre documentation qui pourrait être appropriée au sujet. Lisez et étudiez tout ce qui a jamais été écrit sur le sujet, même si au début l'information ne vous semble pas directement reliée à ce qui vous intéresse.

Encore une fois, utilisez la formule R2A2. Rappelez-vous l'expérience de Thomas Edison avec le charbon de bois et l'ampoule électrique. Le fait que le bois ne se consume pas sans oxygène semble n'avoir rien en commun avec la lumière électrique, à moins de considérer que lorsque le fameux scientifique a fait cette association, son problème était que les filaments brûlaient sans cesse. Une fois qu'il eut enlevé l'oxygène de l'ampoule, son problème était résolu.

Laissez à l'idée le temps d'incuber. Vous pouvez trouver une solution à votre problème à l'instant même, ou cela peut vous prendre quelques jours, des semaines, même des mois ou des années. Vous pouvez être capable de vous détendre et de laisser votre esprit vagabonder jusqu'à ce que votre inconscient joue avec l'idée et transmette la solution à votre esprit conscient, ou vous pouvez vous éveiller dans le milieu de la nuit avec la solution parfaite. Elle peut vous venir en vous rasant, en vous rendant au travail au volant de votre automobile, ou bien chez le coiffeur. Mais elle viendra. Lorsque les idées commenceront à venir, vous en aurez vraisemblablement plusieurs qui se succèderont, toutes aussi utilisables les unes que les autres, ou peut-être une seule sera *la* bonne réponse. Écrivez toutes vos idées au moment où elles se présentent.

Une fois l'excitation de la création passée, il est temps d'évaluer objectivement les idées. Lorsque vous êtes convaincu que vous avez choisi la meilleure, dépêchez-vous et travaillez-y pendant qu'elle est encore nouvelle et excitante.

On a du plaisir à trouver des idées, mais le vrai test est leur mise en application. Elle peut exiger beaucoup de travail difficile et de persévérance, mais il n'y a rien de plus excitant que de mettre en œuvre votre idée pour créer de la richesse ou des emplois, ou pour aider les autres par des moyens qui n'auraient pas existés sans le pouvoir de votre esprit.

Vous connaissez maintenant les principes qui ont aidé tant d'autres personnes à atteindre des niveaux de réussite qui dépassaient leurs plus folles attentes. Vous possédez maintenant la formule pour appliquer ces principes dans votre propre vie.

Alors allez-y, comme le dit W. Clement Stone : « Faites-le maintenant ! »